世界の最新メソッドを
医学博士が一冊にまとめた

最強脳のつくり方大全

Supercharge Your Brain

How to Maintain a Healthy Brain
Throughout Your Life

ジェームズ・グッドウィン 著
森嶋マリ 訳

文藝春秋

はじめに

人の知能は先天的なもの（遺伝）で決まるのか、それとも、後天的なもの（環境）で決まるのか？

脳科学で特に論争を呼ぶこの問題は、２０１２年に『ネイチャー』誌に掲載された論文によって、ある種の決着がついた。大人の知力の50％は、子供のとき（11歳時）の知能指数から推測できることがわかった。だが、それ以外の要素に関しては？

大人になってからの知能指数（知力）に関して、ＤＮＡで決まるのはわずか４分の１とのことだ。残りの４分の３は、環境や生活習慣などで決まる。つまり、本人の心がけ次第なのだ。

それ以外に、科学は脳について何を解き明かしたのか？

脳科学や心理学の進歩はめざましい。ここ数年間の主な発見を挙げれば、それがまぎれもない事実だとおわかりいただけるはずだ。

●生体内の細胞変換。脳の支持細胞（グリア細胞）を機能する脳細胞に再プログラムするための遺伝子治療への利用。
●治療不可能な脳の神経変性疾患の多くは、食生活の改善などで予防ができる。
●再生された幹細胞移植による、脳への再生医療の可能性。
●運動と認知（思考力）の新たな関連性の発見。
●脳への電気的刺激による記憶力の向上。
●超音波と微細気泡（マイクロバブル）を使用して、脳にアクセスする画期的な治療法。
●セックスの頻度と認知機能の向上の関連（これは冗談ではない）。

とはいえ、問題もある。こういった革新的な研究結果が、きちんとした情報とともにバランスが取れた形で人々に伝わっていないのだ。誇張されたり、曖昧であったり、矛盾していたりする。その最たる例が、２０１８年に『ＢＭＪ（ブリティッシュ・メディカル・ジャーナル）』に掲載された研究だ。

その研究では、断酒した人と、週に14ユニット（1ユニットは純アルコール8グラム）以上の酒を飲む人は、認知症のリスクが高まるとされた。つまり、酒は適度に飲んだほうが良いというわけだ。この研究結果は、ＢＢＣをはじめとするテレビのニュース番組など、さまざまなメディアで大きく取りあげられた。

だが、残念ながら、適量の飲酒によって、認知症のリスクが下がるという研究結果は、最高医学責任者（チーフ・メディカル・オフィサー）の「飲酒に安全な量はない」という発言で一蹴された。研究の微妙な差異や、エビデンスに議論の余地はあるものの、いずれにしても、研究者も含めて誰もが大いに混乱していることを覚えておいてほしい。

脳にまつわる最新研究は日々、アップデートされている

そういった混乱が起きるのは、さまざまな本や文献にセンセーショナルだったり、誇張していたり、あるいは、何やら思惑がありそうな個人的見解が記されているからだ。

誤解を招くような怪しげな健康関連本が巷にあふれ、強引とも言えるマーケティング戦略で宣伝されている。とりわけ食とダイエット関連でその傾向が顕著で、もちろん、そこには脳に関するものも含まれている。栄養補助食品（サプリメント）でもそういった例はよく見かける。米国では、食品医薬品局が把握しているサプリメントだけで、8万5000種類にのぼり、2018年の売上高は400億ドルを超えている。

英国も似たような状況だ。2018年の全世界での売上は1210億ドルを超え、無数の人が健康問題はサプリメントが解決してくれると思いこんでいる。

さすがに具体的な病名を挙げて〝治る〟と謳うのは禁じられているが、サプリメント・メー

カーは想像の翼をめいっぱい広げて、ほぼ好き放題のことを言っている。たとえば、クラゲのサプリメントには、〝記憶力の向上〟と書かれている（〝ベジタリアン対応〟とも書かれている。近年クローン化が進んでいるとはいえ、主な成分が動物なのに、いったいどういうことなのか？）。ほかにも、〝加齢に伴う軽度の記憶障害への効果は臨床的に実証済み〟や、〝健康な脳、明晰な頭脳、曇りのない思考をサポートする〟などの怪しげな文言が見られる。私はその手の宣伝文句をこれっぽっちも信じていない。

私たちが創設したグローバル・カウンシル・オン・ブレイン・ヘルス（脳の健康に関する世界会議）(注1)が、その種の宣伝文句を調査したところ、〝呆れて笑うしかなかった〟。

本書で何度も繰り返すことになるが、怪しげで辻褄の合わない宣伝文句に出くわしたら、まずは疑ってかかることをお勧めする。証拠は改ざんされ、あたりまえのように誇張され、信憑性は拡大解釈されている。そういった商品はほぼすべて、疑うことを知らない消費者から金をむしり取るためのものだ。というわけで、証拠の正当性をしっかり見極めよう。どんな証拠なのか、どのようにして導きだされたのかを、きちんと確かめるのだ。

一方で、脳に関しては、複雑で専門的な研究結果が無数に発表されている。その手の資料が複雑になってしまうのは、脳そのものが複雑だからだ。ゆえに、研究方法もどんどん複雑化している。それもそのはず、神経科学、心理学、精神医学の進歩は目覚ましく、膨大な数の研究がおこなわれているのだ。日々、研究者は新しい発見をしている。

あるとき、私は有能な図書館司書に、しごく単純な質問をした（その結果、思っていたほど単純ではないことに気づかされた）。「1日に何本の学術論文が発表されているのか？」と尋ねたのだ。答えは、私たちが入手できそうなものだけで3000本だった。

なんと、毎日3000本ずつだ。1665年に、王立協会が学術論文誌『フィロソフィカル・トランザクション』を創刊して以来、その種の論文の数は平均すると9年ごとに2倍になっている。数だけでも驚くが、それより重要なのは、そのうちのいくつが一般の人にも関係があるのか、さらに、有益な研究結果のいくつが一般に知られるようになるのかという点だ。

人間の老化は11歳から始まる

この数十年間でのとりわけ興味深い発見は、脳の老化が生涯にわたる一連の変化で、かなり早い段階（11歳ぐらい）からはじまること、そして、体の老化速度は自在に変化し、そのほとんどが自分でコントロールできることだ（ＤＮＡや遺伝で決まるのは25％でしかない）。

食事、運動、睡眠、セックス、飲酒、コーヒー、ストレス、人間関係、脳の使い方などを改めて、脳の老化をコントロールすれば、いつまでも健康な脳を維持できる。

私は、グローバル・カウンシル・オン・ブレイン・ヘルスでの仕事から着想を得て、この本で重要な事柄とそうではない事柄を明確にするつもりだ。迷信と事実、すでにわかっていることと、まだわかっていないことを、きちんと区別する。誰もが知りたいことをきちんと伝え、全体像を示す。歳を取るにつれて脳が変化し、さまざまな問題が生じるが、それにうまく対処する方法を提案する。落とし穴の避け方はもちろん、実弾並みに危険なこと（運動不足、睡眠不足、肥満、孤独など）についてもお伝えする。

本書を読めば、脳を充分に機能させて、育み、良好な状態に保つために、何をすれば良いのかがわかる。明晰な頭脳を維持する方法、加齢による衰えの兆しに打ち勝つ方法がわかる。自分の力で脳を健康に保ちながら、生き生きと過ごすための方法を伝授する。そういった知識を身につければ、知力や機能の衰えを最小限に抑えて、一生健康でいられるのだ。

中年以降に、心がますます充実して、認知症などの病気のリスクを大幅に減らせる。さらに、未来にも目を向けよう。最新の科学がいかにして知力改善の秘密を解明しているかということも、おわかりいただけるはずだ。

世界の最新メソッドを医学博士が一冊にまとめた

最強脳のつくり方大全　目次

3 食事と脳

4 脳と腸内細菌 121

5 脳が欲する栄養素 171

7 脳と性欲

8 脳を明晰にする活動 327

9 睡眠と脳 371

10 脳と幸福 419

CHAPTER 1

脳を知る

- ■脳の健康には生活習慣が何より重要だ
- ■右脳と左脳の接続は女性のほうがはるかに優れている
- ■制御不能な情動脳が引き起こす愛情、憎悪、喜び
- ■人間の脳は毎日3万5000回決断している
- ■脳は他人の顔は記憶するが、名前を覚えるのは苦手
- ■生活習慣という危険因子から脳をいたわる
- ■認知症の予防は生活習慣の改善から
- ■脳とコンピュータは接続可能になった

脳の健康には生活習慣が何より重要だ

1953年、ケンブリッジ大学のカヴェンディッシュ研究所のジェームズ・ワトソンとフランシス・クリックは、遺伝コードを発見した。わずか64個の〝塩基対〟から成る遺伝コードは、一見シンプルに思えるが、そこから人のDNAの全貌であるゲノム（全遺伝情報）が解読されるまでには、さらに半世紀近くを要した。

1990年に30億ドルを投じてはじまったヒトゲノム計画は、2000年に目標を達成して終了した。それによって、人はそれぞれ約2万3000個の遺伝子から成る、体の作り方の指示書のようなものを持っていることがわかった。それは細胞内の30億以上の文字列の遺伝情報から成りたっている。今では、2万3000個をはるかに超えて、さらに大量にあることがわかっている。無数にあるタンパク質（細胞内の生命のもと）を作るための情報を、各遺伝子が持っているのだ。

遺伝子は複雑すぎると思っただろうか？　いや、実は、人の脳のほうがもっと複雑だ。はっきり言えば、科学として研究されているものの中で、もっとも複雑な構造をしている。あまりにも複雑で、ほとんどの神経科学者は脳を理解したという見解を否定している。

シアトルのアレン脳科学研究所のクリストフ・コッホは、〝われわれは線虫の脳すら理解していない〟と言った。(注1)そう発言するコッホの頭に浮かんでいたのは、C・エレガンスという線虫で、脳細胞は302個、結合は7000個しかない。860億個の細胞と、その細胞それぞれが無数の結合を持っている人間の脳とは比べものにならない。さらに、人間のすべての脳細胞の数、種類、機能まで理解できる日はまだまだ遠い。

とはいえ、ここで重要なのは、まだわかっていないことではなく、すでにわかっていることだ。2007年にブレイン・フィットネス（健康な脳を維持する取り組み）という考え方が普及して以来、脳の健康に関して数え切れないほどの研究と発見が繰り返されてきた。

ブレイン・フィットネスはそもそも、神経可塑性に基づいている。神経可塑性とは、外傷や病気、学習をはじめとする新たな必要性、環境の変化に応じて、生涯を通じて新たな結合を作る脳の能力のことだ。脳の可塑性については、本章の後半で詳しく解説する。

脳の健康には遺伝と同じぐらい、生活習慣(ライフスタイル)が重要であることが研究によって明らかになった。これは画期的な発想だ。脳の老化はかなり早い段階ではじまり、それが全身の老化速度と関連している。さらに、革新的な研究によって、そういった変化に歯止めをかけて、精神的な若さを保てることも明らかになっている。

大半の人は20代や30代では、脳の健康のことなどまだ気にもしないが、その頃から脳に良い生活を送っていれば、40代や50代になったときに、脳が良い状態に保たれる。脳の老化速度をゆるめられるという発想でさえ、20～30年前なら、相手にされなかったはずだ。さらに、新たな研究で、脳の健康状態を改善するのに遅すぎることはないこともわかった。何歳になろうと、努力次第で明晰な頭脳を保てるのだ。

脳についてわかっていることは、一文で言いあらわせる。〝脳は既知の宇宙の中で、もっとも複雑な構造をしている〟のだ。最新の神経科学によって判明したこともある。

たとえば、大人の脳には860億個の神経細胞（ニューロン）があり、それぞれの神経細胞には、1万〜1万5000個のシナプス（結合）がある。また、850億個のグリア細胞と呼ばれる支持細胞があり、約85万キロメートルの伝達線維があり、さらに、全長約10万キロメートルの血管の中を、毎分750ミリリットルの血液が流れ、体のどの部位よりも優先的に血液が供給されている。

また、脳は体への負担が大きな臓器だ。重さは体重の2％なのに、心臓が送りだす血液の15％を独占している。脳が大きいせいで、出産する女性の骨盤は限界まで押し広げられる。それによって、早期歩行、言語、集団での生存に欠かせない社交能力を持つ大きな脳の赤ん坊が生まれてくる。

酸素消費量に関しても脳は欲張りだ。基本的な機能を維持するだけで、全身の代謝に必要な酸素の20〜25％を消費し、1日に約500キロカロリーを消費する。代謝に関して、なぜ脳がこれほど優遇されるのか？　それは、基本的な生命維持のためのすべての要素（体温、水分量、酸性度、血圧、ホルモン、姿勢、バランス、動作）をコントロールし、さらには、高次の思考（計画立案、意思決定）、他者との関わり、感情の制御もおこなっているからだ。

右脳と左脳の接続は女性のほうがはるかに優れている

とはいえ、脳をもっともシンプルに表現するなら、塩水が入った袋と言えなくもない。いや、より正確に言うなら、厚させいぜい5ミリの長い管が折りたたまれて入っている袋だ。それほど単純な構造なのに、なぜ、体の中でもっとも複雑な臓器なのか？

その答えは、人間の胚細胞内の脳の発達にある。人間の脳は受精後約21日で、1本の管（神経管）として形成がはじまる。そこから、前方部分が中心から左右に向かって膨らんでいき、この膨らみが大脳半球（右脳と左脳）になる。とはいえ、そのふたつは完全に切り離されているわけではなく、広い帯状の組織の脳梁でつながっている。

その部分の情報のやりとりに関して、男性より女性のほうが優れているという研究結果がある。ペンシルバニア大学の研究チームが、８歳から22歳の男性４００人と女性５００人の脳を調べたところ、13歳以降の女性の脳で右脳と左脳の間の接続がはるかに多かった。それによってより多くの感情が処理され、他者との交流が促されるのだ。

さて、この後、胎児の脳は驚くべき発達を遂げる。受胎後、35日目頃から、管の前部が上向きになり、さらに後方へと折り重なりながら広がっていき、先端が脳半球の後部に達する。

細かく折りたたまれることによって、脳回（ふくらみ）と脳溝（くぼみ）の塊になり、お馴染みのクルミのような脳ができあがる。そんなふうに折りたたまれる理由はただひとつ、頭蓋骨という限られた場所に、できるだけ多くの脳を詰めこむためだ。しわの寄った脳を覆う薄い膜は、大脳皮質と呼ばれ、広げると表面積は新聞紙1ページ分ほどの大きさになる。この構造ゆえに、重さ1・4キログラムの脳の中に、860億個の神経細胞が共存できるのだ。

断っておくが、大人であっても脳の大きさには個人差がある。また一般に、女性は男性より脳が小さい。とはいえ、男性が優越感にひたるのはまだ早い。脳の大きさと知能は必ずしも比例しないのだ。

2012年、ミシガン大学のリチャード・ニスベット教授の研究によって、男女の知能に大きな差がないことがわかった。この結果は、約40年前にジェンセン教授が発表した研究結果と同じだ。

脳の形成は限られた時間内での大仕事だ。妊娠中、1分間に25万個もの神経細胞が作られる。神経細胞はぎゅうぎゅう詰めで、そこにDNAを含む黒っぽい核があるせいで、脳の皮質は灰色がかっており、灰白質と呼ばれる。さらに、成熟した脳は非常に高機能になるため、2歳の時点での完成度はまだ80％程度で、その後、25歳ぐらいまで発達しつづける。脳が作られる過程で、新しい細胞は脳内のあらかじめ決められた部位に移動し、その部位に特有の細胞になって、最終的に図1・1に示すさまざまな組織を形成する。

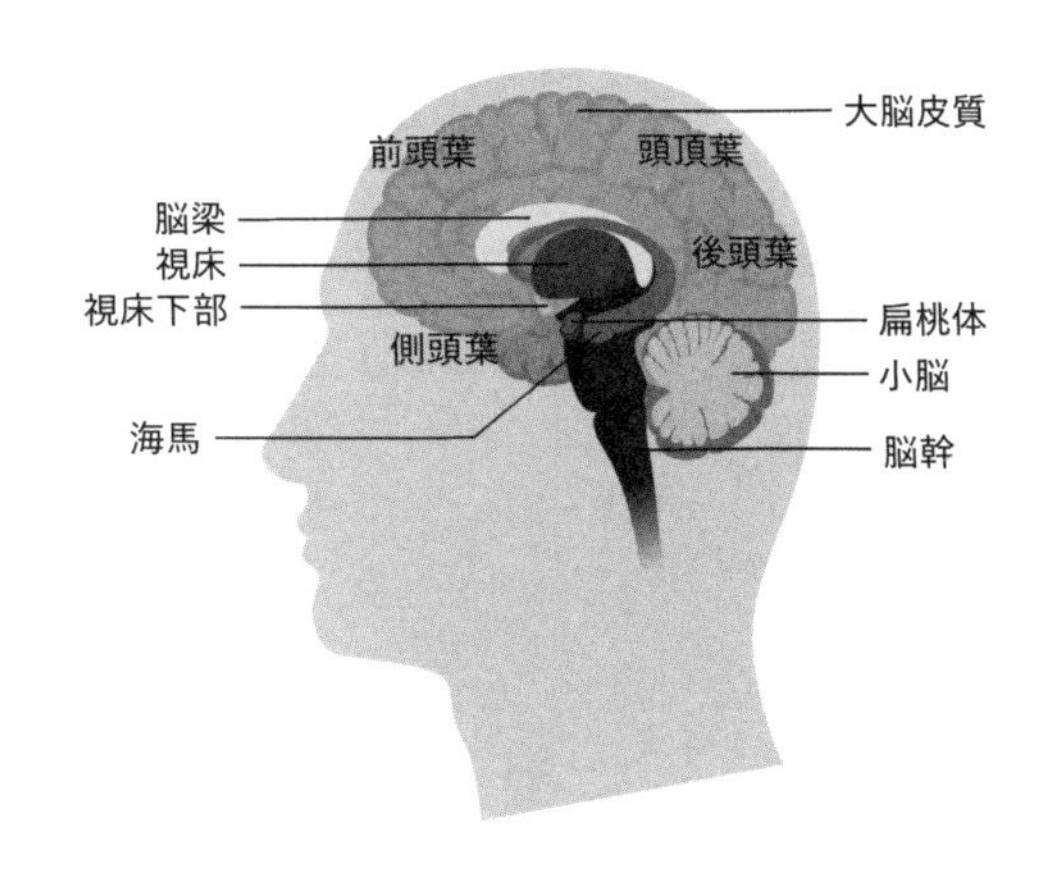

図１・１　人間の脳の配置

脳はメンテナンスが何よりも重要で、脳の50%以上（極めて活発で高機能な大脳皮質ではこの割合はさらに高くなる）は、機能する神経細胞を保護するグリアと呼ばれる支持細胞でできている。

グリア細胞にはいくつかの種類があり、そのひとつオリゴデンドロサイト（希突起膠細胞）は脳の神経回路（白質）を保護する。白質は脂肪を多く含み、白く見えることからそう呼ばれ、無数の線維とともに、８６０億個の脳細胞すべてをつなぎ、それは脳のコネクトームと呼ばれている。

大脳の左半球と右半球は、脳梁などの交連線維によってつながっている。半球内の各領域をつなぐのは連合線維で、その領域と脊髄は投射線維でつながっている。

制御不能な情動脳が引き起こす愛情、憎悪、喜び

脳梁を取り囲むようにして、強力な古い脳が集まっている。心理学で〝情動脳〟と呼ばれる大脳辺縁系だ。ラテン語で境界を意味する〝limbus〟から〝辺縁（limbic）〟と呼ばれるこの部分には、海馬のような〝思考する〟皮質や、視床下部、扁桃体、視床などのより深く、より原始的な構造物によって、強力なシステムができあがっている（各部の位置は図1・2を参照）。

視床下部は重要なコントロールセンターで、ホルモン、性行動、血圧、体温、飢餓感、喉の渇きを制御している。扁桃体はいうなれば強力な〝怒りのマシーン〟で、怒り、恐怖、不安、ストレスを司る。視床は巨大な処理センターで、体の各部から脳に入ってくる感覚情報（視覚イメージ、痛み、温度など）を処理し、体の中や外で起きていることを脳に伝え、そのすべてに反応する。

さらに、覚醒や警戒にも重要な役割を担っている。〝思考する脳〟に対して、大脳辺縁系が〝感じて反応する脳〟と呼ばれているのには、それなりの理由がある。それは生き延びて、身を守るという最優先の目的があるからだ。体のあらゆる部分と脳は、上りと下りの2車線の高速道路で結ばれているようなもので、それによって全身が強く反応する。言葉では説明できない反応があり、自分でも理解できない反応や、自力では制御できない反応もある。頭に血がのぼるほどの激しい怒り。恐怖で思わず逃げだしたくなる衝動。抑えきれない愛情、憎悪、喜び。

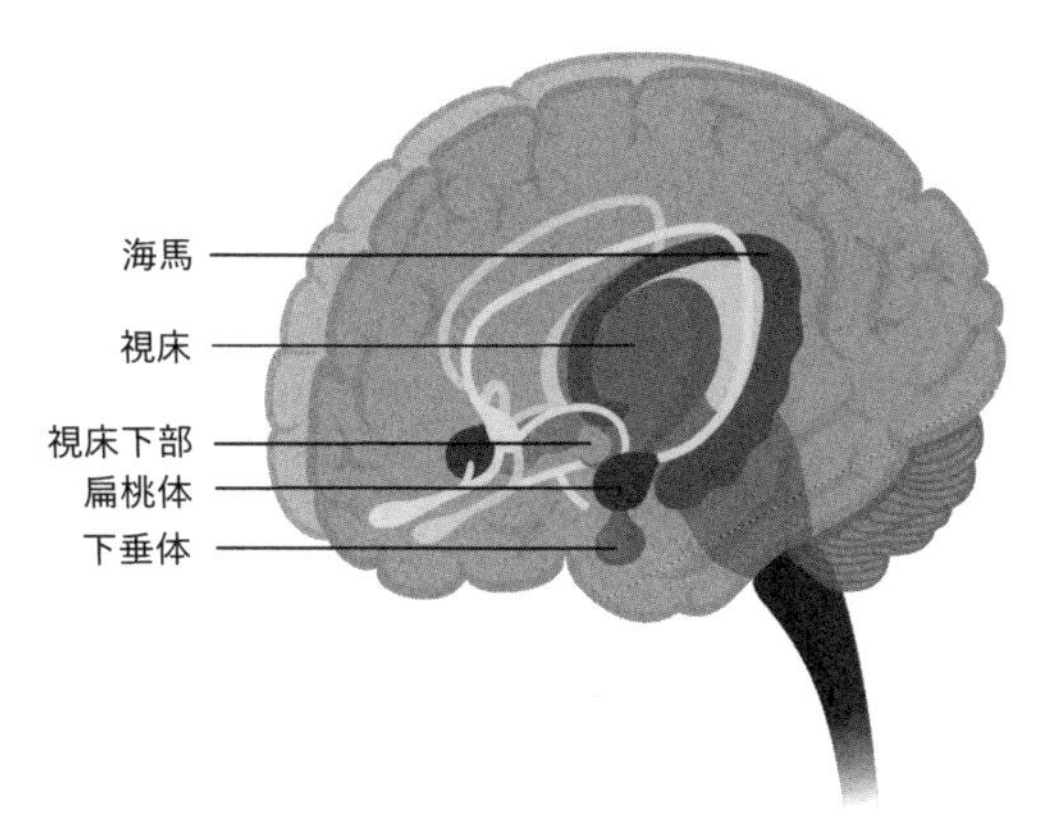

図1・2　大脳辺縁系

こういった強い感情にまつわる行動はすべて、制御不能な情動脳が引き起こす。

大脳辺縁系は、学習して（いや、学習しなくても）大脳皮質の前頭葉に蓄えられた圧倒的な社会的価値観によって支配され、常に抑制されている。

ただし、酒を飲んで前頭葉が麻痺して、一時的に機能しなくなると、大脳辺縁系の抑制がはずれて、攻撃、激昂、激しい欲望などがむきだしになる。

映画『カッコーの巣の上で』で、ジャック・ニコルソン演じる主人公は、不幸にも完全な前頭葉白質切截術（ロボトミー）を施された（優れた映画ではあるが、ロボトミーの描き方はあまりにも単純すぎる）。その手術を受けると、前頭葉が永遠に機能しなくなり、計画を立てる能力が失われ、無気力になる。

脳に関する考え方の変化のひとつは、脳機能局在論を捨てたことだ。その理論は、1878年にジョン・ヒューリングス・ジャクソン（ロンドン病院の医師で王立協会のメンバー）が提唱した考え方で、脳の特定の部位が特定の機能（動作や視覚など）を担っているというものだ。1881年、ドイツの科学者で生体解剖家のフリードリッヒ・ゴルツと、ヒューリングス・ジャクソンの弟子デイヴィッド・フェリエが議論を闘わせた結果、その考え方が医学会の定説となったのだった。だが、実は、論争に負けたゴルツのほうが正しかったらしい。最新の科学では、脳のさまざまな領域が継ぎ目なく連携し、一体となって機能していることが明らかになりつつある。

たとえば、視覚野と視床の伝達に関しては、視床が担う役割を考えれば、視床から視覚野への伝達のほうが多いような気がするが、意外にも、その逆だ。視覚野は目から入ってきたメッセージを受けとりながら、そのイメージを海馬から視床を経由してアクセスする常駐イメージ（個々の世界観）と照合して、何を意味しているのかを理解する。精緻な機能には、相互につながった高度なシステムが必要なのである。

神経管の折りたたまれなかった部分はどうなるのだろう？　脳と体を結ぶ管（脊髄）になる。脊髄は、脳のもっとも高度な機能を司る部分が、生命維持のためのメッセージをやりとりする高速道路だ。そういったメッセージの大半は無意識にやりとりされ、人は脳が働いていることすら気づかない。いくつかの例外を除いて、体内で起こっていることはすべて、情報となって脊髄と脳神経を通り、主に視床を経由して脳に入る。

視床は巨大な交換台といってもいい。逆に、脳の中で起きたことはすべてメッセージとして体に送られる。相互に制御されるこの重要な経路がなければ、人はごく普通の日常生活も送ることができない。


人間は長い年月をかけて脳が複雑に進化したおかげで、ほかの霊長類のような進化のルールに縛られない類まれな種となった。大脳皮質の中で前頭葉が占める割合は、人間が29％なのに対して、チンパンジーは17％、アカゲザルはわずか11・5％である。とはいえ、人間の高度な思考力や認知能力は、大きな前頭前野だけのおかげではない。重要なのは大きさではなく、どのように組織されているかだ。

人の脳の神経細胞のつながりはとても複雑で、科学者はそれを〝樹枝状分岐〟と呼んでいる。さらに、人間には見た目よりはるかに多い灰白質がある。あらゆる種の中で、人の神経回路はとりわけ高度につながっている。特に女性は、先ほども触れた通り、男性より左脳と右脳が密につながり、白質がより複雑だ。人が霊長類のトップに君臨しているのも不思議ではない。

地球上の人間以外の動物は、おおむね環境に適応することで生き延びてきた。対して、人間は環境に適応しつつも、環境を変えることで生き延びた。非情な社会集団の中で協力しあい、客観的な論理に従って原始的な情動行動を抑え、大きな脳の力を最大限に発揮して、自然界を征服してきたのだ。発明し、論理的に考えて、食物連鎖の頂点に立った。

集団行動、協力、進化する脳の驚異的な能力によって力を得た、最高に知的な人間という種の破竹の勢いを上まわる生物は、この世にはほぼ存在しない。

人間の脳は毎日3万5000回決断している

この50年間で、健康に対する考え方は大きく変わった。今や、病気ではないから健康であるとは言えない。周囲からの身体的、情動的、社会的な圧力の変化に対応できてこそ、健康と言えるのだ。適応能力と自己管理能力が試される。この考え方に何よりも当てはまるのが脳の健康だ。脳という組織の複雑さを考えると、きちんとメンテナンスしていくのはとうてい不可能にも思える。

脳を健康に保つ最大の目的は、日常生活や仕事で自分の能力を充分に発揮するためだ。また、健康な脳とは、3つの核となる機能が正しく働いていることを指す。実行機能(意思決定、問題解決、論理的思考、学習、記憶)、他者との良好な交流(神経科学者が呼ぶところの〝社会的認知〟)、情動的バランス(幸福感)の3つだ。

どのテレビ番組を見るか? 今朝、どのコーヒーを飲んだのか? ゆうべ、夕食を作ったのか? それとも、外食したのか? 犬の散歩に行くことにしたのか? それとも、家から出ないことにしたのか? そういったことはどれも、日常的な取るに足りない決断に思えるかもしれない。

だが、イエール大学での神経科学の研究で、脳は（つまり、人はみな）毎日、3万5000回も決断していることがわかった。

たとえば、1日に約7時間眠っている（決断から逃れられる心安らかな時間）とすれば、1時間に約2000回、すなわち2秒に1回決断していることになる。そのためには尋常ではない計算能力が必要だ。そう、まさに人の脳は尋常ではなく、1兆バイトのデータを蓄える記憶力があり、1秒間に100兆回の処理をこなせる。それに匹敵する能力があるのは、世界最大級のコンピュータだけだ（これについてはあとの章で解説する）。

そんなことができるのは、ひとことで言うなら、脳の実行機能のおかげだ。問題解決、論理的思考、学習はすべて、それにかかっている。知恵と行動力を駆使して、捕食動物や獲物、人間同士の競争に勝つために発達した能力だ。

現代人は、遠い昔のご祖先さまと違って、生き延びるためのプレッシャーにはさらされていない。それでもやはり、いくつものプレッシャーを抱えている。

今、新しい科学によって、生涯を通して明晰な頭脳を維持する方法が明らかになった。心や体を蝕むストレスをうまくかわす方法や、情報過多の時代にあって注意力を維持し、頭の中をクリアに保つ方法がわかったのだ。本書では、こういったプレッシャーを章ごとに分析して、対処法を紹介し、知力を衰えさせないためのアドバイスをする。

たとえば、訓練によって頭の回転が速くなることがわかっている。ヴァンダービルト大学の実験で、学生に複数のことを同時にこなすマルチタスクのテストを受けさせた。ふたつの音のうちどちらか片方に反応しながら、画面に映しだされるふたつの顔のうちのどちらかの顔を識別するというものだった。2週間のトレーニングで、被験者はいずれかの作業をおこなっているときとほぼ同じスピードで、両方の作業を連続してこなせるようになった。

実行機能についてはさておき、社会的認知とは何なのかを考えてみよう。それは他者や社会的状況に関する情報を、脳がどのように処理し、保存し、適用するかということだ。これによって、人間はほかの霊長類より優位に立った。

およそ10万年前、生存と支配の競争の中で、人間の脳は集団で作業をおこなうために秀でた認知ネットワークを発達させた。これはいわば、生き延びるために必要不可欠な財産で、さまざまな社会や豊かな社会的ネットワーク、それによって得られる利益のもとになっている。

また、人間がほかの霊長類より優れているのが事実だとしたら、男性より女性が優れているのも事実と言えそうである。以前からなんとなく感じていたことが、新たな科学によって証明されたのだ。女性は言葉に頼らない社会的メッセージを受けとることにも、送ることにも長けている。つまり、相手の表情や身ぶりや手ぶりから、気持ちを読みとるのがうまい。

20人中17人の女性は、同年齢の標準的な男性に比べると、社会的手がかりをより正確に読みとり、なおかつ、この強みは女性だけの集団でひときわ顕著になる。

どういうことかというと、女性は男性の気持ちより、女性の気持ちを読みとる能力がさらに優れているのだ。これは、男女の脳の配線の違いで説明がつく。さらに、生物学的な進化における選択圧の差によっても説明がつく。社会から孤立することが脳機能にどれほど大きなダメージを与えるかについては、あとの章で解説する。

相手の気持ちが読みとれるからといって、自分の気持ちをうまくコントロールできるとは限らない。常に平静でいられるかどうかは、実は非常に重要だ。それができなければ、物事がうまく進まず、人間関係も破綻する。命がかかっていると言っても過言ではない。

たとえば、集団で狩りをしているときに、誰かが常軌を逸した行動を取ったら、みんなが獲物を失って、生き残れなくなる。情動をコントロールできなければ、社会や他者との関係も崩壊しかねない。集団の結束が崩れれば、やはり生き延びるのが難しくなる。この問題を解決するために、人の脳の大きな前頭前野、つまり前頭葉が発達し、強大な抑制力を持つように進化した。攻撃などいわゆる〝爬虫類脳〟の反射的な行動を抑えられるようにしたのだ。

情動のバランスが良いと、自分の気持ちを理解して、調整して、受け入れ、衝動的な行動を取らなくなる。新たな研究で、こういった気分の変化がどのようにして生じるのか、なぜ生じるのか、さらに、それに対して人は何ができるのかということもわかった。

たとえば、この10年で、サイコバイオティクスという新たな科学分野で、意外な発見があった。それは大腸内の細菌の活動によって、情動や感情が決まるというものだ。斬新なその研究結果に関しては、第4章の「脳と腸内細菌」で詳しく解説する。

脳は他人の顔は記憶するが、名前を覚えるのは苦手

長い一生の間に、脳はどう変化していくのだろう？　最新の科学がそれを解き明かした。神経心理テストを用いて、認知能力や思考力の変化を追えるようになったのだ。また、神経科学の研究によって、ほとんどの人の空間認識力は、20代半ばに低下しはじめることがわかった。記憶力と論理的思考力は、30代前半から少しずつ衰えはじめ、30代半ばには情報を処理するスピードが鈍りだす。最初は気づかないほどのごくわずかな変化だが、加齢とともに加速して、50歳を過ぎる頃には顕著になり、ちょっとした物忘れが頻繁に起こるようになる。26～38歳の老化速度の研究では、理論的に推定した予測速度よりも、（健康指標に基づく）生物学的老化が進んでいる人は、38歳でも大幅な認知機能の低下や脳の老化が見られた。そればかりか、見た目も老けていた。

要するに、たとえ若くても、脳の老化速度は、肺や心臓、肝臓や腎臓、免疫システムなど、体全体の老化と密接に関係しているのだ。ならば、体の健康状態を調べれば、脳の状態もわかるかもしれない。それについてはこの章の後半で解説する。

誰であれ、記憶を衰えさせないために努力をするべきだ。それは体の調子を整えることと同じぐらい重要だ。短期記憶によって、人は読んだ言葉を記憶し、それによって文章を最後まで

読んだときに、書かれている意味を理解する。一方、長期記憶によって人格や人生の基盤が作られる。

ところが、人は記憶というものを誤解している。見たことや聞いたこと、経験したことを、ビデオレコーダー並みにそっくりそのまま記録するようには、人は進化しなかった。記憶する能力が発達したのは、考えて、計画を立て、生存に必要な行動を取るためだ。見たもの、聞いたものすべてを記録するために、進化したわけではないのだ。

それに、記憶ほどあてにならないものはない。実際、まったくあてにならないと言ってもいい。人類が誕生してからの約２００万年間、記憶は充分に役に立ってきた。そう、お役所仕事程度には役立ってきたが、最新の科学技術であふれかえった世界に対処するようにはできていない。さらに言えば、人の記憶の保存方法や、何をどの程度まで記憶するかということに論理はない。自分にとって何が利益になるのか、何が重要なのかなど、主に情動に基づいて記憶は構築されるのだ。

たとえば、多くの人を困らせる記憶の特質のひとつに、相手の顔を見ても名前が浮かばないというものがある。これは、多かれ少なかれ誰もが経験している。若者はあまり気にしないが、若者以外は大いに気にして悩んでもいる。とはいえ、神経科学の研究結果を知れば、ほっと胸を撫でおろすだろう。人はそもそも名前を覚えるのが苦手なのだ。それは名前を覚えたところでなんの得にもならないからだ。

一方、人の顔には意味がある。そこにはある種の物語があり、情動を呼び起こす。その点、名前だけではほとんど意味をなさない。さらに、人の短期記憶は、よほど何度も繰り返されない限り、無意味なものを省く癖がある。というわけで、よくある失敗を、脳機能が衰えはじめていると心配する必要はない。それどころか一般に言われているより、人ははるかに長い間、頭脳明晰でいられるのだ。

脳は神経可塑性と呼ばれる柔軟性を持ち、新たな脅威や課題に対処するために、構造的に、あるいは生理的に変化する。それによって、人は経験したことに対応し、適応できる。この脳の変化は、シナプスの変化と新しい脳細胞の成長によるものだ。

かつて、神経可塑性は子供の脳に特有のものと考えられていたが、20世紀後半の研究で、大人でも脳のさまざまな部分が変化する（可塑性がある）ことがわかった。ノーマン・ドイジが著書『脳は奇跡を起こす』に記した通り、脳の可塑性は〝ゆりかごから墓場まで〟続くのだ。ということは、人はほぼ生涯にわたって、頭脳明晰で、活躍しつづけ、新しいスキルを身につけられる。それどころか、知識を深めて、新たな活動を習い覚え、自分よりはるかに若い人にも負けない結果を出せるのだ。若くて野心的で、頭の切れる部下に追い抜かれるのを心配している人にとっては、朗報以外の何ものでもない。

脳の可塑性がもっともよくわかるのは、大脳半球切除術、つまり脳の半分を切除する外科手術だ。その名からかなり過激な手術に思えるかもしれないが、安心してほしい。実際におこなわれるケースはごく稀だ。ラスムッセン脳炎など、脳の半分に治療不能な病気があり、命に関わる場合にのみおこなわれる。

意外かもしれないが、神経細胞の可塑性のおかげで、脳には回復力と適応力があり、大きな外科手術をおこなっても、人格や記憶に明らかな影響が出ることはない。性格と記憶は影響を受けない部分に保存されているからだ。左脳の言語中枢のように位置が決まっている機能でも、いずれは反対側の脳半球が役目を肩替わりするようになる。ただし、術後もいくつかの障害は残る。重度のてんかん治療として手術を受けた58人の子供を調べたところ、ほぼ全員に切除した脳とは反対側の腕に片まひが見られた。とはいえ、全員が歩行可能で、中には走れる子供もいた。いずれにしても、ここで重要なのは、かなり思い切った手術による影響も、脳の可塑性で軽減されることだ。

こんなふうに脳は傷ついたとしても、変化して適応する力を持っている。可塑性は人の脳にもともと備わっている特性で、脳の機能を維持するために重要な役割を担っている。

生活習慣という危険因子から脳をいたわる

脳をどんなふうにいたわればいいのか？　その答えを見つけるには、気の遠くなるような時間がかかる。脳を明晰に保つための要因を突き止めるには、長期的な研究が必要だ。子供や乳児を被験者にして、その一生を追っていくような研究である。そうすれば、遺伝と後天的遺伝（既存の遺伝子の働きによる変化）と環境の相互作用がわかる。

たとえば、スコットランドでおこなわれた〝ディスコネクテッド・マインド〟という研究では、大人の知能の50％が、子供の頃の知能と関連しているという結果が出ている。残りの50％のうち、4分の1（全体の12・5％）は遺伝子によるものだ。つまり、一生涯の知能の変化の4分の3は、生活習慣という〝修正可能な危険因子〟によって決まる。そういった危険因子それぞれが、脳にどんな影響を及ぼすのか？　それがすべて解明されるまでには、まだまだ時間がかかるだろう。

本書では、修正可能な危険因子の中でも特に重要なものを、各章で取りあげる。運動、睡眠、性行為、人間関係、ストレスと幸福、腸内細菌、栄養、脳の活動など。だが、何よりも重要なのは、心身の健康にきちんと気を配ることだ。とりわけ、軽度であっても長期的な炎症はできるだけないほうがいい。

炎症といえば、怪我や感染に対する免疫システムの急性反応を思い浮かべるだろう。その症状を初めて記したのは、紀元前25年頃のローマの学者コルネリウス・ケルススだ。〝赤く、腫れて、熱くて、痛む〟という表現は、炎症性疾患の診断の基準となっている。

そもそも炎症は免疫システムの防御反応である。だが、慢性化することもあり、ストレス、あるいは糖尿病、肥満、動脈疾患などの長期疾患に対する継続的で軽度の反応も炎症ということになる。そういった炎症はわかりにくく、目にも見えないが、体の中で日常的に起きていて、年齢が上がるにつれて増えていく。つまり、体内の通常レベルの炎症は、年を追うごとに増加するのだ。

持病がなく、見た目は健康そうだとしても、日常的なトラブルやストレスに免疫システムが反応して、一定レベルの炎症が組織内に蓄積していく。だが、軽度の炎症ゆえに、自覚することはまずない。

また、今は、炎症マーカーなるものが発見されている。それは、トラウマやストレスに反応して、血中にあらわれる分子（コレステロール、C反応性タンパク質（CRP）、サイトカイン、フィブリノゲンなど）で、それが現在や近い未来や遠い未来の病気の指針（予測因子）となる。免疫システムは、組織の損傷や感染などさまざまな変化に反応して、そういった分子を作りだす。たとえば、CRPはいわば〝監視〟分子で、免疫システムに早い段階で警告信号を送る。何かがおかしいと注意喚起するのだ。ゆえに、CRPの値から、体と脳の老化レベルがわかる。

歳を取るとともに炎症が増えるのは避けようがないが、諦めるのはまだ早い。増加速度を緩められれば、脳を良好な状態に保てる。高度の炎症を減らせば、体内の老化速度が全体的に遅くなり、脳疾患はもちろん、慢性的な病気のリスクも減るのだ。

一般に、30〜40代は持病のない人が多いが、65歳を過ぎると何かしらの持病を抱え、85歳では5～6つの慢性的な病気が見つかり、10種類あるいは15種類もの薬を処方されることになる。
観察するだけでもわかることがある。若く見える人は、考え方も若く、長生きして、意欲的で充実した人生を送っている。残念ながら、そうではない人には、それとは逆のことが起こる。若くして持病を抱え、生きがいと呼べるものがなく、自立した生活を送れず、多くは短命だ。

数十年前までは、なぜこういった差が生じるのか説明がつかなかった。だが、今はわかっている。老化は11歳頃からはじまり、その後死ぬまで続いていくもので、その間の修正可能な危険因子と深く関連している。さらに、そういった危険因子はすべて、程度の差こそあれ炎症を引き起こす。食事と栄養、睡眠、社会生活、身体活動、飲酒、喫煙、薬物、ストレスなどはすべて危険因子である。

たとえば、何かを食べるたびに、体内の炎症レベルは上がる。理由は単純明快、異物を体に取りこむからだ。その結果、食べれば食べるほど炎症は増えていく。また、睡眠不足でも炎症が増え、ストレスが溜まっても炎症レベルが上がる。こういった変化は年齢に関係なく、20代だろうが、30代、40代、50代だろうが、死ぬまでずっと続いていく。

だが、歳を取ると、そういった変化に体がうまく対処できなくなる。だから、歳を取ったら、炎症を減らすようにしなければならないのだ。年齢と炎症の関連はことさら強く、〝炎症性老化〟と呼ばれることもある。

歳を取ると、脳も含めて体のあちこちに変化が起きる。脳の一部（特に学習や複雑な精神活動に不可欠な部分）が縮み、神経細胞間の信号のやりとりが減る。また、動脈が硬くなると、脳の血流が低下する。体のほかの部分同様、脳の神経の炎症も歳とともに増えていく。だが、こういった変化のスピードは遅らせることができる。それが本書のテーマだ。

認知症や軽度の認知障害（思考能力の低下）は、20～30年間の神経変性や炎症を経て、診断が下される。英国には65歳未満の認知症患者が４万２０００人以上いて、驚くことに、その病気は35歳という若さではじまっている。

認知症や認知低下は、高齢者にとって大問題で、〝新たながん〟とも呼ばれている。

１９５０年代、ほとんどのがんは、診断が下ったときにはすでに手遅れで、手の施しようがなかった。患者も家族もなすすべがなく、悲嘆に暮れるしかなかった。だが、今や、がん治療はめざましい進歩を遂げた。一方で、認知症の知識や治療方法の研究ははじまったばかりだ。つい最近まで、脳の変性変化の影響を食い止められるのか、誰にもわからなかった。

しかし、ＦＩＮＧＥＲ研究によって、その謎が解き明かされた。

認知症の予防は生活習慣の改善から

２０１３年12月のある寒い日、当時の英国首相デイヴィッド・キャメロンはロンドンのランカスター・ハウスに、世界中の研究者３００人を集めて、アルツハイマー病と認知症に関する会議を開いた。それは史上初のことで、Ｇ８認知症サミットを開催した英国は称賛を浴びた。

会議のテーマはことさら解決困難で、高齢化社会が招いた現代社会の不可避の危機とも言われていた。焦点は、2025年までに治療法を確立することだったが、たとえ認知症を治せなくても、予防はできるのではないかという異例の提案もなされた。それは想定外の選択肢だった。当時、認知症が予防できるとは誰も考えていなかったのだ。

とはいえ、いずれ認知症を発症する可能性が高い人についてはわかっていた。中高年、低学歴、高血圧、肥満、糖尿病、運動不足、喫煙者、うつの症状などが見られる人だ。しかし問題もあった。わかっているのは関連性だけで、そういった生活習慣や病気を排除すれば本当に認知症が防げるのかどうかは、誰にもわからなかった。

だが、その会議中にも進められていたある研究は有望だった。会議から1年半後の2015年6月、その研究(FINGER研究)の結果が、英国の医学誌『ランセット』に掲載された。

FINGERとは、〝認知機能障害予防のためのフィンランド高齢者介入研究〟の略で、2年以上にわたって実施された。60~77歳までの2654人をスクリーニングして、そのうち1260人を対象に、ふたつのグループを比較して、認知機能(脳機能)低下の予防効果を検証した。ひとつのグループは食事、運動、認知訓練、血管リスクに関するアドバイスに従い、もうひとつのグループは一般的な健康に関するアドバイスを受けただけである。

結果は驚くほど明白だった。前者のグループでは、認知能力低下のリスクがある人でも、認知機能が改善、または維持された。つまり認知能力低下のリスクが減ったのだ。FINGER

研究で明らかになった認知能力への効果が、認知症やアルツハイマー病の発症をいくらかでも遅らせられるとしたら、個人にとっても、社会全体にとっても、大きな効果がある、と研究者は結論づけた。

この研究結果を重視して、世界保健機関はワールドワイド・FINGERSを立ちあげた。世界的な認知症予防ネットワーク、より正確にはリスク低減のためのネットワークである。

忘れてはならないのは、生活習慣を改善すれば、認知力の低下を抑えられることだ。つまり、日々の暮らしの中で危険因子を減らすのが、何よりも予防になるのだ。それによって、心身ともに健康になり、慢性疾患にかかりにくくなる。

さらに、この取り組みは年齢に関係なく、いつからでもはじめられる。36ページで紹介したスコットランドの有名な実験、〝ディスコネクテッド・マインド〟を思いだしてほしい。以前、私はBBCの『トゥデイ』という番組に出演して、その実験結果の一番すばらしい点を尋ねられた。私はある点がずば抜けていると感じていた。

その実験では、7万人以上の子供を対象に知能検査をおこなったが、満点を取った者はひとりもいなかった。だが、60年以上が経ち、平均年齢74歳となった被験者たちが同じテストを受けたところ、満点を取る者が大勢いた。それには研究チームも驚いた。30、40、50と歳を重ね、さらに歳を取れば、頭脳明晰ではいられず、現状維持もできず、頭がついていかないと嘆いている場合ではない。これは疑問の余地のないすばらしい朗報なのだ。

歴史をひもとけば、歳を取ってから偉業を成し遂げた人は山ほどいる。ヨーロッパ選手権の1万メートル走で、ジョー・ペイヴィーが金メダルを取ったのは40歳のときだった。ダイアナ・ナイアドは64歳にして、キューバとフロリダの間の海を完泳した。ウィンストン・チャーチルが戦時下の英国で首相になったのは、65歳のときだ。パーマストン子爵が首相に就任したのは71歳。ピーター・ロジェは73歳で類語辞典を考案した。ネルソン・マンデラは76歳で、南アフリカ共和国の大統領になった。ドロシー・ヒルシュは89歳で北極点に到達した。そういった例はいくらでもある。そして、大いに励まされる。

要するに、一般に言われていることとは違って、脳の機能は必ずしも年齢とともに衰えるわけではないのだ。歳を重ねるにつれて精神的に安定する人がいるのは、研究でも証明されている。そういった人たちは、子供の頃の高い知能はそのままに、それ以外の知能（語彙力や言葉の使い方など）が向上する。

心理学ではそういった知能を結晶性知能と呼び、維持するのが難しい流動性知能と区別している。流動性知能は抽象的な思考、迅速な推論、関連の把握、パターン認識、問題解決などに使う能力だ。流動性知能は個人の秘密兵器と言ってもいい。学歴や資格に左右されず、経験や知識の量も関係ない。その能力が高ければ、巧みに問題を解決できる。非常に魅力的な能力なのだ。型にはまらない考え方ができるということでもあり、流動性知能が高ければ、革新的で創造的、唯一無二の存在になれる。

どうしたら、その能力を伸ばせるのだろう？　その答えは40年もの間、謎のままだったが、今では訓練によってある程度伸ばせることがわかっている。脳に新たな課題を課し、安全地帯を出て、敬遠していたことに挑戦すれば流動性知能は向上する。

本書の主題のひとつは〝脳にチャレンジをさせる〟だ。新たな経験、新たな技術、さらには新たな脅威が、頭をシャープにしてくれる。

脳とコンピュータは接続可能になった

神経科学は発達し、それが日常生活に与える影響もどんどん広がっている。信じられない人のために、多くの進歩の中のほんの一部を紹介しておこう。この数年間だけでもさまざまなことが進歩した。驚くべき進歩もあれば、ギョッとするような進歩もある。

- 脳とコンピュータを結びつけられるようになった。これは大いに期待が持てると同時に、リスクもある飛躍的な進歩だ。カリフォルニア大学サンフランシスコ校での研究では、コンピュータを使って脳信号を言葉に変換することに成功した。2020年後半には、イーロン・マスクが設立したニューラリンクをはじめ、米国の企業数社がブレイン・マシン・インタフェースを開発した。

●２０１９年４月の研究で、１００歳まで脳では新たな神経細胞が作られることがわかった。つまり、90代でも脳は更新しつづけるのだ。神経可塑性や脳の健康と機能を維持できるという明白な証拠である。

●糖分の多い食べ物は、コカインやヘロインといった中毒性の高い薬物と同じように、脳への報酬になることがわかった。

●ジョンズ・ホプキンズ大学の研究者チームは、パーキンソン病が腸ではじまり、脳へ移動することを発見した。また、フランダース腸内フローラプロジェクトによって、腸内細菌とうつ病の関連が判明した（第４章「脳と腸内細菌」で詳しく触れる）。

●人間の脳で、ほかの種とは異なる新たな電気信号が発見された。

●米国の食品医薬品局はスプラバト（パーティー・ドラッグや動物の鎮静剤として使われるエスケタミン）を、大人のうつ病治療のための点鼻薬として承認した。

●脳死は死であるという考え方に反して、イエール大学の研究チームは、安楽死させた豚の脳を４時間後に取りだして蘇生させた。ギョッとするような研究だが、〝意識〟の考え方に大きな一石を投じた。

●意識に関して、もうひとつ。科学者は、思考能力があってもおかしくはない〝小さな脳（ミニブレイン）〟を作りだした。それは5〜6ミリの神経細胞の塊で、実験室で培養され、自ら脳のような構造を作りだす。まるで、人体から取りだした脳が、永遠の痛みや苦しみに囚われている――そんな悪夢のような光景を想起させる実験だ。

●米国のバイオジェン社は、アルツハイマー病の治療薬としての承認を目指して、レカネマブという薬を復活させた。これによって、神経治療の研究から手を引いた多くの製薬会社に激震が走った。とはいえ、現時点では、神経疾患に分類されている400の病気には、どれひとつとして治療薬がない。

本音を言えば、こういった例の中には不快になるものもある。

そこで、本書ならではのアドバイスをしよう。こういった例も含めて、最先端の研究結果に気持ちがざわついたら、体を軽く動かしてストレスを発散させよう。20分間の運動は絶大な効果がある。

また、このあとの章で取りあげることを、少しだけ紹介しておこう。

健康のために椅子と決別する（第2章）。
知力を高めるためにチューインガムを噛む（第4章）。
飛行機から飛び降りる前にビタミンB6を摂る（第5章）。
できるだけ何度もオーガズムを体験して、脳を健康に保つ（第7章）。

こういったテーマや各章で提示するアドバイスを生かして、脳をしっかり理解して、上手に育ててほしい。それができる否かで人生は大きく変わるのだ。

CHAPTER 2

運動と脳

2004年、人口統計学者のジョヴァンニ・ペスとミッシェル・プーランは、世界でもっとも100歳以上の人が多いのは、イタリアのサルディーニャ島の辺鄙な田舎であることを突き止めた。その研究をさらに進め、地図に青い同心円を描きながら、トップ・オブ・ザ長寿とでもいうべき場所を割りだした。さらに、米国の探検家で作家でもあるダン・ビュイトナーが仲間に加わり、サルディーニャ島のほかに、長生きの人が多い4つの場所を突き止めた。

とはいえ、その調査は順風満帆ではなかった。長寿と言われている場所と、ずさんな記録には深い関連があったのだ。

それはさておき、ほかの4つのご長寿地域は日本の沖縄、米国カリフォルニアのロマ・リンダ、コスタリカ、ギリシャのイカリア島だ。2005年11月に『ナショナル・ジオグラフィック』誌で〝ブルー・ゾーン〟と名づけられたその5つの長寿地域には、9つの共通点があった。

ひとつは、日々の暮らしの中で常に適度な身体活動がおこなわれていることだ。つまり、それが生活習慣になっていた。

ブルー・ゾーンに暮らす人はみな、毎日、少なくとも1万歩は歩いている。羊飼いや山羊飼いとして、あるいは、農民として歩かざるを得ないのだ。ジム通いをする人もいなければ、パーソナルトレーナーとも無縁で、エクササイズもマラソンもしていない。

そこに暮らす人は知らず知らずのうちに、最先端科学が解明した健康法を実践していた。車や会社で長時間過ごさざるを得ない現代の生活習慣を改善するために取り組むべきこと（健康になるためのルール）を、無意識に実行していたのだ。

さまざまな職業から肉体労働が消えて、現代人は自然な生理機能に反した生活を送っている。人間の自然な生理機能は、長い年月をかけて培われたものだ。1万年前の新石器時代に畑を耕しはじめた頃どころか、採集や狩猟の能力が生存に直結していた頃からの、150万年以上にわたる人類の進化の歴史の中で培われてきた。

まるで物理の法則に従うかのように、現代の欧米のデスクワーク中心の生活様式は、肥満、糖尿病、心臓病、認知症といったじわじわと悪化する慢性的な病を蔓延させた。

また、それとは相反する法則でもあるかのように、ブルー・ゾーンでは認知症などの脳疾患による知力の低下はほぼ見られず、欧米の他の地域に比べて発症率が約75％も低くなっている。

狩猟生活時代に動くことで人類の脳は進化した

1830年代初頭、ロンドンの法律家でキングズ・カレッジの地質学の教授でもあったチャールズ・ライエル准男爵は、当時誰も想像すらしなかった斬新すぎる考えを発表した。地球が何百万年も前に誕生したこと。そして、現在となんら変わらない気候変動によって形成されたと主張したのだ。

地球はこれまで氷河状態、つまり、氷におおわれている状態のほうが長かった。それは地質学によって証明されている。最後の氷河期が終わったのは、ほんの1万年前のことで、それ以前の260万年間は氷河期だった。そのうちの30万年間で、現生人類は地球を占拠し、狩猟採集民として進化を遂げた。その後、気候が劇変して、人類は氷河期を脱し、新石器時代に突入したのだった。

温暖になり、植物を育てられるようになると、農業が誕生した。それは地球上の複数の場所で同時に起きた変化だ。農業誕生の地としてもっとも有名なのが、中東の肥沃な三日月地帯（現在のイラク）で、その後、ヨーロッパへと広がっていった。それによって人類は広大な場所を渡り歩く民から定住する農民になり、生活様式や身体活動の種類や度合いも大きく変化した。といっても、今でも、家畜の世話をするには、毎日長い距離を歩くことになる。

進化的には、現代の人間の体の鋳型は、狩猟採集という特筆すべき時代に完成した。食料が不足する状況で、人の生理機能は長い狩猟期間に耐えられるように発達したのだ。

広大な大地を長い間ゆっくり動きまわり、ときどき激しい狩猟活動をおこない、食料が手に入れば存分に食べる。それが済んだら休憩だ。次の狩猟活動のため、あるいは捕食者を避けるため、さもなければ、つがう相手を見つけるために、体力を温存する。

面白いことに、人類の祖先がほかの捕食者のおこぼれを漁っていた暮らしから、狩猟生活に移行すると、性的二形なるものが薄れた。

どういうことかというと、男女の差があまりなくなったのだ。たとえば、女性が妊娠可能な状態かどうかは、外見にはあらわれなくなった。この変化によって大きな恩恵を受けたのは生殖能力だ。ほかの霊長類と違い、ヒトの雌は繁殖力が旺盛で季節を問わず妊娠する。

　行動生理学者はこの現象を〝常に準備が整った膣（ERV）〟と名づけた。ヒトの雌が一年中子供を産めるおかげで、人類は人口の減少というプレッシャーに打ち勝った。とはいえ、繁殖力が旺盛であれば、増える子供を養うために多くの食料を手に入れなければならない。その結果、狩猟活動が頻繁におこなわれ、当然、身体活動も増えていった。

　生き残りをかけた狩猟民として身体活動が大幅に増えたのは、人類の進化における重大な変化だ。狩猟採集民は生きるために移動しなければならない。もはや、ほかの肉食動物の食べ残しを漁るだけでは生きていけず、広大な大地を移動しながら自力で獲物を見つけなければならなかった。

円盤を投げる人

　総勢100人の狩猟採集民が食べていくには、1300〜1800平方キロメートルの土地を歩きまわらなければならない。それによって、心臓血管系、内分泌系、筋骨格系などの臓器をきちんと働かせるための生理機能が大幅に向上した。もちろん、脳の機能も例外ではない。人の脳は動くことで進化したのだ。認知、反応、応答、適応が優先事項だった。現代の科学で解明されつつある通り、健康な脳を維持するために、人間の体は運動が欠かせないようにできている。

基本的に生理機能は150万年の間、変わっていない。進化によって人間の体は作られたのだ。それがわかれば、現在の座ってばかりの生活が、体と心にどれほど悪いかということも理解できる。さらに、現代人が健康で幸せに生きるために、進化の結果を利用する方法もわかるはずだ。

狩猟採集民だった祖先の生活様式と、現代の欧米の生活様式は天と地ほども違っている。生活の進歩（進歩と呼べるかどうかはさておき）は、悲しいかな、体と心を衰えさせてきた。約7000年前の狩猟採集民の骨は、オランウータンに匹敵するほど強かったが、6000年以上前に同じ場所で暮らしていた農民の骨は、信じられないほど軽くて脆く、折れやすくなっていた。研究者は、人間の骨が弱った主な原因は、食べ物のせいではなく、長い年月の間に身体活動が減ったせいだと考えている。現代人はさらに体を動かさなくなり、それは危険なレベルにまで達している。

米国では、2000万人以上がほとんど体を動かしていないと見られている。その証拠に、アンケート・トレーニング・アプリのフリーレティクスが2019年におこなった調査によると、アンケートに応じた人の42％が、運動する時間がないと答え、56％は時間があったとしても仕事で疲れきっていて運動する気になれないと回答した。さらに悲しいことに、40％の人が、41歳という年齢で〝もう歳だから運動しても仕方がない〟と答えた。

運動不足は体のさまざまな不調や病気（肥満、高血圧、心臓病、糖尿病など）の危険因子だ。さらに、そういった病気は、脳の健康の危険因子でもある。現在の欧米化した国々では、子供と若者の13〜20％が太りすぎていて、肥満は子供の脳機能の低下に結びつく。もちろん健康にも悪影響があり、人生の後半ではアルツハイマー病や認知症のリスクが高まるのだ。

それだけではない。ご存じの通り、肥満は2型糖尿病の原因にもなる。それは成人の神経疾患の大きな独立危険因子のひとつだ。子供時代や青年期に頻繁に高血糖状態に陥ると、脳の成長が遅れたり、灰白質と白質が減ったりする。従って、早い段階から代謝をきちんと調整してこそ、生涯にわたって脳を健康な状態に保てるのだ。

適正な運動量は週に150分

1984年7月20日、アメリカで一躍有名になり、その著書『奇蹟のランニング』がベストセラーになった人物は、愛するバーモント州でのジョギング中に劇症型（突発性）の心臓発作によってこの世を去った。享年52。その名はジム・フィックス。ヘビースモーカーから禁煙家に転じたエクササイズの提唱者で、アメリカにおける健康革命を起こしたとまで言われた人物だ。皮肉とも言えるその早すぎる死を、運動への取り組み方が間違っていたせいだと指摘する者もいる。

だが、そんなことはない。フィックスの死の翌年に、名著『ランニングのための完全なエアロビクス：エアロビック運動中の心臓発作と突然死の予防法』を出版したケネス・クーパーは、その本の中でジム・フィックスとその父親が遺伝的に心臓病の素因を持っていたことを明かした。煙草をやめ、減量して、ランニングにいそしむことで、ジム・フィックスはそもそも短命の可能性が高かった寿命を10年ほど延ばしたのだ。

スタンフォード大学での21年間の研究では、高齢のランナーは、走っていない同年代の人より健康で長生きするという結果が出ている。『タイム』誌の記事にある通り、ランナーは長寿なのだ。(注1)

ジム・フィックスの時代以降、人が必要とする運動量が科学的に研究され、ヨーロッパや米国の政府機関は適正な運動量を週に150分とした。運動は心血管疾患、心不全、肥満、高血圧など、さまざまな慢性疾患の予防になる。

また、重要なのは運動量だけではない。どのぐらい運動するべきかだけでなく、どういう種類の運動が効果的なのかということも科学が解き明かした。

さらに、年齢が上がるほど多様な運動が必要になることもわかった。運動の強度も大切で、激しい運動（ランニング、サイクリング、エネルギッシュなダンスなど）と、適度な運動（ウォーキング、芝刈り機を押す、社交ダンスなど）では効果が違ってくる。

英国国立医療技術評価機構（ＮＩＣＥ）をはじめ、健康に関するガイドラインを発行する公共機関は、充分な時間をかけて健康に関する信頼のおけるエビデンスを集めている。

ＮＩＣＥの検証プロセスは、テーマに即した複数の専門家、医師、民間の代表者からはじまる。テーマとは、たとえば今回のケースなら、年齢別のグループや、運動の強度、運動の種類のことだ。次に、文献調査をおこなう。身体活動や運動に関して、ＮＩＣＥは１万本を超える科学的な文献を参照した。そうして、証拠の概要（エビデンス・レビュー）が作成され、予算がはじきだされる。

エビデンス・レビューと予算は、そのテーマに即した委員会にかけられ、ガイドラインの草案が作られて、公共機関や健康機関などの利害関係者に確認を求め、そこで包括的に協議されてはじめて、ＮＩＣＥのガイダンス・エグゼクティブが承認する。ゆえに、その内容が莫大な量のエビデンスに基づいていると確信できる。それはこの本で取りあげるテーマをはるかに超えた、正真正銘の情報の宝箱だ。

運動に関する英国国民保健サービスのガイドラインを、表２－１にまとめた。

2-1 ―― 英国国民保健サービスによる運動に関する年齢別のガイドラインの概要

5歳未満

●誕生直後から身体活動が奨励される。とりわけ、安全な環境での床の上での遊びや、水中での運動。

●体の自由が利かない状態（シートベルトなどを締めた状態や、座位など）での睡眠は、最小限にとどめる。

5～18歳

●毎日、1時間以上の身体活動をおこなう。運動強度は、自転車こぎや公園の遊具で遊ぶといった適度な運動から、ランニングやテニスといった激しい運動まで。

●ブランコこぎ、飛び跳ねながらのスキップ、体操やテニスといったスポーツなど、週に3日は筋肉と骨を強化する運動をおこなう。

19～64歳

●自転車こぎや早歩きなど、中程度の有酸素運動を週に150分以上おこなう。

●加えて、週に2～3日、大きな筋肉（脚、腰、背中、腹、胸、肩、腕）を動かす筋力トレーニングをおこなう。

65歳以上

●毎日、身体活動をおこなうように心がける。どんな運動でも、何もしないよりは良い。軽い運動をできるだけ長時間おこなうとさらに良い。

●週に2日以上、筋力の強化、バランスと柔軟性を向上させる運動をする。

●週に一度、中程度の運動を150分以上おこなう。すでに運動している場合は、75分間の強度の運動、または、両方をおこなう。

●座っている時間や寝転がっている時間を減らし、なんらかの運動をして、長時間じっとしていることがないように心がける。

このガイドラインは非常に有益だが、ひとつだけ欠陥がある。寿命が延びて、脳の病気が大問題になっているのに、身体活動の脳への効果が示されていないのだ。

有酸素運動が高齢者の認知能力を向上させる

身体活動と脳に関する初期の実験のひとつに、約50年前にテキサス州オースティンでおこなわれたものがある。実験を実施したのは、テキサス大学の先鋭的な研究者ウェニーン・スピルドゥーソで、80代となった今も研究を続けている。

その実験では、男性を4つのグループ（不活発な高齢者、活動的な高齢者、不活発な若者、活動的な若者）に分け、特定の活動での反応時間と運動時間を測定した。反応時間を測定すれば、年齢に応じた精神機能と運動能力がわかるのだ。その結果、いくつかの発見があった。第一に、活動的な高齢者の能力（簡単な反応テストと運動で測定）は、不活発な高齢者より大幅に優れていた。第二に、意外にも、活動的な高齢者の能力は、不活発な若者と同程度だった。つまり、脳の能力に関しては、年齢より習慣的な身体活動が重要ということになる。

もう少し具体的に考えてみよう。習慣的に運動をしている中高年の上司の脳機能は、若いが運動をしていない部下と同じ、あるいは、優れているのだ。ほかにも、常に活動的に暮らしていれば老化を遅らせられる、あるいは、若返るという結果が得られている。

活動的な生活習慣

この結果は、その後、多くの実験で検証された。スピルドゥーソの先駆的な研究は、2007年、体の健康が高齢者の認知機能におよぼす影響に関するメタ分析（過去の多数の研究の数値結果を再検討して照合する研究）によって裏づけられた。米国のふたりの研究者は、1966年〜2001年におこなわれた18の長期的な研究を分析し、ある疑問の答えを導きだそうとした。

その疑問とは、〝座って過ごす時間が圧倒的に長い大人でも、有酸素運動によって、認知能力を向上させられるのか？〟というものである。その答えは、まぎれもなく〝イエス〟だ。研究者によって導きだされた結論は、有酸素運動は、座って過ごす時間が圧倒的に長い大人の思考能力（決断、思考速度、記憶力）に良い影響を与えるというものだった。

また、女性にはさらなる嬉しい結果が出ている。運動の効果は、男性のグループよりも、女性のグループのほうが大きかった。どういうことかというと、有酸素運動による心臓と血管への健康効果が、時計の針を戻してくれるのだ。

メカニズムもほぼわかっている。有酸素運動はＤＮＡのメチル化というプロセスを介して、ヒトゲノム（ＤＮＡの全情報）を変化させると思われる。わかりやすく言えば、その化学変化によって、ＤＮＡの老化速度が遅くなる。いや、それどころか、若返らせてくれるのだ。

さらに、健康な高齢者、病弱な人、軽度認知障害や認知症を患った人を対象にしたさまざまな研究によって、運動をすれば、薬に頼ることなく加齢による認知機能の低下や神経変性疾患を、かなりの確率で予防できることがわかった。画像を用いた研究でも、運動をすると脳の構造にプラスの反応が起きるという結果が得られている。

たとえば、２０１１年の米国科学アカデミーの報告書には、１２０人の高齢者を対象にした研究で、有酸素運動によって海馬が大きくなり、記憶力が向上したという結果が記されている。１年間のトレーニングで、海馬の体積が２％増えたのだ。それは加齢による喪失を、１～２年分取り戻したことになる。

一般に、中年期の後半以降、海馬の体積は毎年１～２％減りつづけ、それが記憶力の低下につながる。だが、有酸素運動を継続的におこなえば、神経機能が保護される。ならば、全員がそうするべきではないか。

運動は脳と体の双方を鍛える

有酸素運動が、脳に良い影響を与えるという証拠は無数にある。気分や認知機能（思考能力）が向上するのだ。そういった良い影響がどのようにして生じるのか考えてみよう。

これまで長い間、人は生まれながらにして決まった数の脳細胞を持っていて、25歳を境にその数が減っていくと考えられていた。つまり、25歳以降はずっと下り坂というわけだ。

だが嬉しいことに、現代の科学者はこの定説に反旗を翻した。生きているかぎり、新たな脳細胞が作られることがわかったのだ。これは神経発生と呼ばれ、記憶を司り、感情をコントロールする海馬で起きると考えられている。

それだけではない。運動が大人の脳の神経発生を促すことがわかると、認知神経科学が大きく変化した。そこからさらに進歩して、運動すると、脳内の成長因子である脳由来神経栄養因子（ＢＤＮＦ）という科学物質が増えることもわかった。ＢＤＮＦは既存の脳細胞を維持し、新しい細胞を成長させて、細胞間のつながり（シナプス）を増やす。

こういったことはどれも、脳の可塑性につながる。脳の損傷への抵抗力が高まって、学習機能も精神機能も向上するのだ。となれば、神経発生が増えると認知力（精神機能）が高まり、逆に新たな神経細胞の数が減ると、老化が進んだり、気分が落ちこんだりすると考えられる。

これらに関してはまだエビデンスは得られていないが、これまでの研究結果から、何歳であっても、活発に過ごしたり、運動したりすれば、脳が健康になるのは間違いないだろう。

さらに、運動の効果は脳のいくつもの領域やシステムにまで及ぶ。シナプス、神経伝達物質、新たな血管、ブドウ糖の調節といった脳代謝にも効果があるのだ。これまでの常識に反して、インスリンとは別に、脳が体内のブドウ糖の調節に大きな役割を担っているという研究結果が相次いでいる。

運動は脳を介したブドウ糖の調節に影響を及ぼすのだろうか？　答えは〝イエス〟と言えそうだ。激しい運動中に脳のエネルギー需要が増えると、脳細胞のスイッチが切り替わる。通常のエネルギー源はブドウ糖だが、代替物質（普段の食事で摂取している乳酸など）を使うように切り替わるのだ。ゆえに、運動によって筋肉や肝臓の調子が整うだけでなく、脳の調子も整うことになる。

さらに、これは双方向に効果がある。運動中に脳は体の組織に影響を及ぼし、組織のほうも脳に影響を及ぼす。たとえば運動をすると、筋細胞からイリシンという特殊なタンパク質が放出され、イリシンが循環すると、海馬でＢＤＮＦが生成される。

また、運動をすると身体的なストレスに強くなる。運動中の筋肉から放出されるイリシンは、筋肉から脳への極めて重要なシグナルになり、ストレス耐性の作用を引きおこすと考えられる。

こういったメカニズムは、何百万年も前から人の体に備わっていた。進化の観点では断続的な運動と食物の欠乏（強制的な断食）が、何よりも脳を変化させた。それゆえに、人の脳は身体活動に反応して機能を拡張する。逆に、体を動かさないと機能を低下させて、エネルギーを節約するようになる。

つまり、脳が健康と効率のバランスをうまく保てるか否かは、運動にかかっているのだ。というわけで、運動によって脳機能を向上させるには、何をすればいいのか考えてみよう。

いや、その前に、現状について少し触れておくことにする。多くの現代人は、ご先祖さまより長生きする。最新の推計では、現在生きている人の中で１００歳まで生きる人は１０００万人もいると考えられている。寿命が延びるのはこの時代の輝かしい偉業だが、その一方で現代の生活習慣を続けていれば、いずれ老いさらばえて病気になる。糖尿病、高血圧、心臓病、骨粗しょう症患者は間違いなく増加している。

人は自然に、そして、健康に歳を重ねるべきで、歳を取れば病気になるのは仕方がないと考えるのは誤りだ。そんなふうに決めてかかることはない。持病のない健康な高齢者は大勢いるのだから。

そしてまた、高齢者の運動不足が加齢による病気の主な原因であることは、数々の研究で立証されている。40歳、50歳、60歳と現代人は歳を取るにつれて、栄養過多になり、薬に頼り、一日中座って過ごすようになる。

本当にそうだろうか？　と思うなら、次ページの図２・１を見てほしい。その図には、年齢

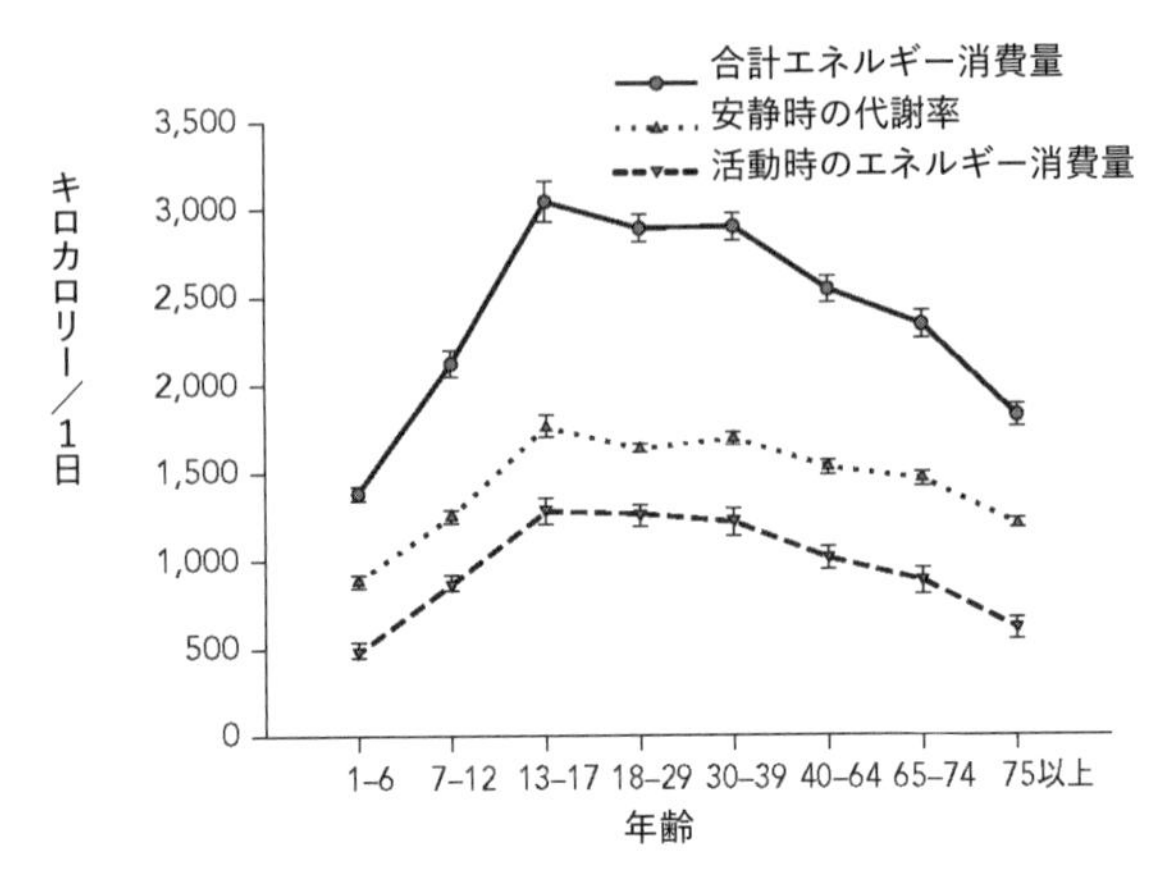

図2・1　年齢別エネルギー消費量

別のエネルギー消費量が記されている。40歳前後を境に、坂を転げ落ちるようにエネルギー消費量が減っていく。

70代になる頃には、無精になり、無気力になり、体を動かさなくなる。フロリダ大学のトッド・マニニ教授の言葉を借りるなら、〝加齢は不活発になる傾向を強く誘発する〟のだ。(注2)

そうならないためには、どうすればいいのだろう？　まずやるべきことは、脳の健康に関するエビデンスをもとに、身体活動と意図的な運動を区別することだ。身体活動とは、エネルギーを必要とする筋骨格系を使う動作である。

要するに、ベッドから起きあがることなどもすべて含めて、何かしら体を動かせば身体活動となる。

その一方で、運動は健康のためにおこなう計画的で体系的、反復的で意図的な動作だ。従って、運動は身体活動に含まれる。日常的に活動量を増やし、さらに目的を持って運動すれば、歳を取っても不活発にはならない。

この章ですでに解説した通り、私たちは身体活動量が高い状態に合わせた体の造りを受け継いでいて、その造りは脳の重要な機能と密接につながっている。だから、日常的に体をよく動かせば、脳に大きなメリットがある。一般に考えられていることと違い、現在の老化研究の流れは、年齢に関係なく体をよく動かすように行動を変えれば、その結果、脳も健康になるという方向に向かっている。

つまり何歳だろうと、健康な脳を手に入れられるのだ。これは本書の大きなテーマのひとつでもある。体をよく動かす人は、中年以降の認知機能低下のリスクが低いことは、疫学的に証明されている。

また、座ってばかりいないで、体をよく動かせば、加齢による脳萎縮が抑えられ、白質（脳のつながり）の損傷が減るという研究結果もある。白質の神経線維のつながりを維持できれば、11歳以降、生涯にわたって知的レベルの約15％が保たれる。活動量を上げるには、まず、日常生活でできるだけ体を動かすように態度を改めることだ。

それは取るに足りないことではない。真っ先に取り組むべきことだが、実のところ、かなり難しい。人は習慣を変えたがらないものなのだ。生活態度を改めて、もっと体を動かすためにできることはたくさんある。

外出するときには、車を使わず歩く。エレベーターはやめて階段を使う。車で出かけたら、目的地からできるだけ離れた場所に駐車する。運動量の多いヨガやダンス、ガーデニングなどを趣味にする。表２－２に、身体活動量を上げるためのポイントを記した。

2-2　身体活動量を上げる

- ●どうしたら運動したくなるかを考える。サークルに入る、山に登る、犬の散歩をするなど、継続的に体を動かしたくなるような、有意義で楽しめる方法を見つける。
- ●仲間と一緒に体を動かして、モチベーションを保つ。体を動かしながら仲間と交流すれば、長続きする。また、人と交流すると、脳は元気になる。
- ●体を動かすための計画を立てる。いつ、どこで、誰と一緒に体を動かすかを考える。
- ●何歳でも、どんな健康状態でも、体を動かす方法はある。

●時間をかけて、少しずつ取り組む。（1）体を動かすのが苦手なら、まずはストレッチをして、ゆっくりとウォーキングをする。（2）すでにウォーキングやランニングをしているなら、スピードを上げるか、距離を伸ばす。（3）本格的に走っているなら、ランニングを続け、筋力トレーニングをはじめる。

●根気よく継続する。活動量を増やし、それに体が反応するまでには、年齢に関係なく、少なくとも1か月はかかる。

●健康的な生活習慣（これについては別の章で詳しく述べる）に、身体活動を組みこみ、認知機能の低下のリスクを減らす。

意図的な運動（早足のウォーキング、ランニング、サイクリング、筋力トレーニング、エクササイズのレッスンなど）は、中～高強度が脳にメリットがある。

たとえば、心拍数が上がるぐらいのウォーキング。ウエイトを使ったトレーニングやスクワットやランジなどの筋トレ。自転車こぎ、ジョギング、マラソン、水泳、エクササイズのレッスンといった心拍数が上がる有酸素運動だ。

ランダム化比較試験（科学分野での代表的な研究方法）で、意図的に運動している人は、脳の構造と機能の両方に良い変化が起きるという結果が出ている。現在の健康促進に関するガイドラインは、もっぱら有酸素運動を重視しているが、週に150分間の中強度の有酸素運動に加えて、週に2日以上の筋力トレーニングが理想だ。

脳を健康に保つための運動方法を表2−3に記した。

2-3 目的意識を持って運動する

- すでにおこなっている運動や身体活動を検討し、あまりにも運動量が多すぎる場合を除いて、運動量を増やす。
- これまでにやったことがなく、楽しめそうな運動や身体活動をはじめる。
- 有酸素運動に筋力トレーニングを加えれば、柔軟性が増して、バランスが良くなる。
- トレーナーに頼んで、専用のエクササイズ・プログラムを作ってもらう。

● 日常生活での身体活動を増やして運動不足を補う。エレベーターの代わりに階段を使う。車やバスや電車は使わず、自転車や徒歩で出かける。
● 有給休暇や夏休み、国民の休日などで、週末が連休になるときには、運動時間を増やす。
● 健康に問題がある場合は、医師のアドバイスに従って運動する。

実は、もうひとつ重要なことがある。表に書かれたことをすべて実行したとしても、科学によって解明されたもうひとつのことを理解して、それに従って行動するのが重要だ。

椅子に座って何時間も過ごせば運動の効果は台無し

2005年、ミネソタ州のメイヨークリニックのジェームズ・A・レヴァイン医師が画期的な論文を発表すると、それまで知られていた運動の効果にさらなる重要な見解が加わった。それはいったいどういう見解なのか？　心と頭と体を健康に保つには、活動的でいるだけでは充分ではない。長時間座ったままで過ごすのは、自殺行為なのだ。どれほど運動しようと、それは変わらない。

現代人は知らず知らずのうちに、座って過ごすのが癖になっている。
毎日、車や電車やバスで通勤して、その間、長時間座ったままでいる。働く人の約70％は週に5～6日間、7時間を会社で椅子に座って過ごし、立ちあがるのはわずかな休憩時間だけだ。家では、食事も、テレビも、読書も座ったまま。外出しても、レストランや居酒屋や映画館などで座って過ごす。目的地までの往復も、車ならもちろんのこと、バスや電車を使ってもやはり座ることが多い。

１９５０年の英国の車の台数は１６００万台だった。それが、今は３５００万台にまで増えている。目を覚ましている時間は週におおよそ１１９時間で、そのうちの30時間はテレビを観ていると言われている。英国だけでなく、欧米社会ではほぼどこでも椅子が用意されているが、それは人間にとってひとつも良いことではない。なぜ、こんなことになってしまったのか？

１７００年から１７５０年にかけての英国は、農業が産業の中心で、約６００万人が農業に従事し、男女ともに長時間の肉体労働をこなしていた。早起きして、畑まで歩き、日が暮れると、やはり歩いて家に戻った。それから約２５０年が経ち、21世紀初頭になっても田舎では同じような暮らしが続いていた。フローラ・トンプソンの名著『ラークライズ』には、現代人がまず体験したことのない暮らし方が登場する。魅惑的なその三部作には、重労働、徒歩での長距離移動、ゆっくりと伝わる数少ない情報、小さなことに喜びを感じる生活が描かれている。

1750年、英国では約1133トンもの綿花が輸入され、そのほとんどはランカシャー州の家内工業で紡がれ、織りあげられていた。1787年には、輸入量は約1万トンにまで増え、その大半は機械で洗浄され、梳毛されて紡がれた。産業革命が起きたのだ。

それとともに街が発展していった。1800年のバーミンガムの街は人口7万人だったが、その後の50年間で30万人にふくれあがった。産業革命の主な特徴は、大勢の人がいっせいに都市へ移り住んだことだ。理由は多くの収入を得るためで、大いなる社会的流動性（社会階層の変化）の時代が訪れた。それでも、大多数の人は相変わらず体を酷使する労働に従事していたが、さまざまな技術が次々にあらわれて、座っておこなう仕事が増えていった。職場、学校、家庭、公共の場は、人があまり移動しなくても済むように設計され、この変化が重大な結果を招いた。人は動かなくなり、座って過ごす時間が増えたのだ。

種としての人の生存は、動くことの上に成りたっている。体と脳が進化したのは、動いていたからだ。体を酷使する生活から、体に負荷をかけない生活に移行して、わずか250年しか経っていない。それは人類の歴史の中では、ほんのわずかな時間かもしれない。しかし、その間に座って過ごす時間は増える一方で、人は計り知れないほど大きなダメージを受けている。

恐ろしい事実をお知らせしておこう。

たとえ、毎日、推奨されている以上の運動をしたとしても、何時間も座って過ごせば、運動の効果は帳消しになる。納得しづらいことだが、たとえ活動的に過ごしていても、不活発の範

1920年のテニスプレイヤー

疇に入ることもあるのだ。

　体を動かさない生活の悪影響を指摘したのは、17世紀のイタリアの医師ベルナルディーノ・ラマツィーニだが、その科学的根拠を明らかにしたのは、２００５年にレヴァインがおこなった研究だった。レヴァインが定義した動かない生活様式とは、毎日長時間座って過ごし、最低限のカロリーしか消費しないことだ。

　具体的には、エネルギー消費が１・５メッツ未満の活動は、動いていないことになる。メッツ（ＭＥＴｓ）はmetabolic equivalents（代謝当量）の略で、１分間に体重１キログラムあたり酸素摂取量３・５ミリリットルの割合で、体がカロリーを消費することを意味している。

　実際のエネルギー消費量は、体重によって差があるが、メッツの値はあらゆる活動の強度の目安になる、睡眠時は0・9メッツ、じっと座っている状態では1メッツ、テレビを観ていると1・3メッツ、買い物は2・3メッツ、歩くと3・6メッツ、自転車をゆっくりこぐと4・0メッツ、セックスは5・8メッツだ。ジョギングは7・7メッツで、1・6キロメートルを4分で走ると23メッツになる。

長時間座って動かない生活は老化を早める

座ってばかりの生活は、体への悪影響が大きく、悲惨な結果を招きかねない。データモデリングによると、死亡率は着席時間1時間ごとに2%上がり、1日に8時間以上座っていると、8%上昇する。座ってばかりでほとんど動かない生活を長く続けると、心臓病、高血圧、糖尿病、肥満、がんなど、ほぼすべての慢性疾患のリスクが高まる。つまり、ここでも用量効果が見られ、座って過ごせば過ごすほど健康状態が悪くなる。それはさまざまな研究で裏づけられた避けようのない事実だ。年齢も関係がなく、5~17歳の子供にも当てはまる。

英国では、1日の自由時間のうち1時間以上、中~高強度の運動をしている子供は、10%もいない。大半の子供がモニターを見つめる活動のほうを選んでいるのだ。身体活動による効果を得るにはそれなりの基準があり、その基準はなかなかハードルが高い。長い時間座って過ごした悪影響を帳消しにするには、毎日、60~75分間の中~高強度の運動が必要だ。当然、座ってばかりの生活によって、子供の肥満、体調不良が増え、さらに自尊心、交友関係、学力が低下している。

大人ではなおさらだ。テレビを観ている時間、座っている時間、車に乗っている時間は、すべて心血管疾患による死亡率の増加につながる。それどころかあらゆる病気による死亡率が高くなる。１５００人の高齢者を対象にした最近の研究で、1日に10時間座って過ごし、なおかつ、中強度の運動を40分以下しかおこなわない人は、体や健康面で実年齢より8歳老けていることがわかった。

この分野の研究ははじまったばかりだが、それでもすでに、座ってばかりいると体にどんな悪影響が出るのかはわかっている。最近の研究で、大人のテレビの視聴時間、つまり、座って過ごしている時間と、健康への重大な影響に強い関連が見られた。脂肪量の増加（胴囲で測定）、空腹時の血中の脂質の多さ（中性脂肪の値）、インスリン抵抗性（細胞がインスリンを認識できない状態）による高血糖などだ。インスリンの効きが悪くなると、臓器がブドウ糖をうまく取りこめなくなる。それは老化の顕著な特徴だ。

こういった悪い変化がなぜ起きるのかといえば、長い間じっと座ったままだと、筋肉がほとんど動かないからである。すると、脂肪の分解が減り、中性脂肪が除去されにくくなり、ブドウ糖が臓器に取りこまれず、ブドウ糖刺激によるインスリン分泌が減ってしまう。その結果、体調が崩れる。懸命に運動しても、こういった変化は食い止められないのだ。座ったままだと、体を動かすことによって起きる体内の化学反応が起こらず、それどころか有害な化学変化が起きる。

さらに気がかりな研究結果もある。長時間座っていると、体内の炎症が増えるのだ。第1章で解説した通り、炎症は老化の指標で、体内の炎症が多ければ多いほど老化が早まる。ということは、長い間座っていればいるほど、どんどん老化が進むのだ。人の一生という長い期間で考えれば、座ってばかりの生活の悪影響はかなりのものになる。高血糖によって炎症が起き、動脈硬化が進む。体のさまざまな部分でそういうことが起きるのだ。もちろん、脳の中でも。

それだけではない。毎日、モニターの前で1時間座って過ごすごとに、テロメアが7%ずつ短くなる(テロメアは染色体の保護キャップのようなもので、DNAを保護している)。そして、短いテロメアは短命につながる。

また、炎症は体内の脂肪細胞にも悪影響を及ぼす。蓄えられた脂肪が落ちにくくなって、体重が減らなくなる。それが脂肪細胞の肥大化(FAT flammation)と呼ばれる現象だ。

そうなると、カロリー制限だけでは対処しきれない。これを解決するには、座ってばかりの生活が引き起こす体内の炎症を減らすこと、長期にわたって活動量を増やすこと、炎症を減らす食べ方(第5章「脳が欲する栄養素」を参照)などが重要になってくる。先に挙げたように、習慣的に有酸素運動をおこなえば、血中の炎症性バイオマーカーが下がる。最大心拍数の80%

程度の高強度の運動（ランニングやボートこぎ）を、週に２～３回、１時間ずつおこなって、同時に普段から体を動かすようにすれば、炎症を大幅に減らせる。

座りっぱなしの生活で体がぼろぼろになるとしたら、当然、その影響は脳にも及ぶ。それは科学的に証明されている。いくつもの研究で、座りっぱなしの生活がアルツハイマー病の予測因子とされているのだ。また、世界のアルツハイマー病の13％が、運動不足が原因と考えられている。さらに、じっと座っている時間が25％減れば、世界のアルツハイマー病の発症が１００万件減ると言われている（現在、全世界のアルツハイマー病患者は約５０００万人だ）。

アルツハイマー病との関連の原因も、わかりはじめている。どうやら、じっと座ったままでいると、記憶を司る脳の領域が縮むらしい。

カリフォルニア大学ロサンゼルス校の研究チームは、45～75歳の35人を対象に、１週間の身体活動量と座っている時間を調べた。次に高解像度のＭＲＩ検査で、新しい記憶が形成される内側側頭葉（ＭＴＬ）を調べた。すると、座りっぱなしの生活とＭＴＬの減少に明らかな関連が見られた。それは中高年では認知低下や認知症の予兆だ。

さらに、たとえ身体活動量が多くても、長時間じっと座っていることによるＭＴＬへの悪影響は消えないこともはっきりした。正直なところ、この研究では、座ってばかりで動かないと、ＭＴＬが減ると証明されたわけではない。それでも、座っている時間が長いほどＭＴＬが減る傾向にあるという事実は、貴重な指標になる。

椅子に座らない生活を一生続けよう

座りっぱなしの生活の致命的な影響から逃れる方法が、科学によって明らかになっている。そこには3つのステップがある（表2−4を参照）。

第一のステップは、何よりも大切なことを真摯に受け止めて、〝じっと座っているのは体に悪い〟という言葉を頭に刻みつけることだ。この言葉を常に思いだすようにすれば、長期にわたって効果があり、なおかつ、簡単にすばらしい変化を起こせる。それはどんな変化なのか？椅子に座らないことだ。

第二のステップは、座らずにいるための具体的で柔軟な作戦を立てる。大切なのは、それを1日だけ実行するのではなく毎日続けることだ。まずは、1日に何時間座っているかを確かめる。平日の1日と週末の1日を選び、（ほとんどの携帯電話についている）ストップウォッチ機能を使って座っている時間を測り、それを数週間続ける。そうやって1日の座って過ごす平均時間がわかったら、その時間を1か月かけて20％減らすようにするのだ。

第三のステップは、座っている時間を減らすためのルールを守ることだ。まずは、〝立っていられるときは決して座らない〟というルールを肝に銘じよう。これは簡単にできそうでいて、意外と難しい。

理由は単純明快、この世のほぼすべてが座るようにできているからだ。それでも、会社の机をスタンディング・デスクや、高さ調節ができるものに変えられるかもしれない。

立って仕事をするのが無理だとしたら、少なくとも1時間以上座ったままでいないようにする。45分に一度、あるいは50分に一度、10分間動くというマイルールを作る。トイレに行く、お茶やコーヒーを飲みにいく、階段を上り下りして心拍数を上げるなど、なんでもかまわない。楽しくて有意義な休憩時間を過ごすのだ。おしゃべりをしたり、お茶やコーヒーを淹れたりなど興味のあることをする。

なぜかといえば、意志の力だけでなんとかしようとしても挫折するからだ。こういったルールを生涯の習慣にする必要がある。

2-4 椅子の誘惑に打ち勝つためにすべきこと

ステップ1――一番大切なことを胸に刻みつける

●座って過ごすのは、いつのまにか癖になる。
●座って過ごすのは、体に悪い。

●座って過ごす時間があまりにも長いと、運動の効果がなくなる。
●運動しても、座っていることの悪影響は帳消しにならない。

ステップ2――座らずにいるための柔軟な作戦を立てる

●1日の座って過ごす時間を計測する。
●1か月かけて、その時間を20％減らす。
●柔軟に考えて自分にやさしくなる。目標どおりにいかない日があっても気にせずに続ける。

ステップ3――毎日、実行する

●座らないようにする。いつでもどこでも、できるだけ立っている。
●1時間以上座ったままでいない。
●1時間のうちの10分間は立って過ごす。
●動きまわる時間を楽しく、有意義に過ごす。
●できれば、一緒に実行する仲間を作る。

楽しむことの大切さは、ラフバラー大学の有名なスポーツ科学研究所での実験で立証されている。若者を対象に、空気椅子の姿勢（これを経験したことがあれば、その辛さは身に染みているはずだ）をどのぐらい保っていられるかというテストをした。

次に、昼食の直前に、被験者をふたつのグループに分けて椅子に座らせ、30分間、アンケートに答えてもらった。この間、片方のグループには、目の前に甘い匂いのできたてのドーナツを置き、食べてはいけないと指示した。対照群であるもう一方のグループには、ドーナツの甘い誘惑はなかった。その後、すぐにまた両方のグループにもう一度空気椅子をさせた。すると、ドーナツの甘い誘惑に耐えた被験者の半数以上が、空気椅子の姿勢を保っていられなかった。意志の力を使い果たして意欲も底をついたのだ。

心理学で自我消耗による阻害効果と呼ばれる現象だ。この実験から、意志の力は重要だが、人は無限の意志の力を持っているわけではないことがわかる。


どんな活動であれ〝楽しい〟と思えれば、意志の力も強くなる。もうひとつ大切なのは、ひとりでやろうとしないことだ。できるだけ誰かを誘って仲間を作ろう。家族、友人、同僚など、何人かで同じ目的に向かって努力するのだ。

もしあなたが親なら、子供たちに「ソファに座ってばかりいないで、ほかのことをして遊びなさい」と、注意するかもしれない。だが、人のことを言っている場合ではない。年齢に関係なく、それは誰もがするべきことなのだ。

せかせか動きまわるのは良い癖だ

生活習慣の小さな変化がもたらす効果を、まだ信じられないだろうか？　ならば、米国のメイヨークリニックでの有名なパンツ実験をご紹介しよう。

その実験では、20人の被験者（10人はスリムで、10人は肥満だが、全員がカウチポテト族を自認）に、特殊な下着をつけさせた。上半身は肌着かポリウレタンのブラジャー。下半身は前後に開口部がある際どい見た目のパンツだ。それなら、脱がずに用を足せる。なぜかといえば、パンツに縫いつけた高感度の動作センサーを阻害しないためだ。

被験者は1年の間10日間ずつ、3回にわたって、昼夜を問わず特殊な下着をつけつづけた。それを脱げるのは、1日に一度の15分間のシャワータイムだけで、それが済むとすぐに新しい下着をつけた。食事もきちんと管理された。念のために言っておくが、この厄介な実験の参加費として、被験者には10日間の実験期間ごとに2000ドルが支払われ、全員が合計6000ドルを受けとった。150人のスタッフを要した実験が終わる頃には、被験者の動きに関して2500万件のデータが集まった。

そのデータから何がわかったのか？　一口に〝カウチポテト族〟と言っても、全員が同じではないことだ。太っている人はひたすら座っている傾向にあり、一方、痩せている人はじっとしていられず、立ちあがって歩きまわっている時間が1日に2時間以上多かった。

意外にも、この動く癖によって1日あたり約350キロカロリーを消費して、体重に換算すると、1年で13~18キログラムの減量になる。スポーツジムに通わなくても、これだけの差が出るのだ。研究者は、太っていると不活発になる傾向があるが、不活発だから太っているとは限らないと結論づけた。

この実験にどんな教訓が隠されているのか？　それは、『サイコロジー・トゥデイ』の記事を読めばわかる。

世の中には、どーんとかまえて動かない人もいれば、せかせかと動きまわる人もいる。もし、あなたがせかせかと動きまわるタイプなら、それを粗野で、せっかちで、集中力がないと考える必要はない。それはむしろ良い癖なのだ。一方で、あまり動かないタイプなら、もっとこまめに動くようにしたほうがいい。仕事の合間の休憩を増やして、デスクのまわりを歩くとか。さもなければ、1~2分でいいから腕のストレッチをしたり、脚を動かしたりするべきだ。[注3]

こんな疑問を抱いた人がいるかもしれない——この章に書いてあることをすべて実行したら、今より健康な脳が手に入る保証はあるのか？　これは重要な疑問で、答えはふたつある。

ひとつは、これまでの科学的な研究結果はすべて共通しているということだ。それは、生涯にわたって身体活動が増えるように生活習慣を改めて、その習慣をきちんと守れば、脳が健康になる確率が大幅に上がる。

ただし、注意すべき点がふたつある。

（1）活動量を増やすと同時に、それ以外の生活習慣も改善しなければならない。重要なのは、1日だけ体に良いことをするのではなく、生涯にわたって続けることだ。

（2）科学の分野では、〝保証する〟という言葉は安易に使えない。なぜなら、予測不可能な偶発的な出来事がしょっちゅう起きるからだ。こういった注意点があるにせよ、脳の健康も含めて将来の健康は、体に良いことをできるだけたくさん積み重ねていけるかどうかにかかっている。その積み重ねの中でとりわけ重要なのが、体を動かすことである。

もうひとつの答えは、第1章で取りあげたＦＩＮＧＥＲ研究にまつわることだ。その研究によって、生活習慣を変えれば認知機能低下のリスクを減らせることがわかっている。念のためにもう一度、ＦＩＮＧＥＲ研究について簡単に説明しておこう。それは、認知機能低下リスクがある高齢者でも、いくつかの生活習慣を変えることで、低下が防げることを立証した世界初のランダム化比較試験である。１２６０人を2年間調査研究したところ、生活習慣を改善すれば、生涯にわたって認知機能の低下を30％防げるという結果が得られた。

その研究の優れた点は、食事、血管リスクはもちろん、何より身体活動も含めて、さまざまな要素を研究対象にしたことだ。

それでも、やはり注意点はある。有益で明確な結果が得られたとはいえ、ＦＩＮＧＥＲ研究も、多くの研究のひとつに過ぎない。健康な脳を維持するためのエビデンスはまだ不足していて、現在進行形でさまざまな発見がなされている。

たとえば、ＦＩＮＧＥＲ研究では、どんな種類の運動がより効果的なのかは明らかになっていない。それでも活動的ではない人が活動量を増やせば、脳が健康になるのは間違いない。

さらに最新の研究では、不活発な人、つまり常日頃座っている時間が長い人が運動をはじめると、活動的な人が新たな運動をはじめたり、運動量を増やしたりするより効果が高いこともわかっている。それは、運動をはじめたばかりの人は変化の度合いが大きく、スピードも速いからで、とりわけ、血管内壁の炎症が大幅に減る。どんな運動が脳に効くのかは、まだ研究の余地が残っているが、職場や余暇時間でおこなう運動の種類、頻度、継続時間、強度について考えてみる価値はある。どうしたらさらに運動量を増やせるのか、どうしたら複数の運動ができるのかを考えてみよう。

というわけで、〝この章に書いてあることをすべて実行したら、今より健康な脳が手に入る保証はあるのか？〟という疑問の答えは、〝イエス〟だ。意図的な運動はもちろんのこと、身体活動全般が脳に良い影響を与えるのは間違いない。

ジム通いの都会人より羊飼いのほうが健康

都会に暮らす人の多くが、マラソン、エクササイズのレッスン、パーソナルトレーニング、スポーツジム通いに熱中している。それを知ったら、ブルーゾーン（健康で長寿の人が多い地域）に暮らす１００歳以上の人たちは、呆れるかもしれない。農業、羊飼いなど昔ながらの仕事に従事する１００歳以上の人はほぼ全員、毎日、長い距離を歩いている。それによって、適度に心拍数が上がり、精神的な衰えもほぼ見られない。そういった生活習慣のおかげで、家族や近所の人たちと親しくつきあっている。

一方、都会で暮らしていると、不活発な生活習慣のせいで、自信を失い、活力が低下して、苛立ち、不機嫌になる。さらに、仕事に追われて、そもそも疎遠になりがちな家族や友人と一緒に過ごす気力さえ湧いてこない。人との交流が減り、多くの人が孤独を感じているのは、身体活動の不足はもとより、それ以外の現代の生活習慣とも深い関連がある。

これについては、第6章で詳しく取りあげることにして、次章では、大半の人が自分の体の中にあることに気づいていないものについて見ていくとする。それは、第二の脳だ。

CHAPTER 3

食事と脳

- 完全なる人工知能は人類を終焉に導く
- 肉の調理が人間の脳を進化させた
- 腸は〝第二の脳〟である
- 医学界の奇跡をもたらした恐ろしい出来事
- カロリーという概念を発見した悪魔的実験
- カロリー制限したラットは2倍長生きする
- 昔ながらの断続的断食が認知力向上に役立つ
- 脳のエネルギー源をブドウ糖からケトンに
- 脳を健康に保つには腹八分目

完全なる人工知能は人類を終焉に導く

スタジオの一画に、ふたりの男が陣取っていた。ひとりは米国の大人気クイズ番組『ジェパディ!』で、連続74回も王者に輝いたケン・ジェニングス。もうひとりはブラッド・ルッターだ。ルッターも米国のクイズ番組で、生涯獲得賞金額325万ドルを達成したクイズ王だ。

対する一画に陣取っているのは、人ではなく機械だった。その名はワトソン。リナックスのシステムをベースとした自然言語処理ができるコンピュータだ。IBMの選り抜きのエンジニア25人が、4年という歳月をかけて開発した血と汗の結晶である。

2011年2月14日、『ジェパディ!』の長い歴史の中でも、とりわけ奇妙な回となったその日、異質な2組が真っ向勝負に挑んだ。その番組で出題される問題は普通のクイズとは真逆で、出場者はヒントという形で答えを教えられ、それが正解となる質問を考えださなければならない。その対戦にワトソンが勝利すると、『PCワールド』誌は〝完全なる勝利〟と報じた。

ワトソンに使われているハードウエアは、IBMのパワー750サーバーが90台。それぞれに4個のプロセッサを搭載したコアプロセッサが8個(合計32のプロセッサ)あり、処理速度は80テラフロップスだった。1テラフロップは1秒間に1兆回の演算ができる。

さらに、ワトソンは16テラバイト(TB)のメモリを備えていた。未来学者レイ・カーツワイルによると、人間の脳のデータ保存能力は約1・25テラバイトで、処理速度は約100テラフロップスとのことだ。ワトソンの開発者トニー・ピアソンは、その言葉を引き合いに出して、「ワトソンは80％の人間だ」と言った。

だが実際には、ワトソンは人間とは天と地ほども違っていた。ワトソンが取り組むのは、そのときどきに提示される質問だけだ。かたや、まぎれもない人間である対戦相手の脳は、質問のほかに、命懸けのいくつもの脅威を同時に処理しながら緊張とも戦っていた。塩分と水分のバランスを取り、呼吸をして、心拍数と血圧を調整し、体の均衡を保ち、潜在意識を制御していた。

数年後、ワトソンはディベーターへと姿を変えた。複雑なテーマをディベートできる世界初の人工知能（ＡＩ）だ。100億個の文からなるデータベースを後ろ盾に、2019年、ディベーターは勝負に出た。世界ディベート選手権のファイナリストで、2012年のヨーロッパ大会の覇者ハリシュ・ナタラジャンと競ったのだ。

結果は敗北だった。ＩＢＭの最新のコンピュータでさえ、人間の能力にはかなわなかった。創造力、一般常識、言葉使い、感情移入などを駆使して、種々雑多なタスクを同時にこなす人間の能力の比ではないのだ。今のところ、数値化できないことや、アルゴリズムではあらわせない事柄に関しては、機械より人間のほうがはるかに優れている。現時点での最新のコンピュータは、何をするべきか明確に指示しなければ役に立たない。

スティーヴン・ホーキングは〝完全な人工知能は人類を終焉に導く可能性がある〟と言った

が、現実のＡＩは自ら学習することをようやく学びはじめたところだ。

とはいえ、決定的に違うのはエネルギー効率だ。現在のコンピュータは膨大な資源を消費している。ＩＢＭのワトソンは約75万ワットの電力を必要とする。英国最大のスーパーコンピュータはエクセターのイギリス気象庁にあり、24時間稼働させるとその街全体の電力消費量と同じだけの電気を使う。

一方、人間の脳はわずか12ワットで働いてくれる。60ワットの電球の5分の1の電力消費量だ。とはいえ、脳はエネルギーを食う。人間の脳は大食らいなのだ。その割合は霊長類の中でもひときわ大きい。人類の進化の過程でそれは大問題だった。自然界のあらゆる問題の中で、エネルギーの獲得は最大の難問だ。それによって、生き延びられるか否かが決まるのだ。

いったい人類はどうやってこの難問を解決したのだろう？

肉の調理が人間の脳を進化させた

今から１００万年以上前に、ある最新技術が人類の文化と進化に大改革をもたらした。この技術によって、人間の祖先は食物から得られるエネルギー量を劇的に増やしたのだ。それが、ふたつの重要な進化につながった。脳がひときわ大きくなり、それと反比例するように内臓が小さくなったのだった。

その最新技術とは調理だ。何よりも、肉が調理できるようになったことだ。これこそ、人間の脳の発達の決定的な要因と言ってもいい。

第一に、エネルギーを獲得しやすくなった。ことエネルギーに関して、人間の脳はとてつもなく欲張りな臓器で、重さは体重のわずか2％なのに、総エネルギー消費量の20％を占めている。それに対して、チンパンジーや類人猿など、人間以外の霊長類の脳は8％しか消費しない。

肉は多くのエネルギーを提供してくれるが、生のままだと消化されにくい。調理することで、組織が壊れ、消化されやすくなって、エネルギーを素早く吸収できるようになる。第二に、調理によって人間の腸は小さくなった。低エネルギーの植物を大量に消化する必要がなくなると、植物を食べていた頃に比べて、人類は体に対する腸の割合が小さくなるように進化した。

現存する狩猟採集民を調べてみても、70％以上が食事から得るエネルギーの半分以上を肉に頼っている。まぎれもなく、肉は人間の脳の進化の立役者だ。ただし、人間は歯の形状からしても雑食動物であり、それと同時に、調理食動物（食べ物を調理して食べることに適応した動物）でもある。


調理はふたつの点で人類の進化に貢献した。ひとつは、人類が地球上のさまざまな場所に移り住めるようになったこと。もうひとつは、動物の中で人がひときわ優れた社会的認知力を持つようになったことだ。移住を成功させる最大のポイントは、新たな食環境を利用できるか否かにあり、調理の能力は大きなアドバンテージになる。食材になりそうなものを見つけて、それを調理できれば、多種多様な消化しづらいものを食べられる。

その結果、人間の社会では、調理が文化に深く根づいた主要な活動になり、今でもそれは変わっていない。さらに、採集民としての生活様式もできあがった。狩猟によって必要不可欠なエネルギー源を得て、薬草、果実、根や種などを採集することで、多様な食材を手に入れる。

少なくとも10万年前には、人が穀物を食べていたというまぎれもない証拠がある。その長い歴史ゆえに、人の腸は穀物をきちんと消化するように進化した。全粒の穀物を食べるのは、しごく自然なことなのだ。旧石器時代の食事は、現代人の標準的な食事（偏った欧米式の食事）より、はるかにバラエティに富んでいた。種々雑多なものを食べることで、ビタミンやミネラルのような微量栄養素を摂り、そういったものはすべて、脳の代謝を促す燃料になる。

とはいえ、採集は単に不足分を補っていただけではない。猟師ならみな、「狩りは不安定な仕事だ」と言うはずだ。失敗に終わることも多い。主に女性が受け持っていた採集は、狩りで獲物が獲れないときにエネルギーを得る貴重な手段だった。

この進化の旅で発達したのは、脳だけではなかった。脳の発達のために使われる多くのエネルギーに対応するために、カロリー、微量栄養素、エネルギー効率といった点で食べ物の質が上がると、体のあらゆる組織の中で腸だけが小さくなった。それはほかの臓器にはできない芸当だ。腸以外の臓器の大きさは、その役目によって決まり、譲歩の余地はない。腸のおかげで脳が発達すると、そのお返しに、脳も腸を発達させ、さらに、そのふたつの間に通信回線ができあがった。

腸は〝第二の脳〟である

日本映画のゴジラは長い間、最強の怪獣として描かれてきた。ゴジラ映画のシリーズの中には『ゴジラ　キング・オブ・モンスターズ』というタイトルのものもある。

だが、実はゴジラには致命的ともいえる秘密の弱点があった。脳がふたつあり、おまけに、ひとつは想像を絶する場所にあるのだ。それは尻尾の付け根。それがゴジラの急所だった。

いや、人間にも脳はふたつある。ひとつは頭蓋骨の中で、もうひとつは腸の中だ。腸には5億個、20種類の神経細胞、無数の複雑な〝超小型回路〟がある。それでいて、大きさは飼い猫ほど。それが腸神経系、つまり人間のゴジラ脳だ。

ゴジラ　ふたつの脳を持つ怪獣

その脳は体に入ってくる食物を観察するだけでなく、味、食感、状態を検知する。さらに、消化をコントロールする。食物を分解するのだ。腸を通り抜けることで、分解された生成物質は吸収され、残骸は排出される。

誰もが経験したことがある通り、このうちのいくつかが不調に陥ることもある。腸はそのプロセスを通じて、頭の中の脳と極めて重要なやりとりをしている。

人は常に、自分がどう感じているのか、社会的にどう振る舞えばいいのかを、意識的に判断している。人の舌が感知する4つの味も、生き残りをかけて研ぎ澄まされてきたものである。塩味は神経系の電気的信号に不可欠で、甘味はカロリーのバロメーターで、苦味と酸味は植物毒から身を守るための警告だ。

ゆえに、味、報酬、エネルギーは、生存のためにがっちりスクラムを組んでいる。食物とそれを食べることへの人間の姿勢は、心理学と生理学が入り混じる複雑な領域で、本書の範疇を超えている。ここでは、腸と脳はともに、体内に取りこまれた食物の摂取と制御のための、極めて高度な管理システムであるとだけ言っておこう。

その管理システムは、腸の最終部（消化を完結させる大腸）から脳幹（満腹中枢）へ、意識下の辺縁系（快楽）から大脳半球（摂食行動の意識的な制御）へと、広範囲に及ぶ。また、脳がある機能を持っていることもわかった。ダイエット中の人にとっては、つむじまがりな困った機能だ。脳には、設定した体重を守る〝体重サーモスタット〟機能が備わっているのだ。

「断腸の思い」「腸（はらわた）が煮えくり返る」「腸（はらわた）が見え透く」「腑（ふ）に落ちない」といった言い回しも、腸の中の〝ゴジラ脳〟と頭の中の〝人間脳〟の間で、感情のやりとりがおこなわれている証拠だ。そのやりとりは科学用語で〝脳腸相関〟と呼び、人が健康で幸福に生きるためになくてはならないものだ。脳から腸への神経の主な通り道は、迷走神経（vagus nerve）だ。〝vagus〟とはラテン語で、〝さまよう〟あるいは〝はぐれる〟という意味で、多数の内臓器官とつながっていることから、そう呼ばれるようになった。

この巨大な脳神経（脊髄を除けば、最大の脳神経）内の個々の神経線維の約80～90％は、脳と腸のコミュニケーションを担っている。さらに驚くべきことに、双方向に行き交うこの神経によるメッセージの中で、脳から腸へと送られるのはわずか10％で、90％は腸から脳へ送られる。わが身に何が起きているのかを教えてくれるのは、実はゴジラ脳なのだ。

感覚器官といえば目、耳、指先、皮膚などが思い浮かぶが、体内で最大の感覚器官は腸だ。腸で起きていることは極めて重要で、瞬時に腸から視床へと情報が伝わる。その情報が臨界点に達すると、大脳皮質へと伝わり、感情が生まれて、人は気分が良くなったり、不快になったりする。高揚感と不快感の間にあるさまざまな感情が生まれて、気分が決まるのだ。

皮肉で不思議な生物学的な作用というべきか、脳のとりわけ重要な神経伝達物質で〝幸せホルモン〟と呼ばれるセロトニンは、脳内だけで作られるわけではない。なんと、約90％は腸で作られる。腸内細菌叢、あるいは腸内フローラと呼ばれる1兆個の細菌が作ってくれるのだ。

セロトニンは人の気分の状態に大きく関係する。体に悪いものを食べれば、機嫌が悪くなるのはあたりまえなのだ。

脳と腸がこれほど密接につながっているとなると、ひとつの疑問が湧いてくる。ゴジラ脳を進化させて、強力な相互作用のシステムを作りあげなければならないほど、人間にとって重要だったものとは、なんなのだろう？

エネルギーの獲得は、人間にとってはもちろんのこと、自然界のほぼすべての生物にとって、最大にして唯一の進化の原動力と言ってもいい。独自にエネルギーを生産し、それを使って、生きていくために必要な物質を作りだせるのは、独立栄養生物と呼ばれる生命体だけだ。それは、人間も含めたすべての生態系の食物連鎖の基礎になっている。日光を必要とする植物や、硫黄を必要とするバクテリアなど、独立栄養生物は無機化合物といった形でエネルギーを周囲から得て、それを使って、ブドウ糖のような高エネルギーの有機物を作りだす。有機物とは炭素を含む物質だ。

一方、人間は従属栄養生物で自分ではエネルギーを作りだせない。植物などの独立栄養生物を食べることで、直接エネルギーを得るか、独立栄養生物を食べる、ほかの生き物を摂取することで、間接的にエネルギーを得る。ゆえに、人が口にする食物の大部分は、高エネルギーの大きな有機分子である炭水化物、脂質、タンパク質から成っている。

消化器官（腸）の主な目的は単純明快だ。人が大きな分子を食べ、腸がそれを血液が取りこめるぐらいの小さな分子に分解する。すると、その分子は体中に分散し、さまざまな細胞がそこからエネルギーを獲得する。この分解プロセス（消化）を、化学用語で加水分解と呼ぶ。文字どおり、水によって分解されるのだ。

人間のように体温が高くても、このプロセスには時間がかかり、人のエネルギー消費に間に合わない。そこで、酵素と呼ばれる強力な触媒を使って、大きな食物分子の分解を早める。酵素は消化器官の細胞内で作られ、腸を通り抜ける食物の中に放出される。消化によって小さくなった分子は、体中の細胞に運ばれ、酸素を利用して〝燃やされて〟、エネルギーを放出する。あらゆる臓器の中で、このエネルギーを一番使うのが脳なのだ。

にもかかわらず、解剖学者のアンドレアス・ヴェサリウスが１５４３年に人類初の正確な腸の解説書を物してから３００年以上もの間、腸の働きはもとより、腸内でどんなことが起こっているのかを、科学的に解き明かす手がかりすら得られずにいた。

科学ではよくあることだが、それもやはり偶然の出来事によって明らかになった。

医学界の奇跡をもたらした恐ろしい出来事

１７７７年から現在に至るまで、マサチューセッツ州の経済は銃火器によって潤ってきた。画期的な事業と創意工夫によって、１８１６年、当時もっとも革新的で強力な武器のひとつが完成した。69口径のフリントロック式マスケット銃だ。

１８２２年６月６日、マキナック島の毛皮交易所で、その銃の威力を見せつけられる悲惨な事故が起きた。そして、その事故は人間の消化に関する知識に革命を起こし、同時に、生理機能の実験にもなった。そればかりか、アレックス・サン・マルタンという若者の人生を一変させたのだ。

そのマスケット銃には弾がこめられていたが、安全なハーフコック状態だった。それなのに、なぜ、悲惨な事故が起きたのか？　銃を斜めに立てかけた猟師は、そのとき燃えさしが火皿からベントを通り、ブリーチ内の弾薬にじりじりと向かっていることにまったく気づいていなかった。猟師の友人でありハンター仲間でもあるサン・マルタンが、問題の銃から離れようとしたとき、銃が暴発し、煙とともに弾がその背中を貫いた。熱い鉛の弾、使われた火薬、燃えた詰め物、筋肉、皮膚、骨、肺。そういったものがいっしょくたになって、不幸なアレックス・サン・マルタンの腹に穴を穿ち、胃を通って外に飛びだした。


サン・マルタンは血の海に横たわり、その姿を見た者はみな、もう助からないと思ったはずだ。だが、サン・マルタンにはツキがあった。多くの兵士に外科手術を施してきた軍医ウィリアム・ボーモントから、何か月にもわたる治療を受けて、回復したのだ。そして、その治療が人類にとっての前例のない遺産となった。

傷口は完全に塞がることはなく、まるで胃と外界をつなぐ扉のようだった。事故から1年半後、そこには開閉する括約筋ができあがり、ボーモント医師は意のままに胃の内容物を調べることができた。そして10年にも及ぶ実験がはじまった。ボーモント医師はさまざまな食べ物に糸をつけて、穴から胃に入れ、数時間後に取りだして、消化状態を記録した。肉、魚、卵、パ

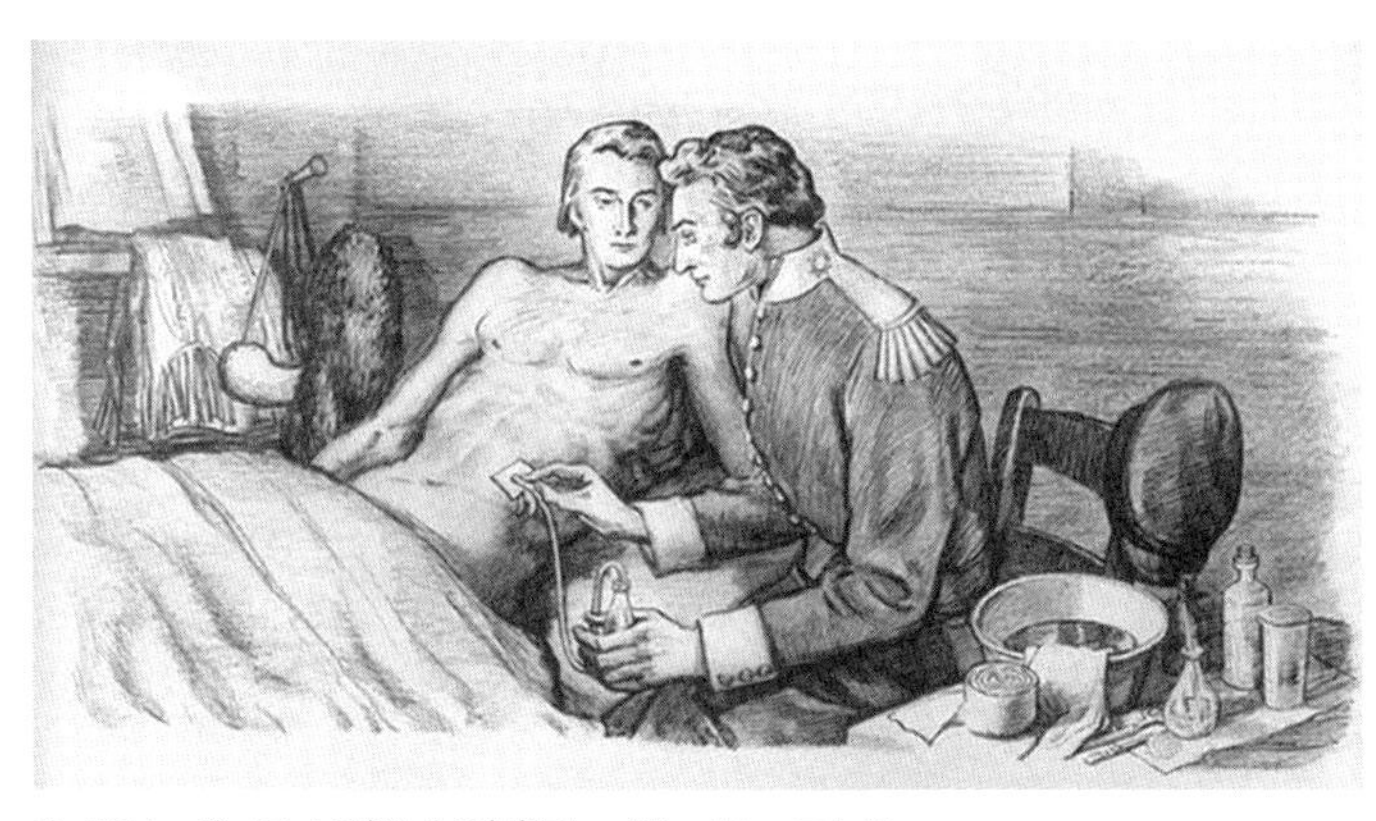

ウィリアム・ボーモント医師とその患者アレックス・サン・マルタン

ン、野菜、果物など、ありとあらゆる食物が調べられた。消化前とあとの味まで調べた。
さらに、胃液の研究もおこなった。昼と夜、食べたり飲んだりする前、最中、あとなど、さまざまな時間に胃液を抜きとった。こうして、凄惨な事故と勤勉な医師のおかげで、人間の消化に関する科学的な研究がはじまったのだった。

この不幸な事件でのボーモント医師の功績は、医学界の奇跡と言ってもいい。それは、ひとつの命を救っただけではなく、人の腸を理解するための意義深い旅のはじまりで、その研究は今も進歩しつづけている。ベストセラー作家のジュリア・エンダースは、腸を〝体の中でももっとも過小評価されている臓器〟と言ったが(注1)、実のところ、腸の構造は群を抜いて洗練されている。
口から肛門まで全長9メートルの消化管は、内部表面積がなんと400平方メートルもあり、そこには消化を助ける唾液腺、膵臓、胆嚢といった複雑な副器官が備わっている。腸や食物や消化に関する現代の知識は、真の先駆者たちのたゆまぬ努力の結晶だ。評判も私生活も犠牲にして、細切れの知識をつなぎあわせた結果が、現代人があたりまえのように感じている知識なのだ。まさにそんな先駆者のひとりに、ウィルバー・オリン・アトウォーターがいた。

カロリーという概念を発見した悪魔的実験

ウィルバー・オリン・アトウォーター

想像してほしい。あなたは長さ約2メートル、幅1メートル20センチ、高さ1メートル80センチの金属と木でできた箱に閉じこめられている。その中で、ものを食べて、飲んで、働いて、休んで、眠る。新鮮な空気が送りこまれ、温度は適温に保たれている。小さな折りたたみ式のベッドと、椅子とテーブルもある。食べ物と飲み物はきちんと与えられ、排泄物はきちんと外に運びだされる。

肉体的な快適さが保証されているのは幸いだ。なにしろこの箱の中で何日も過ごすこと

ウィルバー・オリン・アトウォーターの呼吸熱量計の部屋

になるのだから。

時は1896年、あなたはこの実験に参加した500人のうちのひとりだ。果たして、これはなんのための実験なのか？　食べ物のエネルギー量を測定するためだ。

この悪魔的な実験装置と、それを操る科学者ウィルバー・オリン・アトウォーターのおかげで、私たちはカロリーを気にせざるを得なくなった。

1887年、アトウォーターの書いた記事が『センチュリー』誌に載ると、カロリーという言葉とその考え方が、欧米社会に広まった。カロリーとは、1キログラムの水の温度を、1℃上昇させるエネルギー量のことだ。

ウィルバー・オリン・アトウォーターをはじめとするパイオニアの科学者のおかげで、現在では、地球上のほぼすべての食物のエネルギー量がわかっている。生の状態、あるいは、調理済みの状態の熱量が、1人前単位で明確になっている。同じように、人間のさまざまな活動（まぎれもなく、ありとあらゆる活動）に必要なエネルギーもわかっている。

その値は健康、体重の増減、食事、活動と密接につながっていて、もちろん、脳の健康とも深く結びついている。年齢別や性別による1日に必要なエネルギー量を知りたければ、インターネットで信頼のおけるサイトを開くだけで、すぐにわかる。だが、その手間が省けるように、表3−1に英国政府が規定する基本のエネルギー摂取量を記しておいた。

3-1　英国政府が推奨する1日のエネルギー摂取量

- ●19〜64歳　男性2500キロカロリー　女性2000キロカロリー
- ●65〜74歳　男性2342キロカロリー　女性1912キロカロリー
- ●75歳以上　男性2294キロカロリー　女性1840キロカロリー

カロリー制限したラットは2倍長生きする

この章の冒頭で触れた通り、1日に必要なエネルギー量のゆうに20%が脳に送られる。たとえば40歳の女性であれば、その量は約400キロカロリーで、同じ歳の男性なら500キロカロリーとなる。どちらも、現代の典型的な朝食のエネルギー量だ。脳は毎日、1食分をひとり占めしているのだ。

1日のカロリー摂取量の制限に関する初の実験は、1944年のミネソタ飢餓実験と言われているが、それは間違いである。それより以前の1934年に画期的な論文が発表されていた。だが、それは50年もの間、ほとんど日の目を見ることがなかった。

そこには、〝餌のカロリーを制限した実験用ラットは、制限しなかったラットに比べて、約2倍長生きする〟という簡潔で確信を突く発見が記されていた。その論文を書いたのはコーネル大学の生物学教授クライヴ・マッケイだが、その名が広く知られるようになったのは、この実験結果のせいではなかった。戦時下での食糧配給量を研究し、その結果、第二次世界大戦中にパンの代用品として配給されたコーネル・パンで一躍注目を浴びたのだった。

マッケイが発見したカロリー制限の原理が、80年に及ぶ研究を経て、長生きのために、また、老化による病気の発症を遅らせるために、もっとも効果的な食事法として注目されるとはマッケイ本人には知る由（よし）もなかった。このカロリー制限は、酵母菌からミバエ、ミミズ、齧歯類、霊長類に至るまで、すべての生物に有効だ。果たして、人間にも効くのだろうか？

まずは、重要なことをはっきりさせておこう。

カロリー制限とは、痩せるためのダイエットを指す言葉ではない。栄養不良や必須栄養素の不足を引き起こすことなく、1日の平均摂取カロリーを、推奨されている摂取カロリーや習慣的な摂取カロリーより大幅に減らすという意味だ。

短期間の人体実験では、体重や血圧、血糖値、インスリン値、血中コレステロール値、中性脂肪値などの、極めて重要な健康の指針が改善されるという結果が出ている。さらに、血中や脳内のCRPなど、炎症マーカーも低下する。こういった研究では、被験者にカロリー摂取を20～30％減らすように求めた。

それによって、意図していないところで貴重な発見があった。それは、効果を得るために必要なレベルのカロリー制限に、大多数の人が耐えられないことだ。はてしない意志の力が必要で、空腹感やひもじさは耐えがたく、あまりにも辛くて惨めで、やる気をすっかりなくしてしまう。被験者はカロリー摂取量を平均して約10％減らすのが精一杯だった。

そんなことから、偽のカロリー制限の研究がはじまった。

具体的には、まず、カロリーを制限したときに細胞内で何が起きるのかを調べ、それと同じ効果を持つ物質を見つける。それを使って食べる量は変えずに、寿命を延ばし、病気にもかかりにくくするという研究だ。そんな虫のいい話があるわけない？　いや、驚くなかれ、その可能性のあるいくつかの物質（アスピリン、クルクミン、ラパマイシン、メトホルミン、レスベラトロルなど）が発見されて、臨床試験もおこなわれているのだ。すでに、２０００件を超える臨床試験が実施され、なんと、そういう物質を使った製品がインターネットで購入できる。

果たして、カロリー摂取量を減らせば、脳は健康になるのだろうか？　すでに解説したように、ことエネルギーに関して脳は大喰らいだ。全体のエネルギーの20％を消費する。つまり、１日に２０００キロカロリーを消費しているなら、そのうちの約４００キロカロリーは脳が使っていることになる。脳を酷使すればそれ以上になる。といっても、痩せるために必死に頭を使っても、効果は薄い。そんなことをしても、消費されるカロリーは誤差程度でしかない。普段より、１日あたりわずか20キロカロリー余分に消費されるだけだ。そこで、疑問を違う方向から考えてみよう。食べすぎが脳機能の低下リスクを高めることはわかっている。

２０１２年に米国でおこなわれた70～92歳の１２００人以上を対象にした研究では、中年以降の人が高カロリー（１日２１４３キロカロリー以上）を摂取した場合と、１日１５２６キロカロリー以下で抑えた場合を比べた。すると、前者では晩年の記憶障害のリスクが2倍になることがわかった。さらに過剰なカロリー摂取が脳に悪影響を及ぼすメカニズムもわかっている。それは主に、酸化物質のフリーラジカル（遊離基）が、脳細胞に大きな負荷をかけるからだ。

フリーラジカルは電気を帯びた粒子で、余分な電子（余剰酸素など）を持っていて、細胞内の物質やDNAを攻撃し、酸化ストレスを引き起こす。

毎日、DNAはフリーラジカルから3万回以上の攻撃を受け、もちろん脳内でもそういったことが起きている。フリーラジカルは細胞の正常な生成物だが、数が増えすぎると代謝に悪影響を及ぼす。食べすぎると細胞内のミトコンドリア（エネルギー生産工場）が、有害なフリーラジカルを発生させる。だから食べすぎは絶対に良くないのだ。

一方で、食品の中にはフリーラジカルを退治する抗酸化物質を多く含むものがあり、健康的な食生活によって抗酸化物質を摂取できる。これについては第5章で解説する。


先の疑問に戻ろう。たとえば10%、あるいは11%でも摂取カロリーを減らすと、脳にいくつもの効果があることは、数多くの実験で証明されている。摂取カロリーを制限すると、抗炎症、酸化ストレスの減少、脳のシナプス可塑性の促進、神経栄養因子（第2章の運動の効能で触れたBDNFなど）の増加につながり、脳細胞の成長が促される。要は加齢による脳細胞へのダメージを防いでくれるのだ。

そのために、やるべきことはひとつだけ。少なめに食べる。これに尽きる。少なめとはどのぐらいの量なのか？　1日に1回はお腹がすいたと感じるようにすればいい。

裏づけとなるミュンスター実験を見てみよう。2008年にドイツのミュンスター大学でおこなわれた研究で、平均年齢60歳の健康な50人を3つのグループに分けた。ひとつのグループには、摂取カロリーを30％減らすように求めた（実際には、大半の被験者は約10％減らすのが精一杯だった）。もうひとつのグループは、食事で摂取する飽和脂肪を減らし、代わりに不飽和脂肪を摂るようにした。もうひとつのグループは対照群で、これまでどおりの食事を取った。実験期間は3か月で、開始時と終了時に、被験者は全員、記憶力テストを受けた。終了時の記憶力テストでは、カロリー制限をおこなったグループだけが、テストの成績が20％上がった。さらに、このグループはほかのグループに比べて、インスリン値が下がり（カロリー制限の特性）、炎症レベル（CRPの値）も低下した。

さて、この結果から何がわかるのだろう？　第一に、高カロリー摂取は心臓に悪いだけではなく、脳にも悪いことだ。第二に、摂取カロリーを減らせば、脳に良い効果がある。

ミュンスター実験の被験者は少人数だったが、その結果は世界中でのさまざまな研究プロジェクトで裏づけられている。そういったプロジェクトのひとつに沖縄式の食事がある。それは、腹八分目で食卓を離れるというものだ。沖縄式の食事を実践している人たちは、平均的な日本人に比べて、摂取カロリーが20％ほど少なくなる。第2章の冒頭で取りあげた通り、昔ながらの暮らしがいまなお残る沖縄は、世界有数のブルーゾーンで長寿の人が多く、アルツハイマー病患者は少ない。

カロリー摂取と脳についてわかっていることを、表3－2にまとめた。

3-2 カロリー制限と健康な脳

●摂取カロリーを20〜30%減らすと、ほぼすべての生き物で寿命が延び、老化による病気の発症が遅れる。

●だが、このレベルのカロリー制限は食事療法として推奨できない。ほとんどの人は、ここまで厳しいカロリー制限に耐えられないからだ。

●現実的に考えると、いつもより摂取カロリーを10%ほど減らす。これなら、大半の人が実行できる。

●10%でも摂取カロリーを減らせば、さまざまな良い影響がある。肥満の改善、血圧の低下、血糖値、インスリン値、血中コレステロール値、中性脂肪値が改善され、血液中の炎症マーカーが減る。

●摂取カロリーを減らすと、記憶や学習などの認知機能が向上する。

●食べすぎ（1日2000キロカロリー以上）は、脳機能障害のリスクを高める。

昔ながらの断続的断食が認知力向上に役立つ

三度の食事とおやつという現代人の典型的な食パターンは、進化の歴史を無視している。１５０万年以上もの間、不定期な食事を続けてきた人間の脳は、現代人が断続的断食と呼ぶものに対応しながら進化してきた。一時的な食料不足という進化を促す自然の力によって、脳の機能は空腹時や飢餓時に冴えわたるように発達したのだ。

安静時に何も食べずに約12時間過ごすと、肝臓のエネルギー供給が止まる。その頃には、たいていの人は激しい空腹感に襲われる。さらにその状態が24時間、あるいは48時間続くと、脳のブドウ糖が底をつく。するとエネルギー源がケトンに切り替わる。体内の脂肪を科学的に分解するケトジェネシスの結果だ。そこに狩りのような激しい活動が加わると、12時間以下でその状態にたどりつく。

化学的には、ケトンは単純な有機分子で、その核にある炭素原子1個が、強力な二重結合によって酸素原子1個と結ばれている。核のまわりにほかの化学基が結合しているせいで、ケトンは分解されにくく、そう簡単にはエネルギーが放出できないようになっている。言い換えれば、ケトンは酸化しづらいのだ。ケトンを酸化させてエネルギーに変えるには、脳の細胞内にある強力な酵素が必要になる。

ケトンは人の進化の歴史の中でブドウ糖に代わるエネルギー源だったが、現代の生活ではブドウ糖が豊富すぎて、脳はエネルギー源としてケトンを使おうとしない。進化の過程で脳は快適さではなく、ショック療法、つまり挑戦や課題によって成長してきた。選択の余地のない食料不足という過酷な状況に対応するために、脳は反応するのだ。

となると、こんな疑問が湧いてくる。1日に三度の食事とおやつという食べ方をやめて、断続的断食をすれば、脳の機能（認知力）は向上するのだろうか？

実際、この説で動物実験がおこなわれ、小型の哺乳類では、断続的断食の健康効果が複数発見されている。

断食

ストレスから脳が守られ、BDNFなどの神経栄養因子の生成が増えて、海馬内の脳細胞の成長が促される。断食に反応して、脳はそれまでの活動を改めて、資源を節約しながら、瀕死の細胞や傷ついた細胞を再生させる。そして、再び餌を与えられると、成長期に戻り、多くのタンパク質を生成して、新しいシナプスを作る。そういったことはすべて、神経可塑性によるものだ。

果たして、断続的断食によって、人間の認知力も

向上するのだろうか？　それに関する臨床試験はまだおこなわれていない。

それでも、断続的断食の元にある化学反応については理解が進んでいる。それは要するに、高脂肪、低炭水化物のケトン食だ。ケトン食に切り替えると、炭水化物の代わりに脂肪が燃える。その結果、増えたケトン体が尿に混じって排泄される。それが、ケトーシスと呼ばれる状態だ。ケトン体ダイエットと脳の活動の研究はおこなわれているのだろうか？　イエス。おこなわれている。


２０１９年、アルツハイマー病の学会誌にある実験が掲載された。それによると、認知機能低下の初期症状が見られる人にケトン体ダイエットは有効とのことだ。それは、ジョンズ・ホプキンズ大学がおこなった小規模のパイロット試験で、軽度の認知低下が見られる高齢者14人に、ケトン食に少し手を加えた修正アトキンス食（ＭＡＤ）を食べさせた。一方、対照群となる５人には一般的に体に良いとされる食事をさせた。ＭＡＤを実施する被験者の１日の炭水化物の摂取量は、20グラム以下に抑えたが、カロリー制限はなかった（一般的な１日の炭水化物摂取量は約２５０グラム）。そうして、両方のグループの尿検査をおこなってケトン体を調べ、指示どおりの食事を続けているかチェックした。尿にケトン体が混じっていれば、炭水化物ではなく脂肪が燃えてエネルギーになった証拠となる。さて、その結果は？　ケトン食のグループは認知機能テストで高成績だったのだろうか？

結果は、ケトン食ファンが大喜びするものだった。ＭＡＤを実施したグループのほうが記憶力テストの結果が格段に良かった。さらにテストの点数は、ケトン体の量がもっとも多いときが一番良かった。

ここで、ご先祖さまに思いを馳せてみよう。大昔の人間は、歩きまわりながら狩りをしている間は、ほぼいつでもケトーシス状態だった。ブドウ糖が欠乏しているから、ケトンを酸化させてエネルギー源にするように脳は進化した。ということは、断続的断食によって、天然の予備燃料であるケトンを燃やさざるを得ない状況に追いこめば、脳の機能を大幅に高められることになる。

とはいえ、それに関して、大規模な臨床試験の結果はまだ得られていない。その種の臨床試験ははじまったばかりなのだ。それでも、これまでの研究から得られたエビデンスの検証はおこなわれている。

２０１９年、アメリカ国立老化研究所のラファエル・デ・カーボ教授と、ジョンズ・ホプキンズ大学のマーク・マットソン教授によるレビューが、『ニューイングランド・ジャーナル・オブ・メディシン』に掲載された。それによると、〝断続的断食は、がん、心血管疾患、糖尿病、いくつかの神経疾患（てんかん、多発性硬化症、パーキンソン病、アルツハイマー病）に効果がある〟とされた。ただし、そこで検証された実験の多くは、人間ではなく、動物を対象にしたものだった。

脳のエネルギー源をブドウ糖からケトンに

この章では、健康な脳のための食事と栄養について、また、健康な脳を維持するための方法について考えてきた。次にアルツハイマー病のような脳疾患に関する研究結果を見てみよう。すでに記した通り、アルツハイマー病の原因となる変性は、35歳頃からいつのまにかはじまっている。

複数の動物実験で、断続的断食を続けると認知力の低下がゆるやかになることがわかった。この食事法をおこなった小型の哺乳類は、認知機能が衰えず長生きした。さらに重要なのは、脳内に発生するプラーク（神経変性の明確なシグナル）が少なかったことだ。その詳細なメカニズムはまだわかっていないが、いくつものエビデンスは得られている。

断続的断食は、フリーラジカル（酸化ストレス）の攻撃に対する抵抗力を高め、（ケトン食同様）ブドウ糖からケトン代謝へと体が切り替わると考えられている。断続的断食が人の脳の神経変性疾患を防ぐのかということについては、現時点では明らかになっていない。それでも、その可能性は高いと思われる。

現在、イタリアで大いに希望が持てる研究が実施されている。研究をおこなっているヴァルター・ロンゴ博士は、南カリフォルニア大学の長寿研究所の所長であり、断食と老化プロセスの専門家だ。さらに、優れた擬似断食であるプロロン（ProLon®）ダイエットの考案者でもある。その研究では、アルツハイマー病患者や軽度認知障害のある人へのプロロン・ダイエットの効果を調べている。断続的断食を採用すべきとする明白な事例が得られるまでには、もう少し時間がかかるだろう。それでも基本的にこれまでに得られているエビデンスは、断続的断食は脳に良いという説を裏づけている。

食べすぎが脳に悪いという点では、すべての研究結果が一致している。摂取カロリーを積極的に減らし、断続的断食でケトンを燃やすように定期的に脳を切り替えるのが、脳にとっては非常に良いことらしい。これまでどおりの食事をして、おやつも食べる――そんな安穏とした食生活を何も考えずに続けているとしたら、それはやめたほうがいい。代謝スイッチを切り替えて、脳にショックを与え、エネルギー源をブドウ糖からケトンに切り替えるのだ。

だが、そのためには、どんな方法が良いのだろう？　脳の健康を長期的に改善するための食習慣について、実用的なヒントを以下に記しておく。

1．厳しいカロリー制限はしない。〝厳しいカロリー制限〟とは、カロリー摂取を20～30％減らすことだ。食事療法として、ここまで大幅なカロリー制限を推奨できるほどの研究結果は得られていない。厳しいカロリー制限と長期の断食が、太り過ぎではない人（特に高齢者）の体と脳の健康に与える影響については、解明されていない部分が多い。カロリーを20~30%減らすような食生活が、安全なのか、長期的に実現可能なのかについて明確な証拠は得られていないが、現時点でのデータを見る限り、安全でもなければ、実現可能でもない。本章で解説した通り、そこまで過激なカロリー制限ができる人はほとんどいない。

2．とはいえ、摂取カロリーが減るような食事を心がける。10%のカロリーカットは、脳に良い影響がある。炎症と酸化ストレスが減り、神経栄養因子（BDNFなど）が増えて、脳細胞の成長が促進される。10%程度なら、実行も、継続もしやすく、それがいずれ生活習慣になる。沖縄の人に倣って、腹八分目で食事を終えるようにする。現代社会には、そうではない人、つまり、お腹がはち切れそうになるまで食べつづける人が大勢いる。心当たりがある人も多いだろう。そういったことがたまになら悪影響はないが、習慣になっているとしたら大問題だ。

3．1日に2回、あるいは3回の食事をするという一般的な食生活を続けるか、断続的に断食をするか（以下の5番を参照）、どちらかに決める。その際には、本章の健康に関する注意事項に留意してほしい（以下の6番と8番を参照）。たとえば、標準体重の人や、簡単に減量できる人、あるいは、65歳以上で適正体重の人は、1日3回の適量な食事を取ったほうがいい。食事を推奨カロリー以内に抑え、おやつは1日に1回、糖分が少なく（砂糖の含有量が5グラム以下）、100キロカロリー以下のものにする。砂糖や塩を使っていない生のナッツなどがお勧めだ。食べ物については第5章で詳しく解説する。

4．断続的断食によって、神経細胞が守られ、より長く正常に機能しつづける。断続的断食をおこなえば、体重は減るが、それは臨床前試験や臨床試験で観察された主たる健康効果ではない。それより重要なのは代謝の切り替えだ。エネルギー源がブドウ糖からケトンへ換わるように脳を切り替える。これは人の体に備わった自然なスイッチだが、現代の生活ではそのスイッチが入ることはほぼない。

5．断続的断食にはふたつの方法がある。
（a）食べる時間を制限する。食べ物を口にするのは、日中の6時間、あるいは、10時間だけと決める。そうすると、夕食と翌日の朝食まで、14時間以上は何も食べない時間ができる。これによって、一晩でケトンを使うスイッチが入る。より簡単に長く続けるために、4か月かけて食べる時間を徐々に狭めていき、最終的に6時間にする。ただし、注意すべきこともある。心や体に大きな問題を抱えている場合、あるいは、現在の能力を維持したい場合は、ケトン食はお勧めしない。
（b）5対2の断続的断食。1週間のうち、5日間は普通に食事を取って、残りの2日間（連続ではない）はカロリー摂取を大幅に減らす。1日1000キロカロリー、あるいは500キロカロリーに抑え、お茶と水は常に飲むようにする。

この断続的断食を推奨しているマーク・マットソン氏は、ジョンズ・ホプキンズ大学の教授で、アメリカ国立衛生研究所の神経科学の主任でもある。これを続けるにはそうとうな覚悟と努力が必要だが、元気が出て、体調も良くなり、生活や仕事に対するモチベーションが上がる。インターネットには多くの断続的断食用のアプリがあり、それを使うのも良いだろう。

断続的断食を4か月かけて徐々に習慣にする方法を、表3－3にまとめた。

3-3 二種類の断続的断食と実行方法

●月

時間制限の断続的断食（食べられる時間）

月	時間制限の断続的断食（食べられる時間）	
1か月目	週に5日、10時間	週に1日、1000キロカロリー
2か月目	週に5日、8時間	週に2日、1000キロカロリー
3か月目	週に5日、6時間	週に2日、750キロカロリー
4か月目	週に5日、6時間	週に2日、500キロカロリー

●5対2の断続的断食（摂取カロリー）
週に1日、1000キロカロリー
週に2日、1000キロカロリー
週に2日、750キロカロリー
週に2日、500キロカロリー

6. 断続的断食は以下の人には適さない。幼い子供、低体重の大人、1型糖尿病患者、摂食障害のある人、虚弱な高齢者。

7. 摂取カロリーを大幅に減らせない場合は、食べすぎないように注意する。食事の量を減らし、一度に食べるのは1食分だけだ。食べすぎは心臓にも悪く、脳にも悪影響がある。腹八分目を忘れずに、まだ食べられそうであっても食卓を離れる。難しいことだが、常に心がける。

8. 摂取カロリーを大幅に減らす際には、医師に相談する。

脳を健康に保つには腹八分目

人間は賢い生き物だ。エネルギーを手に入れるという難問を、二重の戦略で巧みに解決した。集団による狩りと採集で、高エネルギーの食物（肉や魚）となる獲物を捕まえ、予備のカロリーと幅広い微量栄養素を得られる多様な植物を採集した。

また、調理することで食物の持つエネルギーを吸収しやすくした。狩人としての不安定な生活のせいで、食料が手に入らなくても生き延びられるように、脳にすばらしいメカニズムを完成させた。獲物が手に入らなければ、エネルギー源をブドウ糖からケトンに切り替える——そんなふうに脳を進化させたのだ。

その結果、人の自然な摂食行動が完成した。食べられるときに食べて、食べられないときには食べないというものだ。しかし残念なことに、食べ物があふれかえる現代社会では、つい食べすぎてしまう。〝目の前に食べ物があるときに食べろ〟という太古からの強迫観念のせいで、脳の健康を害するほど食べてしまう。その結果、昼も夜も、いつでも脳は栄養過多となる。

人間は食べ物と特別な感情的つながりを持っている。それゆえに、食べる量を減らすのは大変だ。だが、脳を健康に保つという意味では、腹八分目が正しいことは研究で明らかになっている。脳にショックを与えなければならないのだ。

CHAPTER 4

脳と腸内細菌

- 人体の6割近くは細菌でできている
- 腸内細菌は私たちと同じものを食べている
- BMIを常に25以下に保て
- 10秒間のキスで8000万もの細菌が移る
- 加工食品は人を太らせ、腸を飢えさせる
- 腸内細菌と脳は相互に直接影響を及ぼす
- 体内の微生物が人間の行動を左右する
- 歯周病とアルツハイマー病の怖い関係
- ガムを嚙めば脳はより大きく、元気になる
- 腸内細菌と心の病気の深い関係
- 腸の中にはすばらしい調剤工場がある

人体の6割近くは細菌でできている

今から約６０００年前、デンマークのユトランド半島沖の小さな島、ロラン島の海岸で、浅黒い肌の若い女性が海を見渡す岩に座り、白樺の樹皮を熱して作ったヤニを噛んでいた。そうして、まもなく、ヤニを吐きだした。何気ないこの行動が、私たちの祖先の体の中に棲んでいたバクテリアに関して、すばらしい事実を教えてくれた。それは、狩猟採集民の腸内細菌叢（腸内フローラ）だ。

科学者は初めて、初期の人間の口の中の細菌量を知った。噛まれたヤニ、そして、その中のＤＮＡが長い間残っていたのは、ヤニに含まれる水分量が少なかったこと、ヤニが埋もれていた土に天然の防腐剤が含まれていたこと、土の酸素含有量が低く、ヤニが圧縮されていたおかげだ。さらに、偶然にも、デンマークの群島のふたつの島を結ぶ工事の邪魔になった遺跡を考古学者がどうにかして救おうと奔走したことによって、ヤニは発見されたのだった。

その研究は糞石（化石化した人間の糞）の研究とともに、２０１９年に『ネイチャー』誌に掲載され、初期の人類の腸内細菌叢の遺伝子が現代人とはまったく違うことが明らかになった。現代の都市での生活と欧米式の食事によって、人の腸に棲む有用菌は一変したのだった。

今、世界中の食べ物の75％は、わずか12種類の植物と、５種類の動物からできていると言われている。健康な体、健康な腸、さらには健康な脳に大きく関与する〝古くからの友達〟、つまり多くの細菌を、現代人は失ってしまったのだ。

人間の体内には30～37兆個の細胞がある。一方、２０１６年に『ネイチャー』誌に掲載されたイスラエルでの最新研究によると、人の体内には50兆個の微生物がいる。となると、私たちの体の43％は人間で、57％は細菌と言ってもいい。どれほど体を洗おうが、それは変わらない。はっきり言えば、私たちは人間というより、〝超生命体〟なのだ。ヒト細胞と細菌の集合体で、細菌は体の表面にも内側にも、あらゆる場所に棲みついている。皮膚の中、耳、鼻、口の中。生殖器や分泌物の中にも、目玉の中にもいる。ご存じの通り、腸の中にもいる。

ヒト微生物叢と呼ばれる腸内細菌群は、主に細菌から成りたっているが、ウイルスや一部の真菌、古細菌と呼ばれる別の系統の生物も混ざっている。

２０１９年、ケンブリッジの科学者は、人の体の内外には、２０００種類の細菌がいると試算した（そういったバクテリアの多くは実験室では培養できず、どうやって人の腸から採取したのか、不思議に思う人もいるかもしれない。それには非常に賢い手を使った。科学者は糞便のＤＮＡ分析をおこなって、その核酸から細菌を特定したのだ）。

また、ゲノムに関しても、人体の細胞は負けている。人の細胞には、遺伝子の集合体のゲノムが約２万個ある。一方で人の微生物叢の中にある遺伝子を合計すると、２００万から２００

0万個という驚異的な数字になる。それらすべてがそれぞれに、代謝産物（生物活性物質）を作りだしていることを考えると当然の結論にたどりつく。私たちは自分自身であると同時に、体の中の細菌の生産物でもあるのだ。

昼食をたっぷり食べると、体の中でゴロゴロと音が鳴りだして、複雑な化学反応がはじまる。それを腸の神経が読みとって脳に伝える。人は体に悪いと知りながらも、不健康なものを食べる。すると、神経の状態、気分、不安、疲労、そして思考回路までが、頭がくらくらするほどおいしいその食べ物の影響を受けるのだ。

刺激的な食べ物の大部分は、かなり長期にわたってそこに留まる。大昔の人が嚙んだあのヤニよりはるかに長い間留まりつづけるのだ。なんの話かといえば、細菌より古く、数も多く、より深く埋めこまれた有機体、すなわちウイルスだ。

ウイルスは非常に古い有機体で、人の進化の初期段階に精子や卵子に感染することで、DNAの中に入りこんだ。人間の胚細胞の発達は、シンシチンと呼ばれるタンパク質を作りだすウイルス遺伝子に完全に依存している。意図せずウイルスに感染したのは、進化にとって双方に利益をもたらす偶然の産物で、珍しく必要不可欠な平和的共存がなされた。

新型コロナウイルス感染症の流行によって、厄介なウイルス感染に直面している人類は、このことを忘れずにいるべきだろう。

横たわって、赤ん坊に母乳を与える女性

母親のお腹の中にいる胎児の腸はおおむね無菌だ。それなのに、菌はどうやって人の中に入りこむのだろう？　いくつもの興味深い方法で入りこむ。

出産時に、赤ん坊は母親の膣から（帝王切開の場合は母親の皮膚から）、最初の菌をもらう。それが、個々に特有の〝腸内のお花畑〟こと腸内フローラ（腸内細菌叢）になる。

次に授乳で菌を受けとる。母乳であれ、哺乳瓶に入ったミルクであれ、そこには可動遺伝因子と呼ばれる特有の細菌と抗体の群れがいる。母乳は無菌ではないが、病原菌が含まれていることはまずない。腸内細菌の約25％が母乳から体内に入り、約10％は乳首で成長する皮膚細菌叢から体内に入りこむ。

ゆえに、私たちの腸内細菌には最初から、外部感染から身を守るための強力な抗生物質が含まれている。次に、さまざまな食べ物と、赤ん坊が口に入れるあらゆるものから細菌は体に入りこむ。

個々の腸内細菌叢が確立するには、生まれてから3年かかる。だから、その3年間はとても重要だ。その間に腸内細菌叢がきちんと成熟するためには、赤ん坊の成長する免疫システムが免疫寛容（特定の異物を受け入れる状態）を保ち、細菌集団を攻撃しないようにしなければならない。樹状細胞と呼ばれる全身にある特殊な細胞が免疫反応を修正したり、弱めたりすることで、そういう状態が保たれる。

樹状細胞は1973年にカナダ人の医師ラルフ・スタインマンが発見し、それによってスタインマンはノーベル賞を授与された。というわけで、人は異物、つまり侵入してくる病原体や抗原に、ある程度の耐性があるのだ。バランスの取れた腸内細菌叢ができあがると、樹状細胞はリンパ節内のほかの細胞とともに、正常な腸内細菌を攻撃しないよう免疫システムにメッセージを送る。


成熟した免疫システムは、私たちから身を守る必要があり、また、私たちのほうも免疫システムから身を守る必要がある。この分離は、ふたつの役目を果たす腸の内膜によっておこなわれる。この仕組みのおかげで、ブドウ糖のような低分子の消化物は、腸の内膜を通り抜けて血流へと入りこめるが、日和見菌とその代謝物はシャットアウトされる。

腸の内膜は上皮細胞でできていて、その細胞同士は密着結合している。さらに、ゲル状のコーティングを形成するムチンと呼ばれるタンパク質が豊富な粘液層もある。

内膜による分離機能がうまくいかないと、リーキーガットと呼ばれる状態に陥り、細菌が内膜を通り抜けてしまう。その結果、広範囲で炎症が起きる。ゆえに、この保護機能は特に重要で、免疫システムの約70％は腸内にあり、腸内細菌叢は免疫システムを助け、炎症と感染を最小限に抑えている。

腸内細菌は私たちと同じものを食べている

人は腸内細菌に棲処（すみか）を与え、細菌は人の健康のために働いてくれる。腸の中の細菌は私たちが食べたものを食べ、私たちがストレスを感じると、同じようにストレスを感じる。生活のさまざまな要因に反応するのだ。

大人の腸内細菌は比較的安定した状態を保つが、個人差が大きい。人はみな独自の〝菌の指紋〟とでも言うべきものを持っている。誰の腸にも6つの主たる菌の群れがいて、そのうちのふたつ（ファーミキューテス門とバクテロイデス門）が全体の90％を占めている。6つの細菌の群れは繊細なバランスを保ちながら、宿主と調和して生きている。

それぞれの群れが占める割合は、消化管の各部位で異なる。口内と大腸内では、バランスが違うのだ。口内の微生物群はほぼ世界共通だが、大腸内では違っている。健康は宿主と細菌、そして、細菌同士のバランスによって決まる。ほんの少しバランスが崩れただけで、大きく変わってくる。

やや専門的な例を見てみよう。2019年に『ネイチャー』誌に掲載された、イスラエルのワイツマン科学研究所のダビド・ゼエビ博士による論文には、人の微生物叢のDNAには、なんと7000もの構造的変異があると書かれていた。そのすべてがそれぞれ、病気の危険因子になることもあれば、体の化学反応に良い影響を与えることもあるという。

人の消化管にいるアナエロスティペス・ハドルス（酪酸産生菌）というエキゾティックな名前の細菌は、DNA内に変異を持ち、イノシトール（アルコールの一種）を発酵させて、酪酸という物質を作りだす。これがケトンであり、非常に重要な役目を果たす。腸の内膜の細胞に栄養を与えるだけでなく、腸の炎症性疾患のリスクを低下させるのだ。約20％の人は、ハドルスの変異がなく、過敏性の腸症候群を抱えている。

腸内細菌のバランスは、さまざまな原因で崩れる。お察しの通り、食べているもの、食の安全に関する考え方、食事の方法、食習慣などが原因の一部だが、もっと意外な原因もある。肥満、運動の頻度、年齢、季節、生活習慣、消化管の感染、薬品（特に抗生物質）などだ。たとえば、歳を取るにつれて腸内細菌叢の構成が変化し、多様性がなくなる。加齢によって、消化管で機能している免疫システムが弱るからだ。

季節によっても腸内細菌は変化する。それは、手に入る食べ物が季節ごとに大きく異なるからで、食べ物の種類によって細菌量は変わる。もちろん、人は旬の食べ物を好んで口にする。

幸いにも、こういった要因の多くは、ある程度は自分でコントロールできる。

食べ物以外で、腸内細菌のバランスを崩す要因を表4−1にリストアップした。

4-1 食べ物以外の、腸内細菌のバランスを崩す要因

- 太り過ぎ
- 習慣的な身体活動や運動の不足
- 年齢
- 季節
- 時差のある旅行（時差ぼけ）
- 不規則な睡眠や睡眠不足
- 過度な精神的ストレス
- 長期間の不安状態
- 喫煙
- 緊密な人間関係や性行為
- 薬（特に抗生物質）
- 大量の飲酒

●不潔な歯
●脱水状態（水分摂取が少ない）
●不規則な食事や間食（昼夜を問わず常に食べている）
●人工甘味料（アスパルテームなど）

腸内細菌が乱れると、深刻な影響が出かねない。肥満、糖尿病、心血管疾患、肝疾患、がん、さらに脳にも被害が及ぶ。神経変性疾患などの脳の病気については、本章の後半で解説するとして、ここでは、表4－1に挙げた腸の健康を害する主な要因のいくつかを詳しく見ていくことにしよう。肥満、薬、運動、人間関係、ストレスについてだ。

まずは肥満だが、痩せている人と太っている人の微生物叢はかなり違っている。たとえば、ビフィドバクテリウム（ビフィズス菌）は脂肪のない体と相性がいい。それは特に重要な細菌で妊娠中に母体の膣内で急増し、産道を通って生まれる赤ん坊は、口から大量に摂取することになる。腸にたどり着いたその菌は、ファイトニュートリエント（植物栄養素）を消化して、新しい多くの必須化学物質（ビタミンなど）を生成する。また、抗酸化物質であることから、腸を病原菌から守ってくれる。

ある種の細菌は肥満度（BMI）によって変わり、いわゆる用量反応を示す（たとえば、乳酸菌が腸内細菌に占める割合は、拒食症患者は7％、痩せている人は8％、太り気味の人は22％、肥満体では34％だ）。より詳しくは、酪農家に訊いてみるといい。酪農を生業にしている人なら誰でも、長年の経験から知っていることがある。餌に大量の抗生物質を混ぜて、家畜の腸内細菌を大幅に除去すると、家畜を太らせることができるのだ。

腸内細菌叢の数は、肥満の重要な因子であることがわかっている。そのメカニズムはまだ明らかになっていないが、腸内細菌が変化すると、エネルギー生成が増加して、軽度の炎症が起きる。すると、インスリン抵抗性が誘発されて、脂肪酸組織の組成が促されることはよく知られている。

BMIを常に25以下に保て

腸内細菌は食生活にも影響を及ぼす。たとえば、ある種の食べ物をおいしく感じるのは、腸内細菌が成長するためにその食べ物を欲していて、宿主にもっと食べさせようとするからだ。止まらない食欲と不健康な摂食行動は、腸内細菌の種類で説明がつく。進化生物学では周知の現象で、腸内細菌は生き残りをかけて、脳を介して宿主の行動に影響を及ぼし、それは宿主の行動操作と呼ばれている。新型コロナウイルスの生存と複製をかけた戦略のひとつは、脳の前帯状皮質に感染することだと言われている。それによって、人の社会的行動と情動行動が変わり、症状が出る前に人と交流したくなる。

というわけで、何よりも大切なのは、〝なんとしてでも、BMIを適切なレベルに保つ〟ことだ。BMIを常に25以下に保ち、[注1]微生物（プレバイオティクスやプロバイオティクス）を摂取して、食生活を改善すれば、腸内細菌は元気でいられる。これについては、この章の後半で詳しく解説する。

次に、薬について。処方薬の多くは、腸内細菌を不健康な方向へと導く。

ドイツのハイデルベルクにある欧州分子生物学研究所のアサナシオス・ティパス博士の研究チームは、835個の非抗生物質薬の影響を、40の一般的な腸内細菌でテストした。その種の薬の約4分の1が、少なくともひとつの細菌の繁殖を抑制し、約5％が10種以上の細菌に影響を与えた。また、非抗生物質薬を服用した患者の多くに、抗生物質を服用したときと同じ副作用が見られた。一方、抗生物質に関しては、アモキシシリンのような薬を一定期間服用すると、腸内細菌が激減し、元の状態に戻るまでに数週間、あるいは数か月かかるという。

1944年以降、抗生物質の使用量が急増すると、世界的に腸内環境が大きく変化した。そこには、抗生物質が効かなくなるという事象も含まれる、というわけで、処方薬、特に抗生物質の影響については、医師に相談するのをお勧めする。

運動に関して、体と脳への効果はすでに解説したが、もちろん腸内細菌にも効果がある。軽い運動でも、腸内細菌に良い変化が起きることは実証されている。アミノ酸、糖質、天然の抗生物質の生成が増えるのだ。

２０１７年にスペインの欧州大学院のカルロ・ブレッサ博士が実施した研究は、18〜40歳の女性を対象にしたもので、いくつかの運動効果が判明した。その研究では、活動的な（週に３時間以上運動している）女性と、いつも座っている（軽い運動が週に3回、30分以下）女性の腸内細菌叢を比較分析した。すると、11のタイプの腸内細菌の量が大幅に違っていた。

さらに重要なのは、活動的な女性のほうが、健康を促進する腸内細菌をより多く保有していたことだ。ブレッサ博士の研究チームは、体脂肪、筋肉量、活動量が、数種の腸内細菌の量と相関関係にあることも突き止めた。

基本的に、普段から活動的であれば、腸内細菌のバランスが整う。男性を対象にした大規模な研究では、プロのラグビー選手40人と運動をしていない男性46人の腸内フローラを比較した。すると、ラグビー選手の腸内細菌は驚くほど多様だった。というわけで、定期的に運動すれば、腸内細菌がより多様になって、今よりもっと健康になる。

10秒間のキスで８０００万もの細菌が移る

腸の健康と人間関係にどんな関係があるのか、と不思議に思うかもしれない。だが、関係はあるのだ。

軽いキス

たいていの人はキスをする。相手は母親かもしれないし、子供、配偶者、パートナー、友達かもしれない。キスはあらゆる霊長類に共通する行為だ。

10秒間のキスで、8000万もの細菌が口の中に入りこむという研究結果がある。キス以外にも、他者との緊密な接触を伴う行為は無数にある。食べ物や飲み物を分けあったり、同じ器を使ったり、体に触れたり、呼気や体液をやりとりしたりと、人は常に体内の微生物を感染しあっている。それはごく自然な生活の一部で、大いに役立ってもいる。

そのメリットを明らかにしたのは、2019年に『ネイチャー』誌に掲載されたウィスコンシン縦断研究だ。現在、60年を迎えたこの研究によって、家族や友人との交流が、人の糞便微生物叢の違いと関係していることがわかった。配偶者同士はそれ以外の人（兄弟など）に比べて、腸内細菌がよく似ていて、バランスも良くバラエティに富んでいる。
その研究によると、〝結婚している人は、ひとり暮らしの人より、腸内細菌が多様かつ豊富で、中でも、仲が良いと答えた夫婦の腸内細菌は、とりわけ多様だった。結婚が健康に良いという長年にわたる研究結果を考えれば、これは注目に値する〟とのことだ。(注2)
どうやら、親密な相手と一緒に暮らすのは、腸内細菌に良い効果があるらしい。ところで、親密とはどのぐらいの親しさを指すのだろう？ 右記の研究では親密度をきちんと規定している。それによると、1日に9回キスをする夫婦は腸内細菌が同じになるという。
これは、夫婦の性別には関係ない。

運動は健康に良く、親密な関係も健康に良いというわけだ。しかし、当然のことながら、大きなストレスは健康に悪い。多くの研究で、精神的なストレスによって腸内の善玉菌が減り、さらに、免疫システムも低下するという結果が出ている。

2011年に科学誌『ブレイン・ビヘイビアー・アンド・イミュニティ』に掲載されたマウスの実験では、攻撃的なマウスと同じケージに入れたマウスは、ストレスにさらされて、腸の善玉菌が減り、多様性もなくなり、悪玉菌がのさばって、病気にかかりやすくなり、腸内の炎症が増えた。さらに、同じ研究者がおこなった追跡調査では、マウスに抗生物質を与えて、腸内細菌を減らすと、ストレスによる炎症が起きなくなることがわかった。

だが、無菌だったマウスの腸に正常な数の細菌がコロニーを作ると、ストレスによる炎症が再び発生した。また、別の無菌マウスの実験で、扁桃体に依存する記憶の保持には、正常な腸内細菌叢が欠かせないことがわかった。人間でも同じような結果が出ている。オーストラリアの研究では、試験期間中で緊張している大学生は、ラクトバチルスなどの善玉菌が減るとのことだ。強度のストレスと腸と脳の関係は、この章の後半で解説するとして、ここでは、できるだけストレスを減らせば、腸内細菌が元気になることを覚えておこう。

２０００年以上前にヒポクラテスが〝汝の食事を薬とせよ〟と言い、それ以降、人は食べ物によって健康を手に入れようとしてきた。だが、その試みはある程度までしか成功していない。公衆衛生の一環として、世界で初めて正式に食事指導がおこなわれたのは、第二次世界大戦中の１９４１年だった。それから80年が経った今、油と砂糖をたっぷり使った食べ物のせいで、肥満、糖尿病、高血圧が社会問題になっている。実のところ、その３つは大問題であり、メタボリックシンドロームと呼ばれ、英国の50歳以上の３人にひとりが罹患している。

ヨーロッパでヤニを嚙んでいた狩猟採集民の時代も含め、遠い昔から、腸内細菌は多様な植物や動物の微生物に定期的にさらされながら発達してきた。そういった微生物は、現代の加工食品には含まれていない。今の食べ物は大昔の食べ物とは大きく異なり、そのせいで、腸内細菌もまったく異なるものになっている。

今、科学的な研究によって、人が口にする食べ物が健康に与える影響が明らかになりつつある。腸内細菌の数、その多様性、相互作用、宿主である人の体との関係が変化することで、どんな影響が出るのかがわかりつつあるのだ。

さらに、これから食べるものをもとに、腸内細菌の変化を予測できるようになった。そればかりか、同じものを食べても、腸内細菌の違いによって、正反対の影響が出ることもある。なんとも不条理で、信じたくない現実だ。よりによって、そのせいで、同じものを食べても、痩せる人もいれば、太る人もいるとは。

加工食品は人を太らせ、腸を飢えさせる

食品の加工は栄養失調をなくすためのすばらしい試みで、それによって、食品に含まれる栄養素を小腸で吸収しやすくなった。だが、その反面、大腸で多くの腸内細菌が餓死することになった。加工食品とは、さまざまな保存方法を用いて、栄養成分が保たれるように手を加え、ビタミンやミネラルを添加した食品のことだ。基本的に、現代人が日常的に購入して食べている食品(コーンフレーク、コンビーフ、カレーなど)の多くが、加工されている。

一般的に、生鮮食品に含まれる栄養素は半減期(栄養素の血中濃度が半分になるまでの時間)が短く、収穫後にみるみるうちに栄養が減っていく。だが、加工食品ならそういう心配はない。とはいえ、食品加工は、食物繊維などの腸粘膜から吸収されにくい(消化されにくい)部分が取り除かれることが多い。それゆえに、小腸を通ると、腸内細菌の餌になるものはほとんど残らない。その結果、体重が増えて、肥満になり、さらに、腸内細菌も減ってしまう。

簡単に言えば、消化・吸収されやすい食品は、人を太らせて、腸を飢えさせるのだ。

逆に、消化・吸収されにくい食品は、人をスリムにして腸を元気にする。従って、現代の食べ物に対する考え方を大幅に変える必要がある。今こそ、大昔の食べ物を見直して、消化・吸収されにくい食べ物を復活させ、それによって、人間の旧友ともいえる腸内細菌をよみがえらせるのだ。

どうすればそんなことができるのだろう？　腸内細菌が元気になる食べ方は、非常にシンプルで、簡単に実行できる。

●種々雑多な食物を食べる。多様な食品を摂ることで、腸内細菌も多様になり、それによって炎症が減り、スリムになれる。多様な腸内細菌は、多くの神経伝達物質とホルモンを生成し、身体的なストレスを軽減して、脳を安定した状態に保ってくれる（ホメオスタシス）。食品の種類に関しては、表４―２を参照のこと。

●工場で作られた食品であれ、家庭の台所で調理されたものであれ、加工や劣化が少ないものを食べるようにする。消化に時間がかかり、天然の食物繊維を含む食品を摂るように心がける。旧石器時代の人は、毎日約１００グラムの食物繊維を摂っていた。かたや、現代の一般的な洋食では約15グラムしか摂取できない。

食物繊維はカロリーが低く、消化・吸収されにくいが、腸内細菌にとっては高レベルの基質（酵素が作用して化学反応を起こす物質）だ。そういった食べ物は、必ずしも生でなければならないわけではない。蒸す、あるいは電子レンジで加熱すれば、ほかの方法で調理するより栄養素が保たれる。それならおいしく食べられて、なおかつゆっくり消化される。

●プロバイオティクスと呼ばれる微生物を多く含む自然食品を食べれば、腸が健康になる。生の果物を丸ごと食べるのは、特に体に良い。1個のリンゴには1億個の有用菌が含まれ、サプリメントのプロバイオティクスよりはるかに多様性に富んでいる（おまけに、値段も安い）。詳しくは、表4―3を参照してほしい。

サプリメントのプロバイオティクスは、過敏性腸症候群（ＩＢＳ）や肥満の人の腸内細菌を整えるために使われるが、免疫システムの強化など一般的な健康効果は明らかになっていない。少なくとも今のところ、健康な人にも効果があるという証拠はほぼ皆無で、少量のサプリメントによるプロバイオティクスが、腸でコロニーを作ったという証拠もない。その手の商品のメーカーは効能を誇張して宣伝する癖がある。

●野菜や果物をふんだんに取りいれた食事は、小腸で吸収されにくい栄養素が摂れて、小腸を通り越した先にいる腸内細菌の餌になる。その代表格がポリフェノールだ。ポリフェノールは生体利用率（消化吸収率）が低く、小腸ではわずか1～5％しか吸収されない。一方で、腸内細菌はポリフェノールが大好きで、分解して、脳機能に欠かせないフェノール酸を生産する。フェノール酸は神経保護と消炎作用を持つ抗酸化物質で、有害なフリーラジカルを除去する。ポリフェノールを含む主な食物を、表4—2に記した。

4-2 腸内細菌の育て方

●〝生体利用率が低い＝痩せた体と健康な腸〟という公式に従う。

●異なる種類の食物を食べる。肉、魚、卵、魚介類、乳製品はもちろんだが、特に重要なのは植物性の食品で、種子、全粒の穀物、野菜、果物を食べて腸内細菌に多様性を持たせる。

●工場であれ家庭の台所で調理したものであれ、加工された食品は使わず、消化に時間がかかる食品を増やす。腸内細菌にたっぷり餌をやるために、食物繊維が含まれるものを食べる。食物繊維の豊富さが、生体利用率が低い食品を選ぶ際の大きな目安になる。

●腸内細菌のバランスを崩す人工甘味料（アスパルテームなど）を摂らない。

●多様な有用菌を含む天然のプロバイオティクス食品を食べる。たとえば、果物を丸ごと食べて、腸内細菌の種類を増やす。嬉しいことに、ビールには酵母が大量に含まれていて、腸内細菌の安定と健康につながる。

●フラボノイド（詳しくは第5章を参照）やポリフェノールなどが含まれる食品を、食事に取りいれる。ポリフェノールが豊富な食品として、茶、コーヒー、ビターチョコレート、スパイス、ワイン、大豆、チコリ、アーティチョーク、紫タマネギ、ホウレンソウ、紫のブドウなどがある。こういったものを食べれば、腸内細菌に不可欠な栄養素を大量に摂取できる。

●加工されていない自然な食品、色鮮やかな果物、季節の野菜をたくさん食べる。そういったものはどれも、食物繊維が豊富で、生体利用率が低い。

4-3 リンゴは芯が肝心

- 2019年、オーストリアのグラーツ大学の研究チームは、市販のリンゴを研究して、その結果を『フロンティアズ・オブ・マイクロバイオロジー』誌で発表した。
- リンゴのあらゆる部分（柄、皮、果肉、種、萼など）の微生物の量を測定した。
- さらに、有機栽培のリンゴと普通のリンゴを比較した。
- その結果、240グラムの普通のリンゴに、1億個の微生物がいることがわかった。そのうちの90%は芯に、残りの10%は果肉に含まれていた。
- 有機栽培のリンゴに含まれる微生物は、乳酸菌やメチロバクテリウム属など、より多種多様だった。
- リンゴは丸ごと食べれば天然のプロバイオティクスとなる。

もう少しポリフェノールの話をしておこう。人の腸には、アッカーマンシア・ムシニフィラという細菌がいる。有名な微生物生態学者アントーン・アッカーマンスの名を取った細菌だが、その名を聞いたことがある人はまずいないだろう。それでも、非常に重要な細菌であることに変わりはない。

2004年に発見された細菌で、腸内膜の粘液層を食べ、栄養分（ケトン体）を作りだす。その栄養分がムチンを作る細菌の餌となる。本章の前半で解説した通り、ムチンは重要なタンパク質で、腸壁を強化して、微生物が通過するリスクを減らしてくれる。マウスに大量の餌を与えて、3倍に太らせてから、アッカーマンシア・ムシニフィラを与えると、食事制限をしなくても、体重が半減した。驚くべき結果だ。

リンゴを丸かじりする

人間の研究では、痩せている人にはアッカーマンシア・ムシニフィラが多く、肥満、過敏性腸症候群、2型糖尿病の人には少ないことがわかっている。アッカーマンシア・ムシニフィラには、抗炎症作用と抗糖尿病作用の両方があり、糖尿病の治療薬メトホルミンと似た働きをするようだ。

食事とアッカーマンシア・ムシニフィラの関係は、マウスに異なる脂質を11週間与えるという実験で明らかになった。一方のグループにラードを与え、もう一方のグループに魚油を与えると、目をみはる結果が得られた。魚油のグループは、アッカーマンシア・ムシニフィラが増えて、その結果、ラクトバチルス菌（乳酸菌の一種）も増えた。ラードを与えたグループには逆のことが起きた。

次に、両方のグループの糞便を、抗生物質で腸内細菌を除去した新たなグループに移植した。そうして、新たなグループのマウスにラードの餌を3週間与えた。

すると、魚油を与えられたマウスの糞便を移植されたマウスは、アッカーマンシア・ムシニフィラが増えて、炎症レベルが下がった。ラードを与えられたマウスの糞便を移植されたマウスは、炎症が増えて、アッカーマンシア・ムシニフィラが減った。

では、炎症を抑えるためには具体的に何をすればいいのか？　そのひとつの方法がポリフェノールを摂取することだ。ポリフェノールはアッカーマンシア・ムシニフィラにとって理想的な餌であり、ポリフェノールを摂取すればするほど、腸が健康になって、脳も健康になる。

何はともあれ、〝腸の中の細菌を大切にする〟に尽きる。健康で多種多様でバランスの良い腸内細菌を維持するために、できるだけのことをするのだ。それは体全体の健康に欠かせず、本書で解説している脳の健康にも欠かせない。

夜更かしするたびに、あるいは時差のある旅行をしたり、抗生物質を服用したり、酒を飲み過ぎたり、煙草を吸ったり、ストレスを抱えたりするたびに、腸内細菌のバランスは崩れていく。さらに悲しいかな、標準的な欧米の食事では腸内細菌は育たない。

食事に関して、ふたつのことを肝に銘じてほしい。ひとつは、人は自分の体の中で何が起きているのかを知らないまま安穏と食べ物を口に運んでいるが、食べるものによって、腸内細菌が大きく変わってくるということ。もうひとつは、自分を大切にすると同時に、体に良いもの（表4―2参照）を食べて、腸内細菌を大切にすることだ。

腸内細菌と脳は相互に直接影響を及ぼす

この章では、腸内細菌を育む方法について詳しく解説した。なぜなら、脳を健康に保つには、健全な腸内細菌が不可欠だからだ。そのふたつの関係は10年ほど前に発見され、研究がはじまったばかりだ。つまり、新しい研究分野なのだ。

腸と脳の間には無数の通信回路がある。第3章では、それを脳腸相関と呼んだ。この関係の片方の主役が、〝もうひとつの臓器〟とも呼ばれる腸内細菌であることが、科学的に解明されている。というわけで、〝腸内細菌叢―脳軸〟について詳しく説明しよう。

人の腸内細菌は、神経、ホルモン、免疫システムを介して脳と話をする。その逆も然りだ。その会話によって、腸内細菌は脳の機能や姿勢に大きな影響を及ぼす。ゆえに、この通信回路が乱れると、脳も乱れてしまう。

遠い昔、1872年に、チャールズ・ダーウィンは〝消化管などの器官の分泌物は、強い情動の影響を受ける〟と述べた。[注3] その通り、私たちはみな、脳が腸に直接影響を及ぼすのを知っている。

たとえば、何かを食べようと考えただけで、実際に食べ物を口にするより先に消化液が分泌される。さらに、不安が胃腸に与える影響は誰もが体験しているはずだ。吐き気がする、胃がもぞもぞして落ち着かない、さらにひどければ下痢をすることもある。

本章の初めのほうで触れたので、すでにおわかりとは思うが、大きなストレスはさらなる災難をもたらす。腸内細菌そのものにダメージを与えるのだ。

健康や身の安全が脅かされると、前頭葉でストレスの素が生まれる。そのメッセージが脳の中を駆け巡り、感情を司る大脳辺縁系に伝わって、人の基本的な生態を司る視床下部に入る。すると、神経信号が迷走神経を通って、直接腸に伝わる。その結果、コルチゾールをはじめとするストレスホルモンや、サイトカインのような炎症分子が放出され、腸内細菌叢の腸内毒素症（バランスが崩れた状態）の原因になる。しかも、それは相互に影響しあうのだ。

どういうことかというと、問題を抱えた脳が腸にシグナルを送るように、問題を抱えた腸も脳にシグナルを送る。だから、胃腸の調子が悪いと、不安やストレスを抱えたり、暗い気分になったりする。たとえば、ストレスに関連するサイトカインストーム（サイトカインの暴走）は、脳の神経回路を混乱させて、気分の変化を助長する。

サイトカインストームとは、免疫システムから炎症分子が急激かつ大量に放出される状態で、多くは、悪性感染症によって起こり、多臓器不全や高熱を伴う。またクローン病、過敏性腸症候群といった腸の病気など、慢性的な消化器疾患を持つ人の半数以上が、不安や気分の落ちこみに悩まされている。

とはいえ、腸内細菌の影響は、ストレスに関連する情動や、腸そのものをはるかに超えている。腸内細菌が人の思考や行動までコントロールしているというのだ。そんな馬鹿げたことがあるだろうか？　そう思うのは、あなただけではない。

これに関する論文が初めて発表されたのは、1998年のことだった。ミネアポリス医学研究財団のマーク・ライト博士によるその論文には、病原菌を腸に移植すると行動が変わると書かれていた。ライト博士とその研究チームは、カンピロバクター・ジェジュニという病原菌をごく少量、実験用のマウスに投与した。2日後、投与されたマウスは、対照群のマウスに比べて、実験用の迷路の入口に入る際に強く警戒するようになった。それは、まぎれもない不安のサインだ。だが、あんのじょう、そんな実験は馬鹿げていると、科学界から相手にされなかった。しかし、10年後、ライト博士の論文を裏づける証拠が十二分に得られた。しかも、複数の異なる研究室での証拠で、それは科学の世界では吉兆だ。

ライト博士の研究によって、有害な細菌が不安を誘発することがわかったが、ほかの研究者による実験では、不安を感じやすいマウスを善玉菌が落ち着かせることがわかっている（この研究結果も、当初はすんなりとは受け入れられなかった）。

２０１１年の研究で、乳酸菌を混ぜた餌をマウスに与え、28日後に、迷路と水泳のテストをおこなった。対照群のマウスに比べ、乳酸菌を与えられたマウスはあまり不安にならず、迷路を自由に出入りして、強制的に水に入れても落ち着いて浮かんでいた。

興味深いことに、その後の分析で、乳酸菌を与えたマウスはストレスホルモンのコルチコステロンの生成が少なかったことがわかった。さらに、乳酸菌を与えたすべてのマウスの脳の一部で、ガンマーアミノ酪酸（ＧＡＢＡ）の受容体が増えていた。ＧＡＢＡは神経細胞の活動を鎮めて、不安を抑える神経伝達物質だ。


似たような例はほかにもたくさんある。今、科学の世界はさらに斬新な説にたどり着いた。腸内細菌が人の正常な精神機能に影響を及ぼし、いくつもの精神疾患や神経疾患に関与しているという説だ。それればかりか、腸内細菌そのものが脳に入りこんでいる。

腸内細菌叢と人の行動に関して印象的なエビデンスのひとつは、２０１７年にカリフォルニアの消化器内科医カーステン・ティリッシュ博士の研究チームが発表したものだ。

その研究チームは、18〜55歳の健康な女性40人の糞便を調べ、腸内細菌叢から見つかった細菌をもとに、被験者をふたつのグループに分けた。ひとつはバクテロイデスが豊富な33人のグループで、もうひとつは、プレボテラ属が豊富な7人のグループだ。次に、情動をかきたてる人物、活動、物の画像を見せながら、脳をＭＲＩで撮影した。

すると、バクテロイデスが豊富な人は、前頭葉と島皮質内の灰白質が明らかに厚く、海馬も大きいことがわかった。どちらも、複雑な情報処理と記憶に関連する領域だ。それとは対照的に、プレボテラ属が豊富な人たちは、情動、注意、感覚を司る領域のつながりが強く、海馬を含むいくつかの領域で脳容量が少なかった。このグループは、負のイメージの画像を見ているときの海馬の活動が鈍く、不安、気分の落ちこみ、苛立ちといったネガティブな感情が強くあらわれた。

海馬には情動をコントロールする機能がある。ゆえに、海馬が小さいと、負のイメージの画像に情動を強くゆさぶられるのだ。そして、海馬の小ささは、腸内細菌叢の構成に関係があると考えられている。

体内の微生物が人間の行動を左右する

この研究は小規模だが、ユニークな結果によって、健康な人の腸内細菌と脳の相互作用が裏づけられた。初期のこの研究をきっかけに、いくつもの研究がはじまった。とはいえ、大腸の中身が考え方や論理的思考に影響するとは、どうしても思えない人のために、さらにふたつのエビデンスを紹介しておこう。

ひとつは2017年にやはり米国でおこなわれた研究で、50〜85歳の健康な43人を対象に、認知力テストを実施するとともに、腸内細菌を調べた。認知力テストの成績をもとに、ふたつのグループに分けると、認知力テストの結果が腸内の4つの主な細菌と明らかに関連していることがわかった。これはいったいどういうことなのか？　答えはいくつか考えられる。

まずは、腸内細菌の乱れと腸から脳へ伝わる炎症レベルの関係だ。慢性炎症が認知機能低下の危険因子であることは、すでに知られている。ほかにも、迷走神経や循環代謝物を介した、腸内細菌から脳への直接的な神経伝達（神経信号）などがある。

もうひとつは、セロトニンの生成に関することだ。セロトニンは脳の重要な神経伝達物質で、多くの臨床試験で注目されている。意外にもセロトニンの多くは脳そのものによって生成されるわけではない。第3章で解説した通り、大半は腸内の細菌と腸内膜の細胞の一部（クロム親和性細胞）が連携した複雑な化学作用によるものだ。セロトニン受容体は、脳の学習と記憶の要となる部分で発見されている。

加えていくつかの研究で、セロトニン活性の変化が認知能力に影響を与えるという結果が出ている。最新の研究では、セロトニンによる神経伝達が低下すると認知機能に悪影響が及ぶという結果が得られ、また、セロトニン活性の正常化には有益な効果があると考えられている。


動物界を見渡すと、多くの種で宿主の中の微生物が社会的行動に影響を与えているのがわかる。各自がどのように反応して、他者とどのように関わるか、どんなコミュニケーションを取るかといったことに影響を及ぼしているのだ。これに関して、腸内細菌は3つの方法で脳（扁桃体など）とやりとりする。

ひとつは免疫システムを介して（免疫シグナル）、もうひとつはセロトニンなどのホルモンを介して、さらに、迷走神経を通る神経シグナルを介してやりとりする。こういった研究結果はやはり驚くには値しない。バクテリアは生き延びるために、宿主の行動を変化させるのだから。さらに、現在では、自閉症などの社会的行動障害を引き起こす患者に対して、ある種の細菌を食事で補うという治療法がある。それによって、不安や反社会的行動が減り、社会性や言語コミュニケーションが改善されると考えられている。

腸内細菌と脳について、現時点で判明している主な事柄を表4－4にまとめた。

4-4 微生物と脳についてわかっていること

- 腸内細菌が元気で、バランスが良く、多様だと、ストレスにうまく対処できる。
- ストレスによって腸内細菌のバランスが崩れると、大脳辺縁系の一部である扁桃体（情動を司る部分）などに影響が出る。
- 腸内細菌は食生活に影響を及ぼす。たとえば、何かをおいしく感じるのは、腸の中の細菌がそれを欲しているからで、必要なものを宿主に食べさせようとする。

●気分や情動だけでなく、性格も、セロトニンやGABAやドーパミンといった神経伝達物質を生成する腸内細菌に大きく影響される。
●学習能力や記憶などの認知機能は、腸内の善玉菌と深い関係がある。
●正常な腸内細菌は社会的行動の発達に不可欠で、社会的行動は善玉菌のコロニーの生成を促す。

腸内細菌が考え方や行動に影響を及ぼすというマーク・ライト博士の研究結果は、当初は馬鹿げていると相手にされなかったが、腸内細菌と脳疾患の関係を扱う研究者も、やはり同じような境遇に立たされた。研究者にとって研究結果が無視されたり、否定されたりするのは何よりも悲しいことだ。

２０１３年、アイルランド国立大学コーク校の微生物学者ジョン・クライアン教授の身にも、まさにそういうことが起きた。アメリカの学会でもその名を知られるようになったクライアン教授は、サンディエゴの神経科学会議で、腸内細菌がアルツハイマー病の発症に関与していると力説した。しかし、ただ笑われただけだった。聖書にある通り、〝預言者が尊敬されるのは、自分の国以外〟というわけだ。いずれにしても3年間はそんな状態が続いた。

ところが、ウィスコンシン大学医学部の研究者がその説を証明すると、状況は一変した。簡潔かつ明確な方法で、アルツハイマー病患者の腸内細菌が、その病気にかかっていない同年齢で同性の人たちと大きく異なること、さらに、その違いがアルツハイマー病患者の脳脊髄液に含まれるバイオマーカーと関連していることが証明されたのだった。

だが、わからないことも、たくさん残されていた。

たとえば、因果関係。病気のせいで腸内細菌が変化したのか、それとも、腸内細菌が病気の原因なのか？　ほかの研究者もそれを考えた。サンディエゴでその疑問を抱いたひとりが、サングラム・シソディア博士で、クライアン教授の理論をシカゴに持ち帰り、検証した。まずは、アルツハイマー病の素因があるマウスの餌に抗生物質を混ぜて、腸内細菌を除去した。

大半のアルツハイマー病患者の脳には、ベータアミロイドと呼ばれるタンパク質の塊が見られる。ベータアミロイドは非常にやっかいで、神経細胞間にプラークを形成する。だが、驚くべきことに、シソディア博士の実験では、このタンパク質の塊が減った。そして、この結果からさらにいくつもの疑問が湧いてきた。最大の疑問は、どの細菌が、どのように効果を発揮したのかということだ。この点に関する研究は、予期せぬ方向へと向かっていった。

歯周病とアルツハイマー病の恐ろしい関係

あなたは虫歯があるだろうか？　歯医者が嫌い？　歯肉炎の兆候がある？　この３つのどれかに当てはまるなら、脳を危険にさらしていると言ってもいい。口は体の入口で、口の中が不衛生だと、健康を害しかねないのだ。多くの研究で、口内の炎症と心血管疾患、呼吸器感染症、糖尿病、腎臓病、がんとの強い関連が発見されている。さらに、男性なら、勃起不全とも大いに関係がある。そして、今日からは、そのリストに脳疾患も加わることになる。

歯医者に行く

口の中は温かく、湿っていて、微生物にとってはこの上なく快適な環境だ。それゆえに、実に７００種、60億個の菌が棲みついている。そういった菌は何百万年もの間、人間の口を共有してきた。話し合いを重ね、クオラムセンシング（集団感知）と呼ばれる方法で互いの活動を修正しあい、宿主にとっても利益になるように、バランスの取れた集団を作っている（その細菌群は人に迷惑をかけず、人も細菌群に迷惑をかけないようにして、ある意味で平和に共生している）。

だが、そこには招かれざる客もいる。その多くは、人が何かを食べることで、口の中に入ってくる。あるいは、キスによって入ってくることもある。すでに解説した通り、人、あるいはペットにキスをすればするほど、多くの菌が口の中に入りこむのだ。そういった菌がすべて、口に留まってコロニーを作るわけではないが、一部はそういうことをする。

さらに、中には、口の組織に炎症を起こす有害な外来菌もいる。有害な菌や炎症物質が血流に入りこんで、脳に達すると、神経線維を介して脳内に広がりかねない。すると、脳細胞が壊死し、記憶が失われる場合もある。その証拠に、ある菌とアルツハイマー病はダイレクトにつながっている。

アルツハイマー病は脳の感染症の特徴をすべて備えている。だが、1984年にベータアミロイドが確認されて以降、多くの研究者が〝タンパク質の蓄積説〟に注目し、ふたつのタンパク質（タウとベータアミロイド）がどのようにして病気を引き起こすのかを突き止めるべく、世界中で膨大な研究費が費やされてきた。しかし、残念ながら、ほとんどの研究は実を結ばず、治験の約90％が失敗に終わっている。

そして今、研究者は別の方向に目を向けはじめた。それが細菌だ。医者は以前から、アルツハイマー病患者には、歯周病の原因菌であるポルフィロモナス・ジンジバリスという菌が多く見られ、それがその病気の危険因子であることを知っていた。

２０１４年、ジョン・クライアン博士の研究を引き継いだ英国の研究者は、マウスを使って一風変わった実験をおこなった。マウスの口にＰ・ジンジバリスを含む４種類の細菌を感染させたのだ。その実験結果は、神経科学界に旋風を巻き起こした。その細菌のＤＮＡがマウスの脳に到達したのだ。果たして、人間ではどうなるのか？

２０１９年、複数の大学の共同研究で、アルツハイマー病患者の海馬（記憶の要）から採取した54個の脳サンプルのうち90％以上から、Ｐ・ジンジバリスが人の組織を食べる際に用いるふたつの有毒な酵素が発見された。ジンジパインと呼ばれるこのタンパク質分解酵素は、Ｐ・ジンジバリスと関連する認知機能低下が顕著で、切断されたタウタンパク質が多数見られる脳組織でより多く発見された。さらに、検査した３つのアルツハイマー病の脳すべての大脳皮質（概念的思考を司る領域）で、Ｐ・ジンジバリスのＤＮＡが見つかった。

Ｐ・ジンジバリスは、口内の健全で安定した細菌叢の一部ではない。黒色のコロニーを形成する病原菌で、全身に潜んでいる。消化管だけでなく呼吸器や生殖器の中にも潜み、普段は、バランスの良い細菌叢と免疫システムによって抑えこまれている。そのどちらかが乱れると、Ｐ・ジンジバリスの攻撃がはじまるのだ。

口の中が汚れていると、虫歯になりやすく、詰め物が増えて、歯医者代がかさむが、それ以外にもさまざまな好ましくないことが起きる。心臓発作、勃起不全、脳のダメージのリスクが高まるのだ。

幸いにも、歯科医療関連の企業は、口腔衛生のために巨額の研究費を投じてきた。だが、そういった企業が公表している口腔衛生のためのガイドラインに、一度も登場したことがない事柄がある。確かに、それを聞かされたとしても、大半の人はにわかには信じられないはずだ。

それは〝脳の健康のために、チューインガムを噛もう〟だ。なぜ、ガムを噛むと効果があるのか？　その答えはよくわからない。だが、実験結果は大いに説得力があり、各国政府が健康促進活動に利用している。

ノーサンブリア大学のルーシー・ウィルキンソン博士とアンドリュー・スコーリー博士は、チューインガムが精神能力に及ぼすプラスの影響について研究した。

そのために、大人の被験者75人を3つのグループに分け、ひとつのグループにはノンシュガーのガムを噛んでもらい、もうひとつのグループにはガムを口に入れずにガムを噛む真似をしてもらい、もうひとつのグループにはそういったことをさせなかった。その後、全員が注意力と作業記憶のテストを受けた。すると、ガムを噛んだグループは、短期記憶と長期記憶が向上した。ほかのグループに比べて、35％単語を多く覚えていた。

ガムを噛めば脳はより大きく、元気になる

ここで、チューインガムと脳の大きさについて考えてみよう。台湾の歯科医師は、65歳以上の軽度認知障害がある人、またはアルツハイマー病患者40人と、同年齢の健康な高齢者30人を比較した。被験者全員に脳スキャン検査をおこない、歯と咀嚼力を評価した。健康なグループの咀嚼力は、脳の運動前野（筋肉の動きをコントロールする領域）の灰白質の大きさと関連していた。アルツハイマー病患者と軽度認知障害のある人のグループでは、咀嚼力が低い人は灰白質の量が少なかった。さらに、記憶を司る領域も小さかった。

この結果は特異な例ではない。世界各地でおこなわれた23の研究のレビューによると、20の研究で咀嚼力の低さと認知機能の低さに関連があるとされ、また、8つの研究で、咀嚼力の低さが軽度認知障害や認知症の危険因子であることが判明している。

チューインガムを噛むことで記憶力がアップするのは、専門用語で〝ロバスト性が高い（外部の影響によって変化しない）〟発見だが[注4]、その効果の根底にあるプロセスは不明で、さらなる研究が続けられている。とはいえ、ある程度までは説明がつく。ガムを噛むことには、ふたつの効果が考えられる。唾液の分泌量が増えて、口内の酸性度が低下し、それによって、脳の健康の危険因子である病原性細菌が減る。さらに、思考と記憶に関わる脳の領域が刺激される。

また、ガムを噛むとインスリンの分泌が促されるとも言われている。

確かに、脳の中にはインスリンの受容体がある。ほかにもガムを噛むことで心拍数が上がり、脳に送られる酸素と栄養素が増えるという説もある。いずれにしても、記憶力に良い影響があるのは間違いない。


というわけで、やるべきことはわかった。口の中の病原菌を駆除し、有用菌を守るのだ。そのために、どうしたらいいのか？ 第一に、酸を産生する細菌と、酸を好む細菌を除去することだ。その手の細菌は、歯垢のもととなる歯のまわりの粘着性のバイオフィルム（生物膜）に溜まっていく。口内のバイオフィルムは実にたちが悪い。抗生物質も抗菌剤も効かず、大半は免疫システムにも屈しない。そこで、口の中を清潔に保つには、口の中が過度に酸性にならないようにするのが鉄則だ。

具体的には、ＰＨ値が５・５以下にならないようにする（ＰＨ７未満は酸性、７以上はアルカリ性）。毎日の歯磨きも含めて、歯の手入れはすべてこの鉄則に基づいている。自分でできる歯の手入れ方法を表４―５にまとめた。それを実行すれば、口の中の細菌が健全に保たれ、広範囲の炎症が減って、さまざまな病気のリスクも減る。もちろん、脳も健康になる。

すべては、口の中の善玉菌を大切にして、悪玉菌をのさばらせないことにかかっている。酸性の口や、不潔な歯は、悪い細菌にとってパラダイスなのだ。

4-5 良い菌を守り、悪い菌を排除するための口の手入れ法

●バイオフィルムの中まで殺菌できるマウスウォッシュ（クロルヘキシジングルコン酸塩配合）を、少量使う。

●1日に2回、歯を磨く。それぞれの歯を5秒ずつ磨く。

●朝食後と、就寝前に歯を磨く。

●毎日、デンタルフロスを使って、歯の掃除をする。

●何かを食べたら、水で口をゆすぐ。

●食間は何も食べないようにする。

●煙草を吸わない。

●一日中、頻繁に水を飲む。

●砂糖が入った食品や飲み物を控える。低糖質でも酸性の飲み物は避ける。
●健康的な食事を心がける。
●お酒（特に蒸留酒）を飲みすぎない。
●抗生物質に頼りすぎない。
●定期的に歯医者に行く。
●口の中にピアスはしない。
●ノンシュガーのガムを噛む。

腸内細菌と心の病気の深い関係

２０１２年、『ネイチャー』誌に『心を変化させる微生物』という論文が掲載された。世界的な権威であるふたりの研究者によるその論文には、〝気分に関連する行動の制御、また脳の化学作用の制御に、腸内細菌叢が関与していることを示す証拠が数多く得られた〟と書かれていた。(注5)

さらに、興味深いことに、腸内細菌叢の構成が、現代人を悩ますふたつの心的苦痛（不安とうつ）に関連しているとのことだった。以降、その結果を裏づける証拠が続々と得られている。それを思えば、19世紀の先人たちが、腸洗浄や下剤を使い、さらには腸の手術をおこなったのは、さほど的はずれではなかったのかもしれない。腸に棲む膨大な数の細菌は人の心のありかたに大きく影響するらしい。もちろん、不安やうつも例外ではない。

その問題を解決するための鍵は無菌のマウスが握っていた。理由は単純明快、人体実験ではできないようなことが、マウスの実験ではできるからだ。

カナダのマックマスター大学の研究チームは、正常なマウスから採取した腸内細菌を、無菌マウスの腸に植えつけると、ドナーのマウスの性格的要素が受け継がれることを発見した。もともと臆病なマウスが〝殻を破ったように積極的になり〟、大胆なマウスが〝引っ込み思案になった〟という。この実験によって、腸内細菌と脳の相互作用で性格や気分が変わることがわかった。

人間ではどうなのだろう？　消化器系の疾患があると不安になりやすく、気分が落ちこみやすい。その原因は病気による精神的な副作用というだけでは説明がつかない。また、過敏性腸症候群の人の50％以上が、身体的な苦痛以外にも不安を抱えたり、気分が落ちこんだりしている。これはいったいどういうことなのか？

いくつかの研究で、うつ病と腸内細菌に双方向の関連が発見された。うつ病は視床下部、下垂体、ホルモン系（視床下部―下垂体―副腎皮質系、略してＨＰＡ系）のアンバランスと関係がある。バランスが崩れると、腸の免疫細胞からサイトカインが分泌され、それが血中を循環して、副腎皮質から出る強力なストレスホルモンであるコルチゾールの分泌を誘発する。コルチゾールは不安と気分の落ちこみのもとになるのだ。逆に、うつ症状が改善すると、たいていはＨＰＡ系の活動が正常に戻る。

ということは、腸とその中の細菌群の作用が、安定した気分を維持するために大きな役割を担っていると考えられる。やはり、腸内細菌をきちんと育むのが大切なのだ。

さらに意外なのは、カリフォルニア工科大学の神経科学者、故ポール・パターソンが発見した自閉症と腸内細菌の関係だ。妊婦が高熱を出すと、生まれてくる子供が自閉症である確率が7倍になる。それは遺伝子によるものとは考えにくかった。そこで、妊娠したマウスにインフルエンザウイルスを模倣した化学物質を与え、高熱を出させると、なんと、そのマウスが産んだ子供に自閉症の3つの特徴すべてが見られた。限定的な社会的交流、反復行動、コミュニケーションの乏しさの3つだ。

さらに、リーキーガットでもあった。自閉症の子供の40〜90％がリーキーガットであることを考えれば、これは注目に値する。今のところ、自閉症を細菌で治療しようとする者はいない。だが、こういった新たな研究は腸内細菌がその病気の一因であることを示唆する貴重な証拠だ。

最後にパーキンソン病について考えてみよう。パーキンソン病は徐々に進行する病気で、バランス、動き、筋肉のコントロールがうまくいかなくなる。加齢による神経変性疾患としては、アルツハイマー病についでよく見られ、現在、英国では約14万5000人の患者がいる。

かつては、まぎれもない脳の病気とみなされていたが、ふたつの事実によって、その見解がくつがえった。ひとつは、90％が特発性であること（ゆえに、特定できる原因がない）。もうひとつは、パーキンソン病特有の症状があらわれる何年も前に、腸の神経細胞が変化していることだ。

2014年に予想外の突破口が開けた。フィンランドのヘルシンキでの研究で、パーキンソン病の患者は腸内細菌が変化していて、それが病気特有の運動症状に関連していることがわかったのだ。この発見をきっかけにいくつもの追跡研究がおこなわれ、そのすべてで先の研究結果同様、パーキンソン病患者の腸内細菌の変化が確認された。そうして、その病気に関する考え方が一変した。

現在では、(未知の)環境因子が腸内細菌を介してパーキンソン病を発症させると考えられている。しかも、それはひとつの細菌ではなく、腸内細菌叢のバランスの乱れが原因である。そこで新たな仮説が浮上した。パーキンソン病は腸内細菌からはじまり、迷走神経を経由して脳に広がるという説だ。

腸内細菌の変化と関連があるとされている神経疾患を表4―6にまとめた。

4-6 腸内細菌の変化と関連が見られる脳疾患

- アルツハイマー病
- 不安障害
- うつ病
- 自閉症
- パーキンソン病

腸の中にはすばらしい調剤工場がある

人の体の奥深く、空気も届かない暗い洞窟にも似た腸の中に、すばらしい工場がある。

その工場は静かに撹拌を続けながら、腸に、そして、脳に語りかける。

私たちの体の化学的性質を読みとり、それに応じて反応し、何百万年もかけて練りあげてきたレシピを使って薬用化合物を調剤している。それが私たちの健康を守り、気分や情動、さらには思考能力にまで影響を及ぼす。この調剤工場を大切にすれば、健康な脳を維持できる。

そのために守るべきことを表4−7にまとめた。

4-7 腸をいたわることは、脳をいたわること

- ＢＭＩ25以下の適正体重を保つ。
- 服用している薬（特に抗生物質）をきちんと管理する。
- 推奨されている運動量を守る。
- 親しく安定した人間関係を築く。

●有害な精神的ストレスを減らす。
●腸内細菌を乱す生活要因に注意する。
●食物繊維が豊富な食品、生体利用率が低い食品、プロバイオティクス食品を食べる。
●口の中を清潔に保つ。
●チューインガムを噛む。
●見た目のきれいさにこだわりすぎない。

人は細菌という海の中で暮らしていて、大半の細菌は有益だ。また、害を及ぼす細菌がいなければ、免疫はつかなかっただろう。

4世紀の中国の医者の葛洪(かっこう)は、イエロー・ブロス(黄色い出汁)と名づけた治療を施した。その治療で患者の口に投与されたものの主たる中身は、なんと健康な人の糞便だった。今では、不快極まりない治療法に思える。

だが、忘れないでほしい、医学の歴史には、そういった治療法が無数に見られ、今でもそれは変わっていない。現代の医師はそれを、〝糞便移植〟や〝腸内細菌叢移植療法(FMT)〟と呼んでいる。腸内細菌叢の乱れなど、腸の病気を治療するために、経口カプセル剤、または結腸内視鏡によって投与される。となれば、興味深い疑問が湧いてくる。腸内細菌を操作すれば、脳の健康が保たれ、その機能も向上するのだろうか？

今はＦＭＴ以外にも、腸内細菌を操作する方法がある。プロバイオティクス、プレバイオティクス、個別の食事療法、生活習慣の改善などだ。将来的には、腸内細菌を利用して、脳と心の機能を向上させ、脳疾患の予防や治療ができるようになるだろう。それは突拍子もないことのように感じるだろうか？

いや、すでにおこなわれている治療法――重い副作用を伴う向精神薬、侵略的な脳外科手術、遺伝子操作（トランスポゾンと呼ばれるＤＮＡ断片の転移）など――に比べれば、さほど突拍子もないことではない。口の中を清潔に保つというシンプルな方法で脳が健康になって、アルツハイマー病のリスクが大幅に低下するなら、あるいは、友人や家族からの便移植という簡単な方法で、さまざまな脳疾患が治療できるなら、なんとも魅力的な話ではないか。

最新の研究によって、サイコバイオティクスという画期的な治療法が誕生した。サイコバイオティクスという物質は、細菌と腸と脳の間を行き交うシグナルを修正して、心理面に良い効果をもたらす。うつや不安が解消されるのだ。夢のような話だが、現実の話だ。

この10年で、２００社以上のマイクロバイオーム（微生物叢）関連企業が設立され、『フォーブス』誌はそれを〝マイクロバイオームの10年〟と呼んだ。今も６５０の研究プログラムが進行中で、そのうちの40件は脳腸相関に特化して、自閉症、パーキンソン病、アルツハイマー病、うつ病の治療法を開発している。

そこには当然、新たな市場が生まれ、薬局、コンビニエンスストア、無数のネットショップで新製品が販売されるようになった。

そういった製品を試したい人にとっては、すばらしい新世界だ。

CHAPTER 5

脳が欲する栄養素

■ 美肌にも認知機能向上にも効くビタミンA
■ ビタミンBは脳（ブレイン）のB
■ 危険な挑戦でビタミンB6が消失
■ ビーガンの8割が疲れやすい理由
■ トラファルガー海戦の隠れた立役者
■ 体内でビタミンDを生成する日光浴
■ 美しい肌、美しい脳を保つビタミンE
■ 脳を健康に保つカギはビタミンK
■ マグネシウムは元祖・鎮静剤
■ 亜鉛は〝スーパーフード〟のひとつ
■ 現代人は率先して脳に火をつけている
■ チョコレートを一生食べつづけよう
■ 1日に1回、白い小便をしろ
■ 金メダルと銀メダルの間には1%の差もない
■ 地中海式食事法、ダッシュ食、マインド食
■ サプリメントは善か悪か?
■ 大昔も現代も人体の生理機能は変わらない

美肌にも認知機能向上にも効くビタミンA

今から100年以上前、フレデリック・ホプキンズ教授率いるケンブリッジ大学の科学者チームは、栄養学に画期的な進歩をもたらした。ビタミンを発見したのだ。ホプキンズのチームは、子豚に充分な量の主要栄養素（炭水化物、タンパク質、脂質）と、適量のミネラル（微量栄養素）と水を与えたにもかかわらず、成長が止まってしまうのを発見して驚いた。これはいったいどういうことなのか？ ホプキンズは（のちに「ビタミン」と呼ばれるようになる）補足の成長因子が存在するのではないかと考えた。ビタミンを発見したことで、1929年にホプキンズはノーベル生理学・医学賞を受賞した。それ以降、人類から感謝されてしかるべき存在になった。

だが、ビタミンには大きな問題がある。大半のビタミンは体の中では作れないのだ。全面的に食べ物に頼るしかない。

脳を最良の状態に保ちたければ、あるいは子供の脳をきちんと発達させたければ、そして、脳の老化を遅らせたければ、ビタミンを正しく摂取しなければならない。

2007年3月28日、BBCは化粧品業界に関するドキュメンタリーを放映した。その番組で、マンチェスター大学の皮膚科医クリス・グリフィス医師がインタビューに応じ、なんの気なしに女性用のスキンクリームの名を口にした。ブーツというドラッグストアが販売しているナンバーセブンというクリームで、日焼けによる肌のダメージを大幅に回復するというものだった。
翌日、そのクリームの売り上げは200%まで増えた。店に女性が殺到し、棚が空になり、ネットショップも売り切れて予約制になった。そのクリームにはビタミンAが配合されていた。

ビタミンAは肌を美しくするだけではない。脳にもすばらしい効果がある。1998年、カリフォルニア州サンディエゴにあるソーク研究所のチームは、ビタミンAが学習能力を向上させることを発見した。さらに、ビタミンAの受容体が脳のどの領域にあるのかも突き止めた。その領域とは海馬であり、ビタミンAはそこで学習に関連するシナプスを刺激する。それなのに、現在、世界中で1億9000万人の子供たちが、ビタミンA不足と言われている。
さらに、ビタミンAは、生涯にわたって記憶力を支える神経生物学的プロセスに関わっている。加齢による認知機能の低下を予防、あるいは遅らせるのだ。ビタミンAの摂取不足が加齢による変化を引き起こすこと以上に興味深いのは、歳を取るにつれて脳内のビタミンAのシグナル伝達が変化していくことである。

となると、誰もが疑問に思うだろう。ビタミンAを摂れば、脳機能を若々しく保てるのだろうか?

フランスのボルドー大学の研究チームは、ラットの実験でビタミンA不足と、その後の再投与の影響を調べた。ビタミンA不足のラットは、適正量のビタミンAを与えたラットに比べて、海馬内の細胞発生が32％少なかった。また、実技テストでも、ビタミンA不足のラットは、対照群のラットより成績が悪かった。プールで水中の足場を見つけるテストで、成功するまでに25％も時間が長くかかった。

とはいえ、実験の焦点は、ビタミンA不足のラットの餌にビタミンAを添加したらどうなるかだ。ビタミンA摂取を再開してから4週間後、予想どおりの結果が出た。通常の餌を与えたラットより優れていたのだ。

テストの成績が上がっただけでなく、普通のラットより、新たな神経細胞が多く作られていた。それはまるで、ビタミンA断ちを埋めあわせようとしているかのようだった。

ビタミンAはどのぐらい摂れば良いのだろう？　英国政府の指針では、成人（19歳以上）の場合、女性が1日に600マイクログラム（μg）、男性が700μgだ（1μgは1000分の1ミリグラム。すなわち100万分の1グラム）。

一方で、多くの食品メーカーは、ビタミン含有量を国際単位（IU）で測定する。1IUはレチノール（ビタミンAの主成分の化学名）0・3μgに相当する。というわけで、1日の推奨摂取量をIUに換算するには、マイクログラムで表示された数字を0・3で割れば良い。たとえば、600μgは2000IUだ。

ビタミンAの適正摂取量については、表5－1を参照してほしい。ビタミンAを含む主な食品と1食分の含有量を記しておいた。ただし魚油をそのまま摂取した場合の値は記していない。魚油はビタミンAを特に多く含む自然食品のひとつで、小さじ1杯分に1350μgのビタミンAが含まれ、それだけで女性の1日の推奨摂取量の2倍以上、男性でも2倍近くになる。

5-1 ビタミンAを多く含む食品

食品名	1食分の分量	ビタミンA含有量（μg）
牛レバー	85グラム	6582
焼き芋	100グラム	960
茹でたホウレンソウ	2分の1カップ	573
生のニンジン（すりおろし）	2分の1カップ	459
アイスクリーム（バニラ）	150グラム	278
ゆで卵	L玉1個	75

茹でたブロッコリー	85グラム	60
茹でたサーモン	85グラム	59
ツナのオイル漬け（オイルは切る）	85グラム	20
ローストした鶏肉	100グラム	5

（出典：アメリカ合衆国農務省・食品成分データベース）

ビタミンBは脳（ブレイン）のB

ビタミンB群（B1、B2、B3、B6、B12など）はどれも、神経系を元気にしてくれる。脳の中で優れた働きをするのだ。脳細胞のエネルギー放出と、神経伝達物質（860億個の神経細胞間で情報を伝える化学伝達物質）の正常な作用に欠かせない。動作、思考、感情はすべて、神経伝達物質を介して神経細胞同士が話し合うことで成りたっている。アンバランスな神経伝達物質は、疲労、混乱、不安、うつ、ホルモン機能障害などを引き起こす。

ここでは、ビタミンB群の中でも特に神経伝達物質をサポートする力が強いと考えられているものについて解説しよう。それはコリン、ビタミンB6、ビタミンB12だ。

一般にはよく知られていないが、コリンは脳の食べ物だ。厳密にはビタミンとは言えないけれども、あまりにも軽視されてきたこの物質は、非常に重要な付加的な栄養素のひとつである。アメリカ国立衛生研究所は〝国民の健康に欠かせない栄養素〟と位置づけ、子供、大人、高齢者ともに摂取を勧めている。コリンが母乳の必須成分であることをスティーヴン・ザイゼルが突き止めたのは50年ほど前の1977年だが、お堅い医学界はうかつにもその重要性を無視していた。2011年になってようやく、脳の栄養素としてその価値が認められたのだった。

コリンは重要な神経伝達物質アセチルコリンの主要成分だ。脳細胞膜に欠かせない成分で、シナプス間（神経細胞間の隙間）の信号伝達を可能にする。だから、学習、記憶、明晰な思考、集中力に重要な役目を果たす。さて、その効果のほどは？

2011年、食事に関する研究のために、1391人が言語記憶、学習、論理的思考力のテストを受けた。さまざまな要因を考慮した末に、テストの成績とコリンの摂取量に直接的な関係があることがわかった。加齢によ

ビタミンを摂ろう

る認知機能の低下も、食事に含まれるコリンと関連があった。コリンはふたつの方法で脳をアルツハイマー病から守っていると考えられる。

ひとつは、ホモシステインの値を下げること。ホモシステインはアルツハイマー病のリスクを2倍にするアミノ酸だ。もうひとつは、小膠細胞（ミクログリア）を落ち着かせること。小膠細胞は脳に溜まったゴミを掃除するが、制御が利かなくなる場合があり、そうなると病気の発症に一役買うことになる。

さらに、2019年のアリゾナ州での実験で、コリンが世代を超えて効果を発揮することがわかった。とはいえ、そういった効果が存在することは科学界では周知の事実だった。たとえば、1944年のオランダ飢饉の冬を経験した親から生まれた子供は、沈黙の遺伝子と呼ばれるものを受け継いでいて、彼らの子供も高い確率で肥満になった。2019年の実験では、コリンを混ぜた餌を与えたマウスから生まれたマウスは、ある種の記憶力が著しく向上した。

嬉しいことに、コリンを多く含む食品はたくさんある。ただし、植物性の食品にはほとんど含まれていない。個々のコリンの必要摂取量は一概には言えない。人それぞれ遺伝的に異なっているためで、今のところ推奨値は明らかになっていない。公表されているのは1日当たりの推奨摂取量（RDA）ではなく、あくまで目安量だ。米国では、女性は1日に425ミリグラム（㎎）、妊婦は450㎎、授乳中の女性は550㎎、男性は550㎎となっている。

とはいえ、食事で摂取するコリンは、栄養素の健康効果を正確に言い表すことが、いかに難しいかがわかる典型例と言える。

有名なハーバード・ヘルス・パブリッシング（ハーバード大学医学部に付属する消費者のための健康教育機関）をはじめとする権威ある機関は、コリンを大量に含む食品の食べすぎに注意を促している。食べすぎるとＴＭＡＯ（先ごろ発見された、心臓病と関連がある分子）の値が上がるからだ。現在、ヨーロッパの研究で、心血管リスクに対して有益、あるいは中立とされる魚と野菜中心の食事は、肉と卵を多く含む食事に比べて、血漿中のＴＭＡＯの値を上昇させるという結果が得られている。

だとしたら、どうすればいいのだろう？　答えは単純明快だ。バランスの取れた食事をすることだ。コリン摂取を目安量以内に抑えて、サプリメントは摂らないようにする。表５―２にコリンが豊富な食品を記した。それを見れば、何をするべきかがわかるはずだ。

5-2 コリンが摂れる食品

食品名	1食分の分量	コリンの含有量（mg）
牛レバー	85グラム	356
焼き小麦胚芽	150グラム	202
卵	L玉1個	147
焼いた牛肉	85グラム	97
蒸したホタテ	85グラム	94
缶詰のサーモン	85グラム	75
ローストした鶏肉	85グラム	73
焼いたタイセイヨウダラ	85グラム	71
茹でたブロッコリー	85グラム	63
ピーナッツバター（粒なし）	14グラム	20

（出典：アメリカ合衆国農務省・食品成分データベース）

危険な挑戦でビタミンB６が消失

２０１６年7月30日、世界でもっとも危険な挑戦が米国のテレビで生中継された。42歳のスカイダイバー、ルーク・エイキンスがパラシュートなしで、高度２万５０００フィート（約７６００メートル）の飛行機から飛び降りたのだ。２分間の垂直落下ののちに、エイキンスはシミ・バレー郊外にあるビッグ・スカイ映画農場に張られた30メートル四方のネットの中心から少しはずれた場所に着地すると、立ちあがって歩き去った。

危険極まりない挑戦のあとで、栄養の専門家でイベント主催者でもあるクリス・タリーは、エイキンスの血液を調べた。

すると、エイキンスの体からビタミンB６が消えてなくなっているのがわかった。

２分間の極度のストレスだけでなく、イベントまでの数週間で、体内に蓄えられていた大切なビタミンB６がすっからかんになったのだ。これから離婚をしようとしている人や、家族が死に瀕している人、会社の倒産をどうにか食い止めようとしている人は心して聞いてほしい。ストレスに耐えるには、ビタミンB６が欠かせない。極度のストレスのせいでエイキンスがそのビタミンを使い果たしたのも、不思議なことではなかった。

マスコミが、ビタミンB６を〝自然の抗ストレスビタミン〟と呼ぶのも驚くには値しない。

実験でも、Ｂ６（というよりその活性型であるＰ５Ｐ）が、脳内の主要な神経伝達物質の生成に関わっているという結果が得られている。とりわけ、セロトニン、ドーパミン、アドレナリン、ノルアドレナリン、ＧＡＢＡといった神経伝達物質はどれも、認知機能の発達だけでなく、うつや不安などの気分の状態に大きく影響する。さらに、ビタミンＢ６は血圧を下げたり、ストレスホルモンのコルチコステロイドの影響を軽減したりすることにも役立っている。

また、マグネシウムとともに作用して、ストレスを軽減すると考えられ、製薬会社のサノフィは化学結合したＢ６―マグネシウム薬品の第Ⅳ相試験（製造販売後臨床試験）をおこなった。その臨床試験では、８週間、マグネシウムだけを摂取した場合でも、マグネシウムとビタミンＢ６の両方を摂取した場合でも、２６４人の被験者全員のストレスが軽減した。だが、ふたつを一緒に摂ると、ストレスレベル（重度、または超重度）にかかわらず、効果が24％高かった。

わかりやすく言えば、精神力や忍耐力は、ビタミンＢ６を適切に摂っているかどうかにかかっているのだ。では、〝適切〟とはどのぐらいの量を指すのだろう？　また、どうしたら食べ物から摂取できるのか？　英国政府の指針では、女性は１日に１・２㎎、男性は１・４㎎となっている。米国では男女ともに１日１・３㎎で、51歳以上では男性が１・７㎎、女性は１・５㎎となる（年齢によって増える理由は不明）。

ビタミンＢ６が豊富な食べ物は、魚、レバーなどの内臓肉、ジャガイモなどデンプン質の野菜、柑橘類以外の果物だ。詳しくは表５―３を参照してほしい。

5-3 ビタミンB6が豊富な食品

食品名	1食分の分量	ビタミンB6含有量（mg）
ヒヨコ豆（缶詰）	1カップ	1・1
牛レバー	85グラム	0・9
加熱済みマグロ	85グラム	0・9
茹でた鮭	85グラム	0・6
焼いた鶏肉	85グラム	0・5
茹でたジャガイモ	1カップ	0・4
バナナ	中サイズ1本	0・4
牛肉のパテ	85グラム	0・3
カッテージチーズ	1カップ	0・2
白いご飯	1カップ	0・1
レーズン	2分の1カップ	0・1

（出典：アメリカ合衆国農務省・食品成分データベース）

ビーガンの8割が疲れやすい理由

欧米諸国では、ビタミンB12の値は低い傾向にあり、それは由々しき問題だ。なぜなら、ビタミンB12は健康全般に影響を及ぼし、さらに、健康な脳のためにも不可欠だからだ。

ビタミンB12は細胞内で補酵素として働き、DNAやミエリン（神経線維を覆う脂肪質の鞘）の生成など、重要な化学反応に一役買っている。ゆえに、脳の処理速度を上げるためにも欠かせない。ビタミンB12不足の主な理由のひとつに、健康的と考えられている食事（菜食主義）がある。科学的な研究で、完全菜食主義者（ビーガン）の80％はビタミンB12が不足しているという結果が出ている。極めて重要なこの栄養素が不足するとどうなるのか？

それについては、シカゴのセントジョセフ病院を受診したビタミンB12不足の患者の症例がわかりやすい。〝52歳の男性が外来診療を受診して、ここ2週間、疲労感が取れず、体が弱っていると訴えた。疲労感に加え、作業をすると息切れがして、ここ4〜5日はよく頭痛がすると言う。外見的には、患者は痩せていて、顔色が悪かった〟とのことだ。(注1)

ビタミンB12が少し不足するだけで、疲労感、頭のもやもや、気分の落ちこみが起こり、そこからうつ病を発症することもある。慢性的に不足すると、認知症を引き起こし、さらには、脳が恒久的なダメージを受けかねない。ビタミンB12不足の症状としては、短期記憶障害をはじめ、人や場所の認識、適切な言葉、問題解決、簡単な作業の計画と実行、判断力、気分や行動の制御などに支障が出る。

英国政府によるビタミンB12の推奨摂取量は、19歳以上は1日1・5㎍となっている。世界的に見てこれはもっとも低い値で、ほかの国の推奨摂取量はもっと多い。米国とカナダでは2・4㎍、ヨーロッパでは4㎍だ。

卵、肉、レバー、魚介類など、さまざまな動物性の食物に、ビタミンB12は豊富に含まれている。

たとえば、レバーを113グラム食べれば、英国の推奨摂取量の約6000%となる。一方、基本的に植物はビタミンB12を生成しない。いくつかの植物（キノコや藻類の一部）はわずかに生成するが、自然の状態では、そういった植物から安全に充分なビタミンB12を摂るのは不可能だ。とはいえ、食事だけではビタミンB12が不足すると決まっているわけではない。さまざまな摂取物でビタミンB12は強化され、サプリメントも充実している。

マーマイトの酵母エキスもそのひとつだ。ヨーク大学の研究では、1日小さじ1杯のマーマイトを1か月間食べつづけると、視覚パターンに対する脳の反応が30%向上するとのことだ。

だが、問題はビタミンB12の摂取量だけではない。胃が生成する内因子という特別なタンパク質が、ビタミンB12の吸収に重要な役目を果たす。内因子の不足は、ビタミンB12欠乏性貧

テーブルにフルーツを

血の原因の筆頭だ。また、内因子不足の原因は、バイパス手術、クローン病やセリアック病などの自己免疫疾患、老化、ＨＩＶ感染、家族歴などがある。

トラファルガー海戦の隠れた立役者

１８０５年10月21日、海戦の火蓋が切って落とされた。それによって、ヨーロッパの情勢は何世代にもわたって変わることになった。トラファルガー岬沖で、ネルソン提督率いる英国海軍がフランスとスペインの連合艦隊を破ったのである。その勝利の表向きの理由は、統率力、比類ない船舶操縦技術、巧みな砲撃技術だった。

だが、世にほとんど知られていない意外な理由もあった。何を隠そう、英国海軍のすばらしい食事だ。１７９５年以降、英国の水兵はみな、ビタミンCが豊富なレモン汁を飲んで、壊血病を予防していた。一方、敵はそんなことはしていなかった。ビタミンC不足によるその病気の深刻さや影響の大きさを、見くびってはならないのだ。

1622年、やはり勇敢な海軍司令官リチャード・ホーキンス卿は、「20年の間……1万人もの男たちが壊血病で倒れたことをここに告白する」と言った。(注2) あとにも先にも、世界政治にこれほど大きな影響を与えた栄養補助食品はない。

ビタミンC不足が体にそこまで悪影響があるなら、脳にも深刻な影響が及んでもおかしくはない。確かにその通りだ。それに関して3種類の証拠がある。

第一に、ビタミンCは脳の化学反応に重要な役目を果たすことがわかっている。まずは、脳細胞内で高濃度になる。そして、抗酸化物質として、脳のDNAをフリーラジカルの攻撃から守る。また、神経細胞から出ている軸索の保護膜であるミエリン鞘の形成に欠かせない。さらに、ドーパミンをセロトニンに変換して、極めて重要なそのふたつの神経伝達物質の放出を制御する。

第二に、精神的な能力にも関与することがわかっている。2010年から2013年にかけて、ニュージーランドでおこなわれた成人を対象とした大規模な長期的調査で、50歳の62%（興味深いことに、女性より男性が多い）が、ビタミンCの血中濃度が低すぎることがわかった。また、血漿中のビタミンC濃度が高い場合は、軽度認知障害がほぼ見られなかった。

さらに、２０１７年、オーストラリアの研究者が、過去37年間におこなわれた50の類似の研究のレビューを発表した。その結果、認知障害の程度とビタミンＣの血中濃度に関連があることがわかった。認知障害がほとんど見られない人に関しては、ビタミンＣの血中濃度が高いほど、認知能力が高かった。

第三に、生涯を通じてビタミンＣ摂取量が低いと、認知症に典型的な神経喪失が見られることが、多くの研究で証明されている。

ビタミンＣの推奨摂取量は、年齢、性別、健康状態で異なるばかりか、困ったことに国や地域によっても違っている。英国では成人（19歳以上）は１日40㎎以上で、ヨーロッパ（欧州食品安全機関）では男性が１日１００㎎、女性が95㎎とされている。そういったガイドラインは、科学的に証明されているわけではない。医学的見解はさまざまで、根拠となった研究の精度もまちまちなのだ。ビタミンＣが豊富な食べ物としてはローズヒップ、ベリー類、ピーマン、ケール、ブロッコリー、芽キャベツ、パパイヤ、柑橘類、パイナップル、キャベツなどがある。

となると、実際のところ、どのぐらい摂取すればいいのだろう？　大切なのは、生涯を通して毎日適量のビタミンＣを摂ることだ。最低限の量はもちろん必要だが、こつこつと規則的に摂取するのが大切だ。

脳を健康に保つための推奨量というものは特にないが、血中ビタミンＣ濃度と認知能力に用量反応があるという研究結果がいくつか得られている。右記の推奨摂取量を超えて摂取しても害はなく、むしろ良い効果があると考えられる。最少量が適量であるとする研究結果はないのだ（著名な化学者ライナス・ポーリングは、毎日1・8g も摂っていた）。ビタミンCはとりわけ安全で、副作用のない食品成分のひとつだ。だから、ブロッコリーや芽キャベツはいくらでも食べていい。

体内でビタミンDを生成する日光浴

2012年、とりわけ豊かで温暖な国で、思いもよらないことが起きた。オーストラリアで子供のくる病が大発生したのだ。くる病は貧困と関係のある病気だ。また、原因は日光に関連するビタミンDの不足で、健康に大きな悪影響がある。

ビタミンDは体内のカルシウムとリン代謝に不可欠な栄養素で、肝臓で活性化され、血流にのって小腸、腎臓、骨格へと向かう。ビタミンD不足で発症するくる病は、骨の石灰化が妨げられて骨がもろくなる病気で、意外なことに欧米で増加傾向にある。その原因の大部分は、日光にあたらない、皮膚を覆う、ビタミンDを摂らずに長期にわたって母乳を与える、乳製品を食べないなどの生活習慣によるものだ。ビタミンDの不足は骨が弱るだけでなく、脳にも害がある。

最近の研究で、ビタミンDの受容体が中枢神経系や海馬にあることがわかった。また、神経伝達物質の生成や神経の成長に関わる脳内の酵素が、ビタミンDによって活性化され、また非活性化されることもわかっている。さらに動物実験と臨床実験では、ビタミンDが神経細胞を保護して、炎症を減らすという結果が得られた。

ビタミンDと認知機能に関するヨーロッパでのふたつの新たな研究によって、さらにもう一歩前進した。最初の研究はケンブリッジ大学の神経科学者デイヴィッド・ルウェリンによるもので、65歳以上の男女1700人以上を、ビタミンDの血中濃度をもとに、4つのグループに分けた。重篤な不足、不足、やや不足（境界線上）、適切の4つだ。そうして、認知機能をテストした。ビタミンDがもっとも不足しているグループは、テストの成績がもっとも低かった。そのグループでは、〝適切〟なグループに比べて、2倍以上の認知障害が見られた。

もうひとつの研究はマンチェスター大学によるもので、ヨーロッパの8か国の40〜79歳の男性3000人以上のビタミンDの値と認知能力を調べた。すると、ビタミンDが少ない人は情報処理速度が遅かった。特に60歳以上でその差が顕著だった。

以上のような研究結果を踏まえて、ビタミンD不足は知力や認知機能の低下、生涯を通しての認知症のリスクと関連していると言えそうだ。とはいえ、その関係のメカニズムは今のところ不明だ。また、すでに認知機能が低下している場合、ビタミンDを摂取することで進行が遅くなるのかどうかもわかっていない。

13種類あるビタミンのうち、人間が体内で作りだせるのはビタミンDだけだ。日光に反応して皮膚の中で作られる。問題は、欧米人があまり陽光を浴びないことにある。大半の人が屋内で働き、冬の日照時間が短い国で暮らしている。1年を通して必要な量の太陽光が得られるのは、緯度35度以下の地域だけだ。全世界で約10億人が深刻なビタミンD不足に陥っていると考えられ、科学雑誌に掲載された典型的な人口調査では、ビタミンDが大幅に不足している人が50%にのぼっている。

温帯や北方に住んでいる場合、ビタミンDを充分に摂るには多種多様な食べ物に頼るしかない。食物に含まれる主たるビタミンDは、ビタミンD2（エルゴカルシフェロール）とD3（コレカルシフェロール）だ。ビタミンD2は植物性の食物に豊富に含まれる。ビタミンD3を含んでいるのは動物性の食物だけで、脂肪分の多い魚、魚油、卵、バター、レバーなどがある。英国と米国の政府が推奨するビタミンDの摂取量は1日あたり15μg。欧州食品安全機関は600IUとしている。だが、専門家の中には、1000～2000IUを推奨する者もいる。

1000IUを体内で生成するには週に2～3回、15～30分間、太陽光を浴びれば済む。しかし、緯度35度以上の地域に暮らす人にとって、それはあまり現実的ではない。

どんな方法でビタミンDを摂るにせよ、健康でいるために重要なのは血中のビタミンDの量だ。それは、カルシフェジオールと呼ばれる物質の血中濃度を調べればわかる。カルシフェジオールの血中濃度を上げるには、できるだけたくさんビタミンD3を含む食物を食べることだ。食物から摂取するなら、ビタミンD2よりD3のほうが効果的なのは研究によって明らかになっている。

66~97歳の女性32人を対象にした実験では、ビタミンD3を摂取すると、ビタミンD2を摂取したときより、2倍近くカルシフェジオールの値が上がった。つまり、ビタミンD2のみを摂取した場合、カルシフェジオールの血中循環量はその半分程度になる。

いずれにしても、動物性以外の食物から適量のビタミンD2を摂るのは難しい。スーパーマーケットで売られている新鮮で傘が閉じたキノコ類に含まれるビタミンD2は、平均して100gにつき1μgと言われている。つまり、1食分の分量である100gを食べたとしても、ビタミンD2はごくわずかしか摂れない。さらに、キノコを調理すると、体内に吸収されるビタミンD2の約40%が壊れてしまう。従って、動物性の食物を食べない場合は、健康な脳を維持するためにビタミンDのサプリメントが必要になる。

美しい肌、美しい脳を保つビタミンE

日光を浴びると皮膚でのビタミンDの生成が増えるが、それには代償が伴う。太陽光に皮膚をさらすとビタミンEが減ってしまうのだ。加齢によっても同じことが起きる。

美しい肌でいたいなら、ビタミンEと仲良くしたほうがいい。露出した皮膚は、常に紫外線にさらされ、酸化ダメージを受けている。ビタミンEは天然の脂溶性抗酸化物質で、光による老化も含め、酸化ストレスの悪影響から肌を守ってくれる。とはいえ、酸化ストレスの影響を受けるのは肌だけではない。

脳にはフリーラジカルが多く発生する。酸素消費量が多いがゆえの現象だ。だから脳はどこよりも抗酸化物質を必要とする。従って、健康な脳のために、強力な抗酸化物質であるビタミンEが必要であるという研究結果が続々と得られているのは当然のことなのだ。

初期の研究のひとつは、シカゴで実施され、２００２年に結果が発表された。４万人以上の大人を対象にした3年に及ぶ研究で、それによると、ビタミンEの摂取量と、認知機能検査の成績の1年ごとの低下率に関連が見られた。生涯を通じてビタミンE摂取量が少ない人は、摂取量が多い人に比べて、脳が8〜9年早く老化するとのことだ。逆に言えば、ビタミンEを多く摂取すれば、脳の老化（認知機能の低下）を8〜9年遅らせられるわけだ。

10年後、この研究結果はスウェーデンのカロリンスカ研究所の実験で立証された。軽度認知障害の人とアルツハイマー病患者１４０人を対象にした実験で、全部で8種類あるビタミンEの血漿中濃度が低いと、軽度認知障害やアルツハイマー病のリスクが高まることがわかった。

ところで、ビタミンEはどのようにして脳を守るのだろう？　脳細胞を取り囲む組織の脂質（脂肪）層は、日々、何千回も酸化という名の火事に見舞われている。ビタミンEはいわば、火事を消す消防士のようなものだ。その消防士は脂溶性で、細胞の外側の脂肪層に溶けこんで、易々と細胞の中に入りこむ。それゆえに、簡単に火を消せる。

どのビタミンEであれ、各種のガイドラインで推奨されている摂取量は、7〜15㎎。100を超える研究の国際評価から判断すると、1日の平均摂取量は6・2㎎で、推奨値を大きく下回り、脳の健康を害する可能性がある。

ビタミンEが豊富な食物には、小麦胚芽油や全粒小麦をはじめ、植物油（オリーブオイル、菜種油、ヒマワリ油など）、ナッツ類（アーモンド、ピーナッツ、ピーナッツバター、カシューナッツ、ヘーゼルナッツなど）、アボカド、ホウレンソウ、アスパラガス、ブロッコリーがある。動物性の食物は、魚、牡蠣、バター、チーズ、卵などだ。

食品からの天然のビタミンE摂取に比べて、サプリメントでの摂取は健康効果が低いという研究結果が増えつつある。そのせいで、ビタミンEのサプリメントの売り上げは減少している。サプリメントにはビタミンEの8つの天然由来の成分のうち、ひとつしか含まれていない。アルファ・トコフェロール（E307）という成分だが、それに関してもサプリメントより自然の食物から摂ったほうが2倍の効能がある。

脳を健康に保つカギはビタミンK

ビタミンKの脳への影響が研究されるようになったのは、ここ数年のことだ。それでもすでに、脳内の化学反応に重要な役割を果たすこと、脳内に高濃度に存在していること、認知能力と脳の健康の両方に関与していることがわかっている。

まずは、その化学的役割に関してだが、ビタミンKは抗炎症作用と抗酸化作用があり、スフィンゴ脂質の化学反応に関与している（仰々しい名をつけられたスフィンゴ脂質は、脳細胞の成長と生存を助ける脂質だ）。

また、脳の機能に果たす役割に関しては、ビタミンKを欠乏させた小型哺乳類の実験で立証されている。ただし、それは長期的に欠乏した場合に限られる。迷路を使ったラットの実験でも、学習障害が見られたが、それはビタミンK不足が20か月続いた場合で、その長さは実験用ラットの平均寿命である4年のほぼ半分にあたる。生後6か月から12か月までビタミンKが不足したラットでは、学習障害は見られなかった。

人間はどうなのだろう？　２０１９年、イタリアの研究チームが、大人の脳とビタミンKに関する11の研究を慎重に吟味したところ、11件中7件（すべて被験者の年齢は60歳以上）で、言語記憶などの知力や認知力の低下とビタミンK不足の関連が見つかった。60歳未満を対象にした研究では、明らかな関連は見られなかった。初期のレビュー論文では、ビタミンKが認知機能障害の発症を遅らせるというエビデンスが提示されている。ただし、そういった研究では因果関係はわからず、あくまでも関連性を示唆しているだけだ。それでも、生涯にわたって食事からビタミンKを充分に摂取することが、脳を健康に保つカギと言えそうだ。

ビタミンKには主にふたつの形態があり、ひとつはホウレンソウなどの葉物野菜に含まれる天然成分だ。もうひとつは腸内細菌によって大腸で作られるが、そのビタミンKの生理的な役割はまだわかっていない。そのほかにもわかっていないことが多く、摂取量に関しては、推奨摂取量（RAD）ではなく、〝適切な摂取量〟とされている。多くの国で1日に体重1キログラムにつき1㎍と規定しているが、これはあまり意味がない。

一般に、成人女性は1日55㎍、成人男性は65㎍と言われている。欧米の食事では、葉物野菜（ホウレンソウ、ケール、ブロッコリー、レタスなど）と大豆が、主な供給源となる。

表5―4に1食分のビタミンKの量を記した。

5-4　ビタミンKが含まれる食品

食品名	1食分の含有量（㎍）	1日の適切な摂取量における割合（%）
生のホウレンソウ（1カップ）	145	121
生のケール（1カップ）	113	94

茹でたブロッコリー（2分の1カップ）	110	92
煎った大豆（2分の1カップ）	43	3
レタス（1カップ）	14	12

（出典：アメリカ合衆国農務省・食品成分データベース）

マグネシウムは元祖・鎮静剤

１９０５年の米国では、75歳未満のうつ病患者はわずか１％だった。

１９５５年、24歳未満のうつ病患者は６％にまで増えた。その50年間に食品の生産方法が大きく変わり、全粒粉の食品の消費量が激減した。それは穀物が精製されるようになり、白い小麦粉と白いパンが作られるようになったからだ。その結果、パンやお菓子などに含まれるミネラル分が大幅に減った。

１９０５年には、毎日パンを食べることで約４００㎎のマグネシウムが摂取できたが、１９５５年には、マグネシウムをほとんど含まない白いパンが一般的になった。マグネシウム不足をうつ病の増加の犯人とするのは意外かもしれないが、脳内でのその役割を考えれば、重要性がよくわかる。

マグネシウムは鎮静剤の元祖とも呼ばれ、長年、ストレスと不安を解消するための民間療法に使われていた。ビクトリア朝時代には、マグネシウムが豊富な温泉で入浴療法がおこなわれ、当時の医者は温泉水を飲むように指示することもあった。今では、マグネシウムが脳の神経経路に欠かせないことが、科学的に解明されている。セロトニンなどの重要な神経伝達物質の生成に深く関与して、カルシウムの脳への興奮作用のバランスを取っている。さらに、健康な脳に不可欠なビタミンB群を活性型に変換するためにも欠かせない。

そういった変換は、生体の化学反応でビタミンが機能するためになくてはならないものだ。その理由はさまざまで、たとえば、食品の中に活性型が存在しない場合、あるいは、細胞が吸収するにはわずかな化学変化が必要な場合などだ。

動物実験では、マグネシウムが学習と記憶を助け、長期的に記憶を保護するという結果が出ている。マグネシウムの摂取量（毛髪内のマグネシウムの量で測定）は学力と関係していると も言われている。また、マグネシウムがコルチゾールのようなストレスホルモンの分泌を抑制することもわかっている。

さらに、血液脳関門（循環生成物の脳への侵入を防ぐための血管内の膜）に作用して、コルチゾールの脳への侵入を阻止する。一方でストレス状態だと、体内のマグネシウムは消えてなくなってしまう。私たちのご先祖さまは天然の肉や魚介類を食べて、常にマグネシウムを補給していた。ところが、現代の食べ物は全体的にマグネシウムの含有量が少ない。ペットボトルの水や水道水から摂取できるマグネシウムは、ほんのわずかだ。

現在、男女ともに成人の推奨摂取量は、米国では320～420mg、英国では270～300mgとなっているが、現実には250mgを摂取するのにも苦労する。

マグネシウムが多く含まれる食物は土によって変わる。つまり、その食物が育った土壌のマグネシウム含有量によって違ってくるが、アーモンド、ホウレンソウ、カシューナッツ、ピーナッツ、豆乳、ブラックビーンズ、インゲン豆、バナナ、レーズン、玄米などに含まれている。

亜鉛は〝スーパーフード〟のひとつ

〝スーパーフード〟という言葉を軽々しく使いたくないが、亜鉛は間違いなくそのひとつだ。強力な抗酸化物質で、フリーラジカルの攻撃からDNAを守ってくれる。脳細胞も含め、全身の細胞の産生や正常な分裂を助けて、さらに抗炎症作用によって、老化を遅らせる。男性読者のためにつけ加えると、勃起機能を維持するためにも欠かせない。

脳に高濃度の亜鉛が含まれていることが明らかになってから、50年以上が経ち、今ではシナプス小胞に特に集中していることがわかっている。シナプス小胞は、重要な神経伝達物質（神経細胞同士の会話を可能にする分子）が収まった小さな嚢のようなものだ。

だが、本当に興味深いのはここからだ。脳内で亜鉛の濃度がもっとも高いのは、学習と記憶

豆を食べる人

の中枢である海馬の神経細胞だ。亜鉛の研究の突破口を開いたのは、マサチューセッツ工科大学とデューク大学の科学者が亜鉛の動きの観察に成功したことだった。それによって、亜鉛とタンパク質を結合させて動きまわれる遊離亜鉛を減らすと、海馬のふたつの重要な細胞グループ間のコミュニケーションが妨げられることがわかった。遊離亜鉛がないと、細胞同士の会話が途絶えてしまうのだ。

それを考えれば、動物実験で亜鉛不足が神経発生に影響し、脳内の細胞死率が上がり、それが学習と記憶障害につながるという結果が出ているのも納得だ。

だが、そこには現状ではどうにもならない問題がある。アルツハイマー病患者の脳には亜鉛が少ないという研究結果がある一方で、プラーク形成を促進する異常に高濃度な亜鉛とアルツハイマー病の間に、明らかな関連が見られるという研究結果もあるのだ。

今後の研究でこの問題が解決されるのを待つしかないが、少なくとも亜鉛のサプリメントには注意したほうがいい。亜鉛に関しては、多ければ多いほうが良いとは言えない。ほどほどにしておこう。

亜鉛不足はヨーロッパでも米国でもよく見られ、約20%の大人が食事から充分な量を摂れず、健康上の懸念が指摘されている。亜鉛は体内に蓄えられないので、毎日、女性は約9mg、男性は11mg食べる必要がある。特に亜鉛が豊富な食物は、牡蠣、カニ、ロブスター、牛肉、鶏肉で、これらをきちんと食べていれば、亜鉛不足になることはまずない。

一方、豆、ヒヨコ豆、ナッツ、パンプキンシード（すべて土壌によって含有量が変わってくる）など、菜食主義者でも食べられる食品にも含まれてはいるが、その量はさほど多くない。それでも、医師から亜鉛不足と診断されないかぎり、サプリメントはやめておいたほうがよさそうだ。


大人の脳の重さは約1・3キログラムで、水分を除くと、その3分の2近く（約60%）が脂質でできている。そのうちの約2%がオメガ6脂肪酸で、80%以上がオメガ3脂肪酸だ。そのふたつは不飽和脂肪酸（良い脂肪）で、それ以外は飽和脂肪酸となる。人の体は飽和脂肪酸を作れるように進化したが、不飽和脂肪酸は作れない。ゆえに、不飽和脂肪酸は毎日摂取しなければならないのだ。

とはいえ、ことはそう単純ではない。人類の歴史の中で食事に含まれる脂肪分は大幅に増えつづけ、摂取する脂肪の種類も変化してきた。狩猟採集民の食事では、オメガ6脂肪酸とオメガ3脂肪酸の割合はほぼ1対1。つまり、両方を同じだけ食べていた。それが今は20対1になっている。オメガ3脂肪酸の20倍のオメガ6脂肪酸を食べているのだ。

原因は主に、オメガ6脂肪酸を含む植物油を使った加工食品を多く食べているからだ。オメガ6脂肪酸の摂取量は、1930年代は1日のカロリーの1~2%だったが、現在は7%に増えている。

現代人は率先して脳に火をつけている

さらに重要なのは、現代人が口にするオメガ6脂肪酸の大半が、脳に組みこまれないことだ。オメガ6は酸化して、二酸化炭素や酢酸といった腐食性の副生成物や、炎症性物質になる。それを考えると、現代人は率先して脳に火をつけているようなものだ。研究でも、オメガ6脂肪酸の割合を減らせれば、炎症から脳を守れるという結果が出ている。また、黄金比もわかっている。オメガ3脂肪酸とオメガ6脂肪酸の割合を4対1にすれば、もっとも抗炎症効果がある。

というわけで、オメガ3脂肪酸について考えてみよう。脳に必要なオメガ3脂肪酸は2種類あり、DHAとEPAと呼ばれている。DHAは脳内の脂肪酸の40%を占め、化学的に非常に活性で、脳の発達と維持に欠かせない。その特殊な構造によって、神経細胞間の効率的な情報伝達を可能にし、知力に関与する複雑な脳のプロセスを促進する。DHAとEPAを充分に摂取すれば、脳機能が保たれて、健康な脳が維持できる。

どちらも体の化学反応になくてはならないもので、血液凝固を抑え、炎症とその影響（腫れや痛みなど）を緩和する。EPAとDHAの血中濃度を上げると、認知機能低下、認知症、うつ病、脳萎縮などのリスクや重症度の軽減につながることがわかっている。どの研究でも、長鎖オメガ3脂肪酸であるそのふたつを豊富に含む食べ物を推奨している。

さらにもうひとつの脂肪酸、DPAについても触れておこう。それには3つの理由がある。DPAはEPAとDHAを蓄えるために必要であること、神経細胞にとって非常に重要であること、それでいて、多くの人はその血中濃度があまりにも低すぎることだ。DPAは魚油や牧草で育てられた牛の肉に含まれている。

現代人はオメガ6脂肪酸を充分に摂っている。1日に必要なエネルギー量の7％という推奨量を易々と超えている。その一方でオメガ3脂肪酸は足りていない。特にDHAとEPAが不足している。オメガ3脂肪酸の成人の1日の適正な摂取量は女性が1・1グラム、男性は1・6グラムだ。それだけの量を確実に摂取するには、何を食べればいいのだろう？

オメガ3脂肪酸に関して、ふたつの点が健康な脳に欠かせないのは解説した通りである。DHAとEPAの血中濃度を高く保つことと、オメガ3脂肪酸に対するオメガ6脂肪酸の割合を減らすことだ。だが、そこには問題もある（正確には、特に菜食主義者では、３つの問題が複雑に絡みあっている）。植物性食品はそもそもＤＨＡとＥＰＡの含有量が低い。さらに、植物性食品に多く含まれるオメガ３脂肪酸（アルファリノレン酸〔ＡＬＡ〕）は、体内でうまくＤＨＡとＥＰＡに変換されない。

また、植物性食品に含まれる典型的なオメガ６脂肪酸とオメガ３脂肪酸の割合には、目を覆いたくなる。なんと、アーモンドは２０００対１。カシューナッツでも２００対１だ。

動物性食品であれば、脂肪分の多い魚（ニシン、イワシ、サケ、マス、マグロ、カニ）を１００グラム食べれば、ＤＨＡとＥＰＡの１日の適正摂取量が摂れる。なおかつオメガ６脂肪酸とオメガ３脂肪酸の割合もすばらしい。マグロは１対30で、植物性食品の悲惨な割合とは正反対、いや、それ以上だ。

そこで、ひとつの疑問が湧いてくる。どれだけの人が、毎日、脂肪分の多い魚（魚油）をしっかり食べているだろうか？　そして、どれだけの人が、体を守ってくれるＤＨＡとＥＰＡを植物性食品に頼っているのか？

ここで、サプリメント愛好者に悲しい知らせがある。コクラン（健康に関してエビデンスに基づいた意思決定の促進を目的にした組織）という信頼のおける機関が、２０１６年に実施した専門家のレビューでは、オメガ３脂肪酸のサプリメントを摂取しても認知機能や認知症への効果は見られなかった。ここで取りあげているサプリメントは天然のものではなく、工業的に生産された合成のサプリメントだ。合成のサプリメントは生鮮食品に含まれるビタミンなどとは吸収率が大きく異なる。また、体内での働きも違っていると思われる。

新鮮な栄養素を多様な組み合わせで食べたほうがいいのはそのためだ。単一の栄養素しか含まないサプリメントではそれは叶わない。だから、新鮮な食物を食べるようにしよう。

チョコレートを一生食べつづけよう

栄養と脳の健康に関するこの章を、フラボノイドに触れずに終わらせるわけにはいかない。フラボノイドは天然由来の植物色素で、さまざまな果物や野菜に含まれている。動物実験では脳、とりわけ認知機能への複合的な効果が発見されている。抗酸化物質であるフラボノイドは炎症を抑え、神経細胞を毒素から守り、神経発生を促し、学習能力と記憶力を高めてくれる。さらに、フラボノイドが脳にどのように作用するかということもよくわかっている。

神経細胞が毒素によって傷つくのを防ぎ、神経炎症を抑え、血流を改善し、遺伝子の発現を制御するのだ。

また、フラボノイドが気分や記憶に良い効果があるという研究結果もある。ただし、臨床介入研究はほとんどおこなわれておらず、現時点ではフラボノイドの摂取と人間の行動の因果関係は裏づけられていない。フラボノイドは腸ではほとんど吸収されず、それでいて、小腸や大腸内であっというまに使い果たされる。おそらくそれが大きなカギなのだろう。

フラボノイドは腸内細菌の餌になることから、やはり健康な脳の維持に欠かせない。フラボノイドの効果は長期間摂取しつづけることで発揮され、ゆえに、生涯を通じてきちんと摂る必要がある。フラボノイドが多く含まれる食物は、パセリ、タマネギ、ベリー類、お茶全般、バナナ、柑橘類、銀杏、赤ワイン、ココアなどだ。ということは、チョコレートを食べるのも良さそうだ。

1日に1回、白い小便をしろ

あなたは今、仕事場にいる。そこは暑く、空気が乾燥していて、窓からは陽が照りつけている。あなたは疲れ果てて頭も痛む。集中できず、なんとなくめまいがする。そうだ、昨夜は何杯か酒を飲んだのだった。となると、これは脱水症状かもしれない。鎮痛剤を飲んでも、治らない。紅茶やコーヒーを飲んでも駄目だ。そういった飲み物には利尿作用があって、ますます脱水症状がひどくなる。

脳は水不足にこの上なく敏感だ。実際、脳以外の体の組織の水分量は約60％なのに対して、脳は80％が水でできている。だから、ほんの少し水が不足しただけで、頭が働かなくなる。

一般的に、脱水症とは、体重の10％以上の水分を失った状態を指す。このレベルの水分不足は脳の機能に悪影響を及ぼし、その状態が続くと脳の健康がおびやかされる。年齢に関係なく、脱水症によって注意力や短期記憶などの知的能力はもちろん、気分にも悪影響が出ることは多くの研究で立証されている。さらに、その影響は脱水症になってから2時間以内と、比較的すぐにあらわれる。

近頃おこなわれた小規模の研究では、19〜24歳の男性のグループを、36時間脱水状態におき、その後の30分間で、気分、注意力、記憶、反応速度などの精神機能をテストした。30分間のテストが終わると水分補給をおこない、もう一度テストした。脱水状態では、被験者の心的状態の点数は低く、疲労の点数は高く、注意力、記憶力、反応速度はすべて大幅に低下していた。

水分補給の1時間後には、すべての機能が回復した。意外にも、同じ年齢の女性では、男性に比べて脱水症の影響が著しかった。理由としては、女性の体は筋肉量が少ないせいで、脱水症状により敏感になることが挙げられる（脂肪組織の水分量はわずか10％で、女性は男性よりも平均して20％体脂肪が多い）。

脱水状態の神経細胞が脳の機能障害につながるのはわかっているが、脱水が老化による認知低下の原因になったり、影響を及ぼしたりするのかどうかは、まだわかっていない。一般的に人は歳を取るにつれて、体内の塩分と水分の調節機能が衰えて、喉の渇きと水分摂取の必要性を感じづらくなり、その結果、水分をあまり摂らなくなる。

だが、本当に水分が不足しているかどうか、どうしたらわかるのだろう？　さらに、水をどのぐらい飲めばいいのだろう？　まず注意してほしいのは、喉の渇きをあてにしてはならないことだ。体内の水分量の指針にするには頼りなく、喉が渇いたと感じたときには手遅れで、逆に少し水分を補給しただけで渇きが癒やされた気分になる。

たとえば、はっきりと喉が渇いたと感じる頃には、すでに1〜1・5リットルの水分が不足している。それよりも確実なのは尿の色だ。高温の環境下で、米軍は兵士へ見事な表現でアドバイスしている——「1日に1回、白い小便をしろ」と。濃い色の尿は、体内の水分量の低さを示している。水分摂取量のルールを知り、それを守ることが重要だ。

脳に充分な水分を供給するために、1日に女性は2〜3リットル、男性は2・5〜3・7リットルの水を飲む必要がある。また、アルカリイオン水には、抗酸化作用や抗炎症作用といった健康効果があることが複数の研究で証明されている。溶存水素量が多く、水の分子がマイクロクラスター化しているおかげだ。イオン水のフィルターは簡単に購入でき、世界中の人が自宅の水道水をイオン化している。水道水を活性炭濾過器に通して浄化してから、ふたつの白金電極の間を通して帯電、つまり、イオン化する。

金メダルと銀メダルの間には1%の差もない

この章の冒頭で、体の中からビタミンB6が消えたスカイダイバーの話をしたが、そのスカイダイビング・イベントを主催したクリス・タリーは著名な栄養士でもある。タリーは米国を代表するアスリートや米軍特殊部隊の隊員、一流の芸能人などを指導している。指導を受けている者はみな、僅差で勝負が決まる分野で活躍し、大きなストレスにさらされている。

２０２１年、オリンピックの直前に、私はクリス・タリーに質問する機会があり、栄養状態によって精神力に差が出るものなのかを尋ねることにした。つまり、きちんと栄養を摂っていれば、集中力や記憶力がキープでき、極度の慢性的なストレスに対処しながら、情動をコントロールしつづけられるのかを。

まずは、ナショナル・フットボール・リーグ(NFL)を代表するクォーターバックのトム・ブレイディが、25年間も大活躍しつづけると知っていたら、どんなアドバイスをしたかと訊いてみた。すると、タリーはこんなふうに答えた。

トム・ブレイディは栄養に気を配っているから、ジャンクフードを食べない。栄養学的に見れば、その選手生命の長さは、理想的な食事以上に、ジャンクフードをいっさい口にしなかったおかげだ……栄養を考えて行動すれば、精神力も強くなる。私の目標は１％の差をつけることだ。大したことがないように思えるかもしれないが、それによって、誰もが１００％良くなったと言う……オリンピックの金メダルと銀メダルの間には、１％の差もないからね。

次に、明晰な頭脳を維持する方法について訊いてみた。40代になるとたいていの人が心配しはじめる事柄だ。

冴えた頭を維持するには、オメガ3脂肪酸が重要だ。牧草を食べて育った牛の肉、脂ののった冷水魚、タラの肝油も食べたほうがいい。古臭く聞こえるかもしれないし、味も最悪だけど、オメガ3脂肪酸のDHAとEPAが摂れる（分子蒸留されたタラの肝油はまずくない）。ビーガンの人が、魚油を摂る必要はないと言っているのを聞いたことがある。ナッツや種子のアルファリノレン酸から摂取すればいい、と。

ある程度はその通りかもしれないけれど、DHAやDPAやEPAを生成するアルファリノレン酸の変換速度はあまりにも遅すぎる。これまで数々の血液検査をチェックしてきたが、結局はその種のオメガ3脂肪酸になってない……。5000人以上の血液検査を見てきて、その中のワースト10は？　と訊かれたら、そのうちの9人はビーガンだ……。

ぼくは倫理的理由で菜食主義だけど、肉を食べれば今より健康になると主張しているのは、菜食主義者の中ではぼくぐらいなものだろう。でも、それは本当だ。自分の血液検査を見ているから、何をすればいいのか、問題にどう対処すればいいのかわかっている……でも、大半の人はそういうことができない。

次に、一般の人たちへのアドバイスを求めた。ストレスだらけのきつい仕事に就いていて、スポーツ選手から学びたいと思っている人たちに向けたアドバイスだ。

ストレスが大きければ大きいほど、ビタミンBやマグネシウムといった微量栄養素が不足する。〝ヘヴン・セント〟のスカイダイビング・イベントで、ルーク・エイキンス（この章の冒頭で紹介したスカイダイバー）は疲弊しきって、ビタミンB6の類が体から消えてなくなった。だから、これから大変なことが起こるのがわかっていたら、ビタミンB6をしっかり蓄えておいたほうがいい……食事でストレスに対抗するには、生の赤いパプリカ、サツマイモ、牧草で育てられた牛の肉、ピスタチオ、ヒマワリの種がお勧めだ。

ビタミンB6だけでなく、トリプトファンも必要だ。トリプトファンは必須アミノ酸で、ビタミンB6とともにセロトニンを生成する。だから、そのふたつが不足すると、眠りの質が落ちて、気分も優れなくなる。

CRP（C反応性タンパク質）のようなストレスバイオマーカーが高いと、脳に長期的な悪影響が出る。だから、CRPを低く抑えるのはとても重要だ。栄養学的には、炎症を減らせばCRPは低下するから、クルクミンを摂取するだけでも役に立つ。

最後に、サプリメントについて尋ねると、クリスは注意を促した。

サプリメントは必要ないと言いたいところだけど、何か食べられないものがあるとか、そういう場合はサプリメントに頼るしかない。だからサプリメントを摂るかどうかはケースバイケースだ……でも、わけもわからず何種類ものサプリメントを飲んでいる人があまりにも多すぎる。実際、それは健康にいいどころか体を害することもある……。便のサンプルを調べていて、サプリメントの錠剤が出てきたことがある。消化されずに、そのままの状態で出てきたんだ。

地中海式食事法、ダッシュ食、マインド食

本章は、いわゆる〝ダイエット（食事制限）〟についてではない。ダイエットや食習慣は非常に複雑な問題だ。この世には数限りない食事法がある。ひとりひとり必要なものが違っていて、食へのこだわりは個々の心理が大きく関係する。さらに何が効果的で、何が効果的でないのかに関して、良質な証拠はなかなか得られない。

現時点で言えるのは、さまざまな種類の食物と栄養素を組み合わせた食事が、脳のためにもっとも良いということだ。脳機能を改善したり、維持したりする特効薬のような食べ物などない。生涯にわたる食習慣によって脳の健康は保たれるからだ。何歳だろうと、健康的な食事に切り替えれば、効果がある。それでもやはり、早くはじめるに越したことはない。体に良い食習慣を長く続けてこそ、脳の健康を守れるのだ。

そこで、注目すべき3つの食べ方がある。どれも一定の成果が得られている。その3つとは、地中海式食事法、ダッシュ（DASH）食、マインド（MIND）食だ。

まずは、地中海式食事法について考えてみよう。当然のことながら、地中海地方で食べられているものは、国によって、また、同じ国でも地域によって違っている。それでも全体的に、

野菜、果物、ナッツ、豆、穀物、雑穀、魚、オリーブオイルなどの、不飽和脂肪を多く含む食品がよく食べられている。一方、肉や乳製品は少なめだ。地中海式食事法は認知機能の改善や、老化による認知低下のリスク低減に関して、ある程度のエビデンスが得られている。

そういった研究の中には、第2章で取りあげたブルーゾーン（健康で長寿の人が大勢いる場所）でおこなわれたものもあり、そこでは誰もが地中海式食事法や、それに極めて近い食事をしている。2019年、オランダのアンネリーン・ファン・デン・ブリンクの研究チームの厳密なレビュー論文によって、継続的な地中海式食事法が、認知力テストの好成績と関係があることが明らかになった。12件の横断的研究のうち9件で、25件の長期的研究のうち17件で、3件の検査のうち1件で、それが裏づけられている。

地中海式食事法は、グローバル・カウンシル・オン・ブレイン・ヘルス（脳の健康に関する世界会議）も推奨している。

推奨事項を表5－5に記した。

5-5 グローバル・カウンシル・オン・ブレイン・ヘルスが推奨する食事

A. 食べるべきもの

・ベリー類（ジュースは除く）
・生野菜（特に葉物野菜）
・体に良い脂質（エキストラバージンオリーブオイルなどに含まれる脂質）
・ナッツ類（高カロリーなので、食べすぎに注意する）
・魚介類

B. 食べたほうが良いもの

・豆類
・果物
・低脂肪の乳製品（ヨーグルトなど）
・鶏肉
・穀物

C. 控えるもの

・揚げ物

・甘いパンやお菓子
・加工食品
・赤身の肉
・赤身肉の加工品
・チーズやバター
・塩

1. 健康な脳のために右記の食品を推奨する。Aの欄にある食品を毎日食べて、Bの欄の食品も食事に加える。Cの欄の食品は少量に抑える。
2. 酒を飲まない場合は、脳のために、今後も飲酒しないようにする。酒を飲む場合は、適量にとどめる。脳になんらかのメリットがある飲酒量は、明確になっていない。
3. 気づかないうちに塩、砂糖、飽和脂肪酸を大量に摂取しないように気をつける。そのために、加工されていない自然の食品を食べる。
4. チョコレートには注意が必要だ。カカオが豊富に含まれる食物は全体的にカロリーが高い。大半は砂糖と高脂肪の乳製品が含まれている。従って、チョコレートを食べる際は体重増加に留意して、カカオを摂取するメリットとのバランスをうまく取るようにする。
5. トランス脂肪酸を摂取しない。

次に、ダッシュ（DASH）食について考えてみよう。ＤＡＳＨはダイエタリー・アプローチズ・トゥ・ストップ・ハイパーテンションの略だ。これは生涯にわたって続ける健康的な食べ方で、もともとは高血圧（ハイパーテンション）の治療や予防のために考案された。

特徴はナトリウム（塩）を減らして、カリウム、カルシウム、マグネシウムなど血圧を下げる栄養素を多く摂ることだ。ダッシュ食を長期間きちんと続ければ、脳が健康になるというエビデンスがある。地中海式食事法でも取りあげたオランダのレビュー論文でも、ダッシュ食をきちんと続けた結果、１件の横断的研究、５件中2件の長期的研究、１件の臨床試験で、認知機能の向上との関連が明らかになっている。

最後に、マインド（MIND）食について。ＭＩＮＤはメディテラニアン―ダッシュ・インターベンション・フォー・ニューロディジェネラティブ・ディレイの略だ。この食事法は、地中海式とダッシュ食の両方を生かした食べ方で、健康な脳を維持するための研究結果をもとに、特別に考案された。先述のオランダのレビュー論文によると、１件の横断的研究と3件中2件の長期的研究で、マインド食の継続と認知力テストの高得点が関連していることが明らかになっている。

そういった研究のひとつに、カリフォルニア州のブレイン・ヘルス・インスティテュートのクリスティン・ヨッフェの研究チームによるものがあり、それによって、６０００人近い高齢者（平均年齢68歳）で、地中海式食事法、または、マインド食を長期間続けている人の脳機能が良好で、認知機能障害のリスクが低いことがわかった。

とはいえ、地中海式食事法やマインド食は高齢者のための食事法ではなく、その予防効果は中年になった頃から得られる。また、ルールでがんじがらめの食事法ではなく、10種類の推奨食品を多く食べて、5種類の食品を減らすというわかりやすいものだ。そういった食品については、表5―5と重なる部分が多い。ただし、グローバル・カウンシル・オン・ブレイン・ヘルスは、〝控えるもの〟に加工食品と塩を加えている。

サプリメントは善か悪か？

栄養摂取にサプリメントを取りいれるべきなのだろうか？

脳のためのサプリメントは、2016年には全世界で30億ドルを売り上げ、2023年には58億ドルに達すると予想されている。無数の人がサプリメントを摂取しているのには、いくつもの理由がある。そのひとつは、健康への不安を煽るような広告だ。

サプリメントの効能を謳った広告は、しつこくて、かなり大袈裟だ。とはいえ、公平を期すために言っておくと、食べ物から摂取する微量栄養素だけでは血中濃度に反映されないこともある。さらに、ビタミンDをはじめ、いくつかの栄養素はごく限られた食品にしか含まれていない。その場合には、政府機関もサプリメントを推奨している。


果たして、脳の健康に特化したサプリメントは、科学的に効果が立証されているのだろう

整った食卓

か？　2018年、英国のコクラン・データベース・オブ・システマティック・レビューズは、サプリメントと脳に関して、入手可能なエビデンスの世界的な研究を発表した。ビタミンB群、抗酸化ビタミンA、C、E、D3、カルシウム、セレン、亜鉛、銅などの研究で、規模も大きく、被験者は総勢8万3000人にのぼった。研究の目的は、40歳以上の人がビタミンやミネラルのサプリメントを摂取すれば知的能力を維持できるのか、あるいは認知低下のリスクを低減できるのかを調べることだった。

結果は、〝中年期以降の認知機能が良好な人がビタミンやミネラルのサプリメントを摂取した場合、認知低下や認知症に対して効果があるという証拠は見つからなかった〟とのことだ。(注3)

ただし、利用できる研究が不完全であった

ことは否めない。それでも要点は変わらない。

●大半の人にとって、脳を健康に保つための栄養素を摂取するもっとも良い方法は、サプリメントではなく、健康的な食事をすることだ。

●サプリメントは食品法に抵触していないとしても、謳われている効能が真実かどうかは科学的に検証されていない。ゆえに、サプリメントのパッケージや広告に書かれていることを鵜呑みにしてはいけない。

●ビタミンB12やビタミンDなどの微量栄養素が不足している場合は、サプリメントが有効なこともある。ただし、明確な症状がなく、不足しているかどうかわからない場合は、医師による血液検査が唯一の確実な方法だ。

また、グローバル・カウンシル・オン・ブレイン・ヘルスが出している声明も覚えておいてほしい。〝かかりつけの医師などによって特定の栄養素が不足していると診断が下らないかぎり、脳の健康に特化した成分、製品、サプリメントの摂取は推奨しない(注4)〟。

それでは、脳に良い栄養が摂取できるように、証拠に基づく実用的なアドバイスでこの章を締めくくるとしよう。

●すでに地中海式食事法、ダッシュ食、マインド食といった健康的な食事を実践しているなら、言うことはない。これからもその食事法を続けよう。

まだはじめていないなら、今が新たな道に足を踏みいれるときだ。食生活を改めて、3つの食事法のいずれかを目標にする。植物性の食品を中心にした食事に切り替え、そこに魚、ヒツジやヤギ、牧草で育てられた牛の肉などを適度に足す。魚介類を食べるときには、オメガ3脂肪酸とビタミンB12が多く含まれているものにする（サケ、カタクチイワシ、イワシ、タラ、タイ、マス、エビなど）。タンパク質の食べすぎに注意する（1日に体重1キログラムにつき0・7グラム）。ただし、65歳以上なら、魚、卵、白身の肉などを食べて、タンパク質をきちんと摂取する。その場合も、豆類などの植物性のタンパク質を増やすようにする。

●動物性（赤身肉やチーズ）であれ、植物性であれ、飽和脂肪酸を減らし、精製された砂糖はできるだけ避ける。良い脂肪（オメガ3脂肪酸）と繊維質が豊富な複合炭水化物を摂るようにする。たとえば、全粒粉と多くの野菜（トマト、ブロッコリー、ニンジン、豆類など）を食べ、バージンオリーブオイルをたっぷり使い、少量の生のナッツ（1日25グラム）を添える。

●小さな一歩を大切にする。長年の食習慣を変えるのは、途方もない大仕事に思えるかもしれない。だが、少し変えるだけでも、それなりの効果がある。毎日、果物を1食分多めに食べるようにすれば、心血管死亡のリスクが8％減ると言われている。それだけで、1年間に米国なら約6万人、英国なら1万4000人、世界なら160万人が助かることになる。こういったわずかな良い変化に脳は敏感に反応する。また、心臓に良いことは、脳にも良い。

- 体は規則正しい生活によって成長する。24時間周期の一貫した生活習慣を守るのは、特に大切だ（睡眠については第9章で詳しく解説する）。できるだけ毎日同じ時間に食事をする習慣をつけよう。腸にはリズムがある。活発になるときと、休みたがるときがあるのだ。そのリズムは膵臓や肝臓などほかの消化器官はもちろん、脳の視床下部とも同期している。何かを食べるのは1日のうちの12時間以内にする。たとえば、午前7時から午後7時までなど。また、就寝する3時間前からは何も食べないようにする。
- 起きている間は、常に水分を補給する。水を飲み、お茶、コーヒー、炭酸飲料は避ける。
- 健康的な食生活とともに、体もよく動かそう。第2章で解説したように、身体活動は大人の脳を健康にしてくれる。また、歳を取っても健康でいるためには、体に良い食事と同じぐらい運動が大切だ。食べることで必要な食品、栄養素、エネルギーを得れば、食事と身体活動のバランスが良くなる。

●ジャンクフードは食べない。揚げ物、ピザ、テイクアウトの食事、調理済みの食品を食べすぎないようにする。特に、過度に加工されているものや、高度に精製された材料を使っているものは要注意だ。

たとえば、少なくとも週に一度は、揚げ物ではない魚を食べるようにする。生鮮食品はミネラルとビタミンが豊富なものを購入し、できるだけ自宅で料理をする。そうすれば、塩、砂糖、脂肪の摂りすぎを防げる。

●自分の口に入る野菜が、本当に新鮮かどうかチェックする。店で売っている野菜は、輸送や保管のため収穫してから何日も経っているものが多い。収穫された生鮮食品に含まれる微量栄養素（特にビタミン）の多くは、みるみるうちに減っていく。意外にも缶詰や冷凍食品の栄養価は、生鮮食品と呼ばれているものより高いことがよくある。そこで、バリエーションが豊富な食材を選ぶようにしよう。最近の食品は昔とは違うが、ご先祖さまを見習うのだ。

●脳を成長させる最善の方法は、バランスの取れた健康的な食事を摂ることで、サプリメントに頼ることではない。お金は賢く使おう。

大昔も現代も人体の生理機能は変わらない

現代の欧米のライフスタイルでは、常に仕事をして四六時中大きなストレスにさらされる。大昔のご先祖さまとは食事のパターンもまるで異なる。精神的に長時間のプレッシャーを感じ、身体活動は減る一方で、食事やおやつなど絶え間なく何かを食べている。そのせいで過剰なカロリーを摂取することになる。だが、生活習慣は変わっても体の生理機能は昔とほとんど変わっていない。

第3章で解説した通り、人の生理機能は、新石器時代以前（定住して農業がはじまるより前）のご先祖さまの〝ごちそうと飢え〟のエネルギー摂取に概ね順応したままだ。食べ物がない期間を耐え、現代人よりはるかに多様なものを食べていた頃とほとんど変わっていないのだ。現代の食生活と大昔からの生理機能が食いちがっているせいで、脳に良い食事をしようとするたびに問題が起きる。カロリーや栄養素など、栄養と脳の健康にまつわる現代の知識を心に留めておけば、今のライフスタイルに生理的な進化が追いつくのを待つ必要はなくなる。

そういった知識に目を向けて、今すぐに身につけてもらうのが本書の最大の目的だ。

CHAPTER 6

人間の社会性と脳

- 孤独に対する不安が人間の行動の原動力
- 孤独は脳の健康に深刻な影響がある
- ひとりで過ごすことと孤独感には関連がない
- 社会的孤立は死亡率を30%上げる
- 独房監禁が脳に及ぼす影響とは
- 孤独感は脳の化学反応の結果である
- 孤独な人の脳は縮む
- 人は歳を取れば認知力が低下するか?
- 人とのつながりを保つことが脳の健康につながる
- 孤独は人間の一部である

孤独に対する不安が人間の行動の原動力

この章では、研究によって明らかになった人間の社会性が、健康（特に脳の健康）にどのぐらい関与しているのかを見ていくことにする。まずは、一風変わった状況からはじめよう。

ここは宇宙だ。

2010年、モスクワの生物医学問題研究所で、壮大な実験がおこなわれた。その結果、宇宙飛行のリスクに関する認識が一変した。特に重要な発見は、脳の基本的性質ともいえる特徴、そして脆さが明確になったことである。脳が正常に機能するには、他者との有意義な接触が欠かせないことがわかったのだ。

〝マーズ500〟は4年に及ぶ実験で、火星への往復の長旅で宇宙飛行士が直面する問題に、どう対処するかを調べるためのものだった。直面する問題としては、3つの異なる重力環境（地球、大気圏外、火星）、宇宙放射線、補給の難しさ、脆弱な通信環境、宇宙船内の不安定な環境などが想定された。

だが、最大の問題はそのいずれでもなかった。もうひとつ重要な問題があることに誰も気づかず、500日以上のシミュレーションを終えて、ようやく明らかになったのだった。実験中、被験者たちは外部と接触する機会がなかった。見過ごされていた重要な問題とは、孤立したコミュニティの中での、社会的孤立がもたらす影響だった。

往路では、6人の国際的なクルーはなんの問題もないように見えた。だが、帰路ではそうはいかなかった。厳しい試験に合格し、高度な訓練を受けた頭脳明晰な6人の宇宙飛行士候補者の中で、最後まで正常な行動パターンを保っていられたのはふたり。残りの4人は倦怠感やひきこもり（無活動状態）、不眠など、情動や気分に問題を抱え、〝任務遂行不能〟状態に陥った。

学習、記憶、論理的思考といった人間の高度な脳機能は、社会生活とは関係ないと思われがちだ。だが、大昔のご祖先さまに目をやれば、そうではないことがわかる。米国とドイツの人類学者チームが、人間の子供と若い霊長類（チンパンジーやオランウータン）を研究したところ、意外な発見があった。物質的な世界の探索に関しては、チンパンジーと人間の子供はよく似た認識能力を持っていた。だが、社会的な世界（他者との関係）への対処に関しては、ほかの類人猿の子供に比べて、人間の子供の認識能力はずば抜けていた。

特に際立っていたのは、他者の心の動きを読みとる能力だ。それはある種の〝直感〟とも言えるが、個人差も大きい。特異なこの能力は社会生活を送るうえで、なんとなく役に立つといった類のものではない。人間の脳はある重要な目的を達成するように作られている。その目的とは子孫を残すことだ。人間のような社会的な動物にとって、特定の社会に属さずに生きることは不便で危険なだけでなく、命をも脅かす。それゆえに人間は社会的孤立と孤独に激しい苦痛を感じ、必要な人間関係を維持し、社会的信頼、結束、集団行動を優先する方向に進化した。

つまり、人間は群れずにはいられないのだ。集団で行動するための結束力がなければ、人類は過酷な自然の中で、食料を調達して充分なエネルギーを得なければならないという状況を生き延びられなかったはずだ。

狩猟採集民の生活は不安定だ。食べ物を得ることも、繁殖が成功するか否かも、集団行動にかかっている。人間の赤ん坊はほかのどの霊長類と比べても、長い間、他者に頼って生きる。誰かに保護されなければ、大人になるまで生き延びられないのだ。

集団で行動することによって子供は保護される。従って、人の脳は他者と協力しあうために、社会的認知という特別な機能を進化させてきた。

考えて、判断して、学んで、計画を立て、予測する——こういった人間の能力は、脳の社会的進化がもとにある。それを思えば、社会生活が損なわれると、思考力や判断力に悪影響が出るのも不思議ではない。さらに、その影響は脳の構造にまで及んでいる。

孤独を認識するとは思えないような生物でも、社会的に孤立すると悪影響が出る。ショウジョウバエもマウスもラットも家畜も、群れから孤立すると健康を害するのだ。

2014年にジョン・T・カシオポが発表した画期的な論文『孤独の進化的メカニズム』には、そういった例がいくつも載っている。マウスは太って糖尿病になり、ラットは走ってもなんの効果もなくなり、ウサギはストレスホルモンが増えて、リスザルは朝になれば通常なら上がるはずのストレスホルモンのコルチゾール値が上がらなくなる。すべては孤独のせいだ（早朝のコルチゾールは無視できない。コルチゾールはただのストレスホルモンと見なされがちだが、きちんと目を覚まして、忙しい1日を迎えるために重要な役割を担っている)。

となると、こんな疑問が湧いてくる。人間にも悪影響があるのだろうか？　答えは〝イエス〟だ。他者と切り離されると、人間の体の中でも似たような生理現象が起きる。だが、そこにはひとつだけわずかだが明確な違いがある。人間はほかの霊長類とは異なる方法で、他者と作業し、協力しあう。単に誰かがそばにいればいいわけではなく、認知されることが大切だ。

つまり、周囲の人からの評価が重要なのだ。人間は忠実で、友好的で、他者を思いやり、共感できる。一方で、残忍で、他者を憎み、不誠実で、欺きもする。ドイツのマックス・プランク研究所のマイケル・トマセロの言葉を借りれば、〝人は他者と協力する能力が極めて高い超社会的(ウルトラ・ソーシャル)な種〟なのだ。

高度な共同作業のおかげで、初期の人類の食物の調達方法が変わった。だが、それと同時に、他者との関係において自分自身を理解する方法も変化した。人にとって何よりも重要なのは、他者との交流の量ではなく、質なのだ。意義と言ってもいい。あらゆる研究でそれが裏づけられている。さらに、実際の孤立から生じるダメージに加えて、個々が抱く孤立感や孤独感によって生じるダメージもある。従って、(客観的な)社会的孤立と、(主観的な)孤独をきちんと区別しなければならない。

社会的孤立とは、他者との交流がほとんどない、あるいはまったくない状況を指し、一方で孤独は交流がないことで激しい不安という情動が湧きあがっている状態を指す。

一言で言えば、人は社会的に進化を遂げた生き物だ。集団の一員でいるというだけでなく、その中で有意義な関係を保つという生来の欲求によって、突き動かされている。

さらに、それと同じぐらい、孤立や孤独に対する不安が、行動の原動力になる。人には食べ物や水が欠かせないように、社会的なつながりが必要なのだ。高度に発達した人の脳は、何百万年もの自然淘汰によって、極めて目的意識の高い集団の一員として行動するように磨きがかかった。その結果、人間は地球上でもっとも凶暴で、狡猾で、恐ろしい種でありながら、どういうわけか、もっとも思いやりに満ちている。人の心理、行動、社会構造もともに進化して、生き残りをかけた驚異的な組み合わせが完成した。捕食動物であり、狡猾で、とんでもなく賢い人間は、集団で行動することで、敵や獲物を打ち負かす。

アリストテレスは人間を〝社会的動物〟と呼ぶのに科学を必要としなかった。だが、現代人は科学によって、人の社会性が健康に深く関与していることを突き止めた。もちろん、脳の健康も例外ではない。

孤独は脳の健康に深刻な影響がある

社会生活が脳の健康に及ぼす影響について解説する前に、公衆衛生への大きな脅威と言われ

孤独

ている事柄を見てみよう。その脅威とは孤独の蔓延だ。2018年、フォックスニュースが『アメリカの増えつづける孤独』を報じたが、それと同じようなことがいくつものメディアで報道されている。フォーブス、ハーパーズ バザー誌、ヤフー、ニューヨークタイムズ、デイリーメール、タイムズ、BBC、フランス24など、あげればきりがない。そういったメディアの見出しを眺めていると、あたかも孤独が現代社会に蔓延し、猛威を振るっているかのように思える。

だが、実際のところはどうなのだろうか。歳を取れば取るほど、人は孤独になるのか？ 昔に比べて、今のほうが孤独なのか？ 入手可能なさまざまなデータを詳しく見ていくと、意外にも最初の疑問に〝ノー〟という答えが浮かびあがってくる。歳を取れば、孤独になるわけではないのだ。むしろ、その逆で孤独ではなくなる。

　とはいえ、年齢と孤独の関係は非常に複雑だ。イギリスの国家統計局のデータでは、頻繁に、または、常に孤独を感じている人の割合は、55～64歳では約５％で、16～24歳は約10％と、若者のほうが多い。また、アメリカの研究者ルイーズ・ホークリーの最近の研究では、孤独を感じる人は75歳までは減少しつづけ、そこから増えていくという結果だった。これはどういうことだろう？　50歳を過ぎると人は社会的に成熟して、言動と願望をコントロールできるようになり、孤独を感じにくくなる。だが、75歳を過ぎると病気になったり、配偶者やパートナーを失ったりして心細くなるようだ。


　2番目の疑問に関して、これまた意外なことに年齢に関係なく、ひと世代前の人より今の人のほうが孤独ではないと判明している。

　２０１９年に発表された米国の研究では、１９２０年～１９４７年に生まれた人に比べて、１９４８年～１９６５年に生まれた人は孤独をあまり感じず、また、２００５年～２０１６年の10年間で、さらに孤独になることもなかったという結果が得られた。スウェーデンでの85歳、90歳、95歳を対象にした多くの横断的研究でも、10年間ずっと孤独であると回答した人の数は増えていなかった。

　また、若者を対象にした研究でも、同様の結果が出ている。米国で、高校と大学の卒業生を対象にしたふたつの意義ある研究がおこなわれた。ひとつは１９７６年～２００６年までの30

年間、もうひとつは1978年〜2009年と1991年〜2012年までのふたつの期間を対象にしたもので、いずれの研究でも、被験者となった若者は昔の若者より孤独を感じていなかった。

高齢者に比べて、若者のほうが〝孤独である〟と答える割合が高いのは、携帯電話、インターネット、SNSのせいかもしれない。研究結果を見ると、ソーシャルメディアは実はそれほど社交的(ソーシャル)ではないことがわかる。

SNSに関して多くの研究がなされているが、その中のひとつであるピッツバーグ大学の研究チームが、19〜32歳の若者約2000人を調査したところ、〝SNSをあまり利用していない若者より、SNSを頻繁に利用している若者のほうが社会的な孤立を感じている〟という結果が得られた。(注1) 具体的には、SNSを頻繁に利用する若者は、そうではない若者に比べて、3倍以上も孤独を感じやすかった。現代の携帯できる通信機器によって、人はいろいろな意味で自己完結しがちになる。そういうデバイスがなければ、周囲の人に気軽に声をかけて、話をするはずだ。だが、いつもうつむいて人と目を合わせずにいると、社会的交流を求める人間の根源的な欲求が満たされない。

さらに、SNSを使っていると、〝FOMO〟という現象に陥る。FOMOは〝取り残されることへの恐れ(フィア・オブ・ミッシング・アウト)〟の略で、2000年に初めて学術誌で使用されたが、その4年後の2004年、投資家で作家のパトリック・J・マクギニスによって世に広く知られるようになった。F

OMOは孤独感を招き、当然の流れとして、自尊心も低下する。

ひとりで過ごすことと孤独感には関連がない

孤独の蔓延を主張するメディアの報道の大半は間違っている。偏った研究結果だけに目を向け、〝ひとり暮らしをすると孤独になる〟というステレオタイプの誤った推論に基づいているのだ。実際には、ひとりで過ごす時間は、孤独を感じるか否か、また、社会支援が充実しているか否かの判断材料にはならない。これは、多くの研究で裏づけられている。

そのひとつが、ボストンでおこなわれた1万2000人の高齢者を対象にした2年間（2006年と2008年）の大規模な長期的研究だ。それによると、ひとりで過ごすことと、孤独を感じることには、ほとんど関連がない。一方で、ひとり暮らしは身体的な不調につながり、孤独感は精神的な不調と結びついていた。

というわけで、実際には新たな孤独は蔓延していない。孤独感は人間のありようの一部で、誰もが経験することなのだ。進化論の学者はもちろん、アリストテレスやプラトンから、マルティン・ブーバーやジャン＝ポール・サルトルまで、古今東西の哲学者も、「孤独は人間という存在の本質的な要素だ」と言っている。多くの文人も昔から、孤独を切々と綴ってきた。

ジョン・ミルトンの『失楽園』もそのひとつだ。サタンは虚空に足を踏みいれると、「私は彼らから離れ　独りこの未知の旅に出　漠として底知れぬ混沌の中　孤独の歩を刻む」と言った。[注2]それから数百年後の1942年、アルベール・カミュは『異邦人』に、孤独がもたらす深刻で異常な感情を、衝撃的な形で表現した。その本の主人公は憎しみに満ちた群衆を想像しながら、孤独に安らぎを、いや、幸福感さえ見いだした。

しるしと星々に満ちた夜に、私は初めて、世界のやさしい無関心に心を開いた。それがまさに兄弟のように、私に似ていることに気づくと、自分は幸福だったのだ、そして、今また幸福なのだと悟った。すべてを完結させるために、そして、私自身があまり孤独を感じずにいるために願うことといえば、処刑されるその日に大勢の見物人が集まり、憎悪の叫びで私を迎えてほしい、ただそれだけだった。

孤独による不安感は、高尚な文学の中だけに存在するわけではない。誰しもが体験している証拠に、無数のポピュラーソングにも歌われている。1950年以降だけでも、ロイ・オービソンの『オンリー・ザ・ロンリー』、エルヴィス・プレスリーの『ロンリー・ディス・クリスマス』、ビートルズの『エリナー・リグビー』といった名曲をはじめ、4万5000曲もある。

ひとりで過ごすのも、孤独感を抱くのも珍しいことではない。だが、健康全般、とりわけ脳の健康に深刻な影響が及ぶことがある。

社会的孤立は死亡率を30%上げる

ドブネズミはすばらしい動物だ。ふわふわで愛らしく、生まれながらに社交的だ。たいていは仲間と身を寄せあい、入り組んだ巣穴を掘り、複雑な社会関係を形成する。また、子育ても仲間と協力しあう。まさに典型的な社会的動物だ。そして多くの動物同様、自然にがんが発生する。良性腫瘍と悪性腫瘍の両方ができるのだ。

そんなドブネズミを、シカゴの研究者は無作為に1匹選ぶと、仲間から切り離して飼育した。その一方で、5匹の雌をひとつのケージに入れて飼育すると、意外な発見があった。社会的孤立のせいで、ひとりぼっちのラットの乳腺腫瘍の発生率が、集団のラットの84倍にもなったのだ。さらに興味深いのは、特に2種類のがんで悪性である確率が3倍にのぼった。当然、孤立した雌は明らかにストレスレベルが高かった。それればかりか、行動も一目でわかるほどはっきりと変化した。落ち着きがなく、びくびくして、常に周囲を警戒するようになったのだ。

この20年間でおこなわれた数々の緻密な研究で、人間の社会的孤立や孤独による悪影響が明らかになっている。２０２０年春、新型コロナウイルス感染症の流行が加速する中、『ニューヨーカー』にひとつの記事が載った。記事を書いたジル・ルポールは、社会的孤立と孤独を明確に区別し、感染症の危険性ばかりを気にしている人々の目を別の方向へ向けさせた。

ひとり暮らしでも、必ずしも孤独になるわけではなく、誰かと一緒に暮らしていても、孤独になることもある。だが、孤立と孤独は密接につながっていて、そのせいで、ロックダウン、つまり家にこもる生活がさらに辛くなる。言うまでもなく、孤独は健康に悪い。[注3]

ジル・ルポールの言う通りだ。ひとりで暮らすことと孤独をきちんと区別しなければならない。社会的孤立と孤独は、それぞれ健康に影響するというエビデンスが得られている。そして、どちらも良い影響ではない。

社会的孤立とは要するに、人との接触がないことだ。長期間家にこもって、家族、知人、友人に連絡せず、人と会わないようにする。身に覚えがある人も多いだろう。新型コロナウイルス感染症の流行によるロックダウンを逆手に取って、英国のユニバーシティ・カレッジ・ロンドン、オーストラリアのディーキン大学、米国のマサチューセッツ工科大学のサックス研究室で、長期的なデータ収集がおこなわれている。

社会的孤立が強制的なものであろうとなかろうと、その影響についてはある程度確実なことがわかっている。2013年、カリフォルニア大学バークレー校のマット・パンテル博士の研究チームは、17~89歳までの約2万人のデータを分析した。その結果、喫煙や高血圧といった従来の臨床的危険因子と並んで、社会的孤立が死亡率の強力な予測因子であることがわかった。実際、社会的孤立は予測因子として高血圧よりも大きく、喫煙と同等だった。この結果は、2015年のブリガムヤング大学でのさらに大規模なメタ分析によって裏づけられた。メタ分析は、世界中の何百もの研究結果をもとに計算され、今回は３４０万人以上のデータが使われた。

そうして、またもや驚くべき結果が出た。社会的孤立による死亡リスクの増加は29％、孤独では26％、ひとり暮らしでは32％だった。その割合は前述の従来の死亡リスク要因とほぼ同じである。ほかの研究でもやはり衝撃的な発見がなされている。人とのつながりの欠如は、１日15本の喫煙や１日１本のジン、あるいは病的な肥満と同じぐらい致命的であることがわかった。

また、いくつもの研究によって、社会的に孤立している人は年齢に関係なく、筋骨格系疾患、中度から重度のうつ病、いくつもの健康問題のリスクが高く、自分を健康ではないと見なす傾向にあることがわかっている。こういった健康被害が起きる原因として、社会的に孤立すると身体活動が極端に低下し、食生活が偏り、向精神薬の使用が増えることが考えられる。

研究では一般的に、〝孤独とは、週に1回以上孤独を感じること〟と定義している。

また、ふたつの条件がある。有意義な人間関係の欠如と、他者から切り離されているという自覚だ。社会的な霊長類である人間は、他者との親交を深めるようにできていて、孤独が解消されないと深刻なダメージを受ける。健康にさまざまな悪影響があり、最悪、死につながることもある。データによれば、孤独な人に比べて、孤独でない人は生存率が50％も高い。

もう少し専門的な言い方をするなら、状況的に孤独（シチュエーショナリー・ロンリー）ではない人のほうが、死亡リスクが50％低い。長期的な孤独感による健康への影響は多々あり、

表6-1にそれを記した。

6-1 社会的孤立と孤独が健康に与える影響

- 社会的孤立によって、死亡率が30％上がる。
- 社会的孤立は、高血圧や喫煙と並ぶ、大きな死亡予測因子である。
- 孤立している人は年齢に関係なく、自分を健康ではないと見なす傾向にあり、筋骨格系疾患、中度から重度のうつ病、複合的な健康問題を抱えるリスクが高くなる。
- 社会的孤立は、身体活動の極端な低下、不健康な食事、向精神薬の使用につながることがある。すべての研究で、社会的孤立は身体活動の低下と強い相関関係が見られる。
- 孤独な人より、孤独でない人のほうが、生存率が50％高い。

●年齢に関係なく、重度の孤独は、うつ病、アルコール中毒、自傷行為、攻撃性、自殺願望、自殺の原因となる。

●孤独は痛み、気分の落ちこみ、疲労感を助長し、深刻な長期疾患を伴う場合が多い。

●孤独だと、高血圧、高コレステロール、肥満に関連する病気にかかる確率が高くなる。

●孤独感により、ストレスホルモンのコルチゾール値が上がる。コルチゾール値が高い状態が長く続くと、不安、気分の落ちこみ、消化不良、睡眠障害、免疫障害が起きやすくなる。

●慢性的な孤独は、脳卒中、心臓病、ある種のがんのリスクを高める。

こんなふうに健康に悪影響が出るのはなぜだろう?

長年にわたって、友人、家族、近所の人との交流がない人はコミュニケーション能力が低く、社会的支援が受けられず、医療関係者と関わる機会がほとんどない。その結果、孤独になりやすい。それに加えて、そういった状況が行動にも深刻な変化をもたらす。孤独だと、不安になりやすく、対人関係に不快感を抱きやすく、社会的脅威を常に警戒し、ストレスにうまく対処できず、煙草や酒を大量に摂取する。つまり、健康を害する行動が増えるのだ。

一方で、生物学的にも説明がつく。今はゲノムについて多くのことがわかっている。ゆえに、DNAが大きく影響していると言っても、意外ではないだろう。

〃孤独遺伝子〃なるものの存在はまだ認められていないが、英国のゲノム研究機関バイオバンクは、48万7647人を対象にした研究で、15の遺伝子領域が孤独と結びついているのを発見した。つまり、ひとりでいるのが心地いいと感じる人もいれば、耐え難いほど苦痛に感じる人もいて、そういった異なる反応はDNAによって決まるというわけだ。

さらに、孤独と関連する遺伝子は、肥満とも関連している可能性が高い。また、これまでの研究で発見された特徴（うつ、肥満、心血管系の不具合）とも、遺伝的な重なりが見られた。さらに、もうひとつの原因として、慢性的な孤独が老化を加速させるというものがある。

孤独な人は、染色体の末端にあるテロメアが短いことがわかっている。本書の最初のほうで解説した通り、テロメアの短さは老化によるさまざまな病気や早死につながっている。


まとめると、社会的孤立と孤独感はどちらも体に影響が出るが、その出方は少しずつ異なり、まだ完全には解明されていない。第1章で解説したように、炎症はストレスに対する体の反応だ。それが免疫システムへの合図となり、損傷した組織が修復される。

だが、炎症が長引くと、健康な細胞、組織、臓器が傷ついて、心臓病、脳卒中、肺病、腎臓病などの慢性的な病気を引き起こす。社会的孤立は間違いなく強烈なストレス要因で、炎症レベルを上昇させる。英国での最近の研究で、社会的孤立のせいでふたつのタンパク質（CRPとフィブリノゲン）の値が上がることがわかった。血中の炎症マーカーが上昇し、どういうわけか女性より男性のほうがその影響を大きく受ける。

一方、孤独の生理的な影響はそれとは違う。同じ炎症マーカーでも、インターロイキン-6（IL6）という炎症マーカーと関連がある。この違いが、ひとりでいることと、孤独を区別するべきとする理由だ。いずれにしても、こういった発見は孤立や孤独が脳に及ぼす影響も示唆しているのだろうか？

独房監禁が脳に及ぼす影響とは

2018年9月半ばのラスベガスで、熟練したふたりのポーカー・プレイヤーがテーブル越しに向かいあい、前代未聞の賭けをした。どちらか一方が30日間、完全に隔離された真っ暗な部屋で過ごせたら、もう一方が10万ドルを払うという賭けだった。

部屋に足を踏みいれたリッチ・アラティは自信満々だった。だが、3日後には幻覚症状がはじまった。その結果、途方もない忍耐力を要求されるその実験は終了予定日をまるまる10日間残して打ち切られた（賭け金が気になる読者のために言っておくと、アラティは交渉して6万2400ドルを受けとった）。アラティの対戦相手は挑戦しようともしなかった。

隔離の世界記録は自発的なものでもなければ、金儲けのためでもない。さらに、優勝候補はひとりではなく何人もいて、全員が法で裁かれた囚人だ。米国のチャンピオン候補は、アルバート・ウッドフォックス。〝アンゴラ・スリー（訳註／ルイジアナ州立刑務所に収監中に、数十年間独房に監禁されていた3人のアフリカ系アメリカ人）〟と呼ばれている囚人のひとりで、43年もの間、独房で過ごした。英国のチャンピオン候補は70歳のロバート・モーズレイで、現在も服役中。独房生活は45年になる（モーズレイは囚人仲間を3人殺し、そのうちのひとりの脳みそを食べた）。

独房監禁

いずれにしても、ここは独房監禁の是非を問う場ではない。こういった不幸な例は、ある意味で忌まわしい実験にもなっている。長期間の隔離が脳に与える影響を観察するための実験だ。30日という短期間ではなく、30年、あるいはそれ以上にわたる観察ができる。

独房に関する研究で、米国は不名誉ながらもっとも古い記録を持っている。1829年、フィラデルフィアのイースタン州立刑務所の医療観察者は、独房の囚人の精神障害と身体障害に気づいた。それを見逃さなかったチャールズ・ディケンズは、その刑務所を訪れ、独房の様子を〝日々、じわじわと脳の神秘に干渉することは……肉体的ないかなる拷問よりも計り知れないほどおぞましい〟と記した。(注4)

現代の科学でもそれは立証されている。個々に状況は異なるとはいえ、独房監禁は行動や心理に無数の悪影響を及ぼす。幻覚、不安と緊張感の増大、誰かに見張られているような感覚、衝動制御の低下、重度で慢性的なうつ状態、食欲不振、体重減少、動悸、独り言、睡眠障害、悪夢、自傷行為、思考能力・集中力・記憶力の低下、脳機能の低下などだ。

脳と心(心とは脳が生みだす意識、つまり思考や感情)への影響はすべて、心と体を結ぶ強力な経路を通じて体に伝わる。執拗で原始的、自己調整機能を持つ生理的メカニズムで、生理学的にはストレス応答と呼ばれ、何百万年も前から脳の中に存在し、脅威やストレスから脳を守っている。それが果たす役割はとりわけ重要で、地球上のあらゆる動物に同様の機能が備わっている。ストレス要因には身体的なものと心理的なものがあり、そのふたつは異なるが重なりあう脳の回路で処理される。

その回路はあまりにも複雑で、本書ですべてを解説することはできない。ここでは、要点だけをかいつまんで説明しておこう。

痛みや寒さなどの身体的ストレスは、神経系と循環器系のふたつの経路で優先的に処理される。ひとつは視床下部―交感神経―副腎髄質系、略してSAM系と呼ばれ、警戒、覚醒、状況認識、意思決定に関して、瞬時に短い反応を引き起こす。もうひとつは、視床下部―下垂体―副腎皮質系、略してHPA系と呼ばれ、比較的ゆっくり作動し、副腎皮質ホルモンというストレスホルモンを放出して、ストレス反応を持続させる。

このふたつの経路は、消化、免疫システム、気分、感情、性欲、エネルギー貯蔵と消費など、体の多くの機能に影響する。制御不能な出来事や、満たされない欲求など、心理的なストレスはそれ自体の回路を活性化するだけでなく、SAM系とHPA系の反応も引き起こす。この付加回路は、脳の強力な部分を使う。大脳辺縁系の一部で、脳の感情の座である扁桃体や海馬を使うのだ。

要するに、人が社会的に孤立したり、孤独感に苛まれたりすると、両方のストレス反応が起きるということだ。深刻な神経内分泌反応が起こり、その影響は広範囲にわたる。こういった反応を化学的に制御する遺伝メカニズムにまで及ぶのだ。そして、科学によってその分子の変化までもが解明され、すばらしい発見がなされた。なんと、孤独に効く薬があったのだ。

孤独感は脳の化学反応の結果である

マウスのことを平和を愛するおとなしい生き物だと思っているなら、大間違いだ。たとえば、マウスを14日間隔離すれば、それだけでもうほかのマウスとは一緒にできなくなる。暴力的になって仲間に襲いかかるからだ。なぜ、それほど反社会的なことをするのか？　その原因は、脳の化学反応にある。

おとなしいはずのマウスを隔離すると、脳の中で何が起きるのか？　それが明らかになったのは比較的最近だ。とはいえ、隔離されたマウスの乱暴なふるまいは、ずいぶん前から知られていた。ほかのマウスと接触すると過度に攻撃的になるが、外的脅威に対しては怯えて、神経過敏になり、動けなくなる。

最近になってようやく、カリフォルニア工科大学の動物学者が、その原因を突き止めた。孤立したマウスは、扁桃体や視床下部など、脳の特定の領域がニューロキニンB（ＮＫＢ）という強力な脳内分子で満たされる。ＮＫＢはＴａｃ２という遺伝子によって作られ、ほかの脳細胞と結合して、マウスの行動を変化させるのだ。

さらに神経回路の働きも変化させる。扁桃体内のＴａｃ２の〝スイッチを切る〟と怯えはおさまるが、攻撃性は増す。視床下部内では逆のことが起きる。攻撃性が低下し、怯えが強くなるのだ。脳内にこういった物質が放出されることで、孤立したネズミの行動が変化して一貫性がなくなると考えられる。

孤立によって起きるのは、脳内の化学物質の変化だけではない。マサチューセッツ工科大学とインペリアル・カレッジ・ロンドンの研究者は、スリー・チャンバー・テストをおこなった。

孤立したマウスを、３つ並んだ小部屋（チャンバー）の真ん中の部屋に入れるという実験だ。マウスは左右どちらの部屋にも自由に行ける。別のマウスが左右いずれかの部屋（社交の部屋）にいると、孤立したマウスは一直線にそちらへ向かう。孤立していないマウスでは、どちらの部屋に向かうかはそのときどきで異なり、社交の部屋を選んだ場合、多くは先にそこにいたマウスを無視する。しかし重要なのはここからだ。研究者は脳内の背側縫線核（ＤＲＮ）と呼ばれる部分を調べた。幸せホルモンのドーパミンが作られる場所だ。孤立していないマウスを真ん中の部屋に入れ、光パルスを使ってドーパミン細胞を刺激すると、社交の部屋にいるもう１匹のマウスと一緒に多くの時間を過ごした。孤立したマウスを真ん中の部屋に入れ、ドーパミン細胞のスイッチを切ると、社交性は発揮されなかった。

この実験から、ドーパミン細胞が活性化すると、孤立という不快な状態から抜けだそうとして社交的になることがわかった。隔離されたマウスが仲間と過ごそうとするのは、飢えに似た衝動と考えられる。マウスが報酬（おいしい餌など）を目的に仲間と交流したがるときと、孤独を感じている（空腹と似ている）ときでは、異なる神経回路が活性化する。

そういった行動を起こさせるのはドーパミンだけではない。トロント大学の研究チームも、マウスのＤＲＮを調べた。そこではＤＲＮの、もうひとつの幸せホルモンであるセロトニンを生成する細胞に着目した。

すると、社会的な孤立によってセロトニンの分泌量が減ることがわかった。また、セロトニンの分泌を回復させる物質を投与すると、社会的孤立の影響を防げることもわかった。それによって、孤立したマウスの好ましくない行動（このケースでは、不安による摂食障害や運動不足）を防げた。研究チームは大いに意義のある結果を発表した。脳内の〝孤独を司るもの〟を発見した。それはDRNだ、と。

人間はマウスではない。また、倫理的に人間にはこういった実験はおこなえない。それでも人の脳の健康に関わる部分に、一筋の光が射しこんだのは間違いない。マウスでの実験の興味深い結果は、孤独が脳の化学反応の結果であることを示している。

さらに、孤独感は不快ではあっても、それだけで命を落とすことはない。孤独感は〝何か深刻な問題が起きている〟と脳が警鐘を鳴らしているのだ。その結果、行動パターンが変わり、他者を求め、社会との適切な接触がおこなわれる。

だが、報われない飢え同様、孤独が解消されなければ、不安、緊張、恐れ、絶望に苛まれる。そして、それが脳の構造を変えてしまうこともある。

孤独な人の脳は縮む

常に孤独感を抱いていると、脳の構造が変わるのは珍しいことではない。そうなると、ほぼ間違いなく、孤独ではない人の脳とは大きく異なることになる。

それがわかったのは比較的最近で、数年前まで、孤独による脳の構造への影響はほとんど解明されていなかった。今、そのベールが徐々に剝がされている。その結果、明らかになったのは、厳しい現実だった。

ベルリンの研究者は、大勢の人を対象に孤独度を測定し、脳の画像も調べた。すると、特に孤独を強く感じている人では、脳の特定の領域が小さいことがわかった。果たして、どの部分が小さかったのだろう？

その答えは意外でもなんでもない。小さかったのはふたつの領域で、どちらも脳の奥深くに位置し、どちらも感情の制御に関わっている。そう、扁桃体と視床下部だ。研究者にとっても、その結果は意外ではなかった。それまでの研究で、扁桃体の大きさが社交性と関係していることはわかっていた。人づきあいの輪が大きければ大きいほど、扁桃体も大きいのだ。

ここで、ふたつの注意点を挙げておこう。ひとつはその研究結果が、因果関係を示すものではないこと。もうひとつは原因が不明のままであることだ。それでも、充分な研究結果からいくつかの推測ができる。長期にわたって孤独だと、コルチコステロイドなどのストレスホルモンが放出されつづける。その結果血圧が上がり、視床下部がダメージを受けると思われる。あるいは孤独と老化の相互作用も考えられる。孤独も老化も扁桃体の小ささと関連しているのだ。

エビデンスはほかにもある。ユニバーシティ・カレッジ・ロンドンの研究では、脳の左側のある領域を調べた。基本的な社会活動と関連していると言われている部分だ（正確には、後部上側頭溝。略してＰＳＴＳ）。その研究でもやはり同じ結果が得られた。

孤独な人は溝が小さかった。また、他者との関係の構築・維持に不可欠な社会的合図への反応も鈍かった。逆に、家族と暮らしている人250人を対象にした別の実験では、被験者の社会生活を豊かにすることで思考能力が向上し、さらに、40週間後には、対照群と比べて、脳の体積も明らかに増えた。

脳の体積の変化は、なぜ起きるのだろう？　また、そういった変化を予防したり回復させたりすることはできるのだろうか？　刺激に富んだ楽しい環境にいたマウスを、完全に孤立させると、約1か月で脳内の神経細胞が平均して40％縮んだ。

最初は脳が〝自分を守ろう〟としているかのように、神経細胞の結合が増えたが、3か月後には脳が〝諦めた〟かのように、新たな結合が減っていった。さらに、重要な脳タンパク質であるBDNFも急速に減っていった。すでに解説したとおり、BDNFは新たな脳細胞の成長と維持に欠かせない。また、グルココルチコイドのようなストレスホルモンが増えて、孤立したマウスの脳には細胞内の断片化した（壊れた）DNAが多く見られた。

最後に、もうひとつ検証しておきたい問題がある。極めて繊細で切実な問題だ。

これまで取りあげてきた研究は、成熟した脳、つまり大人の脳に関するものだった。では、社会から切り離されて孤立した若い脳、つまり子供の脳にはどんなことが起きるのだろうか？

恵まれない子供時代がもたらす悲惨な結果は、疑問の余地がないほど現実社会で数多く見られる。動物学者なら胸を張って、社会的動物は他者との接触を好み、正常に成長するには他者との接触が欠かせないと言うはずだ。だとしたら、社会と関わらずに成長すると、脳はどんなふうに発達するのか？

正常なコミュニケーションと処理を担っているのは、脳の灰白質だ。従って、社会と関わらずに子供時代を過ごすと、白質（灰白質内の神経細胞の連絡路）の発達に問題が生じる。

典型的な例が、１９８０年代のルーマニアのチャウシェスク政権時代に、児童養護施設に収容された子供たちだ。ルーマニアの施設から米国に養子に出された子供たち（少数の社会的弱者）の脳を撮影して調べたところ、普通の子供に比べて、白質が圧倒的に少なかった。

特に鉤状束（こうじょうそく）と呼ばれる組織で、その傾向が顕著だった。鉤状束は、扁桃体を含む側頭葉と前頭前皮質をつないでいて、そのあたりは情動や社会性の発達に不可欠な部分だ。非常に興味深い研究結果ではあるが、社会とのつながりが薄いと、なぜ、こういった変化が起きるのかまではわからない。あるいは、将来的にどんな影響があるのかということも。これに関しては、やはり動物実験に頼るしかない。


そのための実験のひとつに、４匹のマウスを１匹ずつ隔離するというものがある。対照群は通常どおりひとつのケージに４匹ずつ入れておいた。４週間後、孤立したマウスの社会的行動と記憶は対照群のマウスに比べて低下していた。６週間後、マウスの前頭前皮質の細胞の一部を調べた。結果は予想どおり、どちらのグループも細胞の数は変わらなかったが、孤立したマウスの支持細胞（オリゴデンドロサイト）は形が単純で、枝分かれが少ないなどの発育不良を起こし、また、重要なタンパク質を生成するふたつの遺伝子が、前頭前皮質で発現しづらくなっていた。

電子顕微鏡で調べると、隔離したマウスのミエリン鞘は明らかに薄くなっていた。ミエリン鞘は神経線維のまわりの絶縁体で、脳内のメッセージの伝達に重要な役目を果たす。さらに、こういったダメージが発生する決定的な時期は、実験期間の4週目と5週目だった。もっと高度な科学の領域に分け入らなくても、このダメージの原因が、ある重要な遺伝子が発現しなかったせいだということはわかる。もちろん、社会的孤立の影響が白質のダメージだけに留まるとは思えないが、社会的孤立による細胞のメカニズムのわずかな変化が、正常な脳の発達に影響を及ぼすのは間違いない。

社会的孤立が脳に及ぼす主な影響を、表6−2にまとめた。

6-2 社会的孤立と脳

●人間はもとより、すべての社会的動物は、仲間から孤立すると健康を害し、体や行動にさまざまな悪影響が出る。

- 長期的な社会的孤立はストレスになり、炎症が増えて、免疫システムが弱り、ホルモンが変化して、脳に悪影響を与える。
- 社会的孤立は、扁桃体や視床下部といった強力で原始的な組織で、大きな化学反応を引き起こす。
- ふたつの主要な化学反応は、脳内のふたつの神経伝達物質（幸せホルモンのドーパミンと気分を高揚させるセロトニン）と関連している。
- 孤独によって脳の構造が変化する。脳の一部の体積が減り、個々の脳細胞が小さくなって、白質などの細胞間のつながりが減少する。
- 豊かな社会環境は、子供の脳の正常な発達に欠かせない。

人は歳を取れば認知力が低下するか？

社会との関わりと健康な脳の研究は、倫理的な制約があり、主に疫学（観察研究）に頼ってきた。そういった研究では一般的に、被験者の数が非常に多いことから、（動物実験のように）社会的なつながりのレベルを操作するのではなく、社会的行動の種類とレベルの違いを元に比較して、社会との関わりが脳の健康にどんな影響を与えるのかを分析する。

社会との関わりは、脳の健康に影響するほかの活動を伴うことが多い。たとえば、認知力を刺激する活動（チェス、オセロ、すごろくなどのボードゲーム）や、グループでの身体活動などだ。従って、どの活動がどの結果を招いたのかを特定するのは難しい。社会との関わりだけが影響したのか、身体的、あるいは心理的な活動のせいなのか、それとも両方が合わさったせいなのか判断しにくいのだ。観察研究では、社会との関わりが脳の健康の促進や維持に、直接影響するとは断言できないが、現在得られている数々のエビデンスから、社会との良い関係が脳を健康にすると考えられる。

現在の専門家は、生涯を通して積極的に社会参加することを推奨し、社会活動によってさまざまな健康効果が得られるとしている。社会活動を増やしても悪影響はほぼなく、また、健康な脳の持ち主ほど、上質な社会との関わりを数多く求める傾向にある。それは間違いなく好循環だ。

この問題に関する世界でもっとも公平な機関であるグローバル・カウンシル・オン・ブレイン・ヘルスは、思考力や推論力の向上も含めて、社会との関わりが脳の健康に良いという証拠が得られていることを認めている。とはいえ、厳密なガイドラインを定めるにはさらなる研究が必要だ。社会との関わりのさまざまな要素が、記憶力や論理的思考力に及ぼす無数の影響を突き止めるために、研究を続けなければならない。

脳への影響は、徐々にあらわれる人もいれば、すぐにあらわれる人もいる。また、若くしてあらわれる人もいれば、高齢になってからあらわれる人もいる。だが、歳を取れば誰でも、思考能力はある程度は低下する。だが、研究者が解決できずにいる興味深い問題がある。人は歳を取ると慢性的な孤独感によって認知力が低下するのか？　それとも認知力が低下したせいで孤独になるのだろうか？

その答えは、2017年にハーバード大学の研究者が発表した12年に及ぶ長期研究によって明らかになった。1998年にその研究チームは、米国健康及び退職研究から、65歳以上の高齢者8382人を採用し、被験者の社会的なネットワークを評価した。評価基準は、結婚しているか、あるいはパートナーはいるか、週に一度は友人や隣人と接触しているか、週に一度は子供と連絡を取っているか、ボランティア活動に参加しているかなどだった。また、うつ状態、孤独感、思考力（認知機能）も評価した。

それによって何がわかったのか？　２０１０年に研究は幕を閉じ、結果が分析された。実験の開始時点で孤独であると答えた人は18％で、孤独ではない被験者に比べ、12年間の認知低下の速度が20％速かった。この結果は、被験者の社会階級、経済状況、社会的ネットワーク、健康状態、気分の落ちこみの基準値（12年間の研究の開始時点の値）とは無関係だった。つまり、こういった要因とは関係なく、孤独は認知機能低下の強力な予測因子なのだ。興味深いことに、長期にわたるうつ状態は、それ自体が認知機能低下の要因のひとつだった。

２０１９年におこなわれたメタ分析（複数の研究の数学的な再考察）では、孤独と軽度の認知機能障害や認知症との関係を調べた。分析の対象となった研究は10件だけだったが、どれも被験者が多く、65〜83歳の総勢３万７０００人が対象だった。認知症に関する結果は顕著で、孤独は明らかなリスク因子だった。軽度認知障害に関しては、限定的な証拠しかなかったが、それでも、孤独が原因の一因であることを示していた。

とはいえ、もっと若いとき（20代、30代、40代）に、自分の身に何が起きているのかを知りたい人も多いだろう。

というわけで、長期的な研究、つまり、生涯にわたる研究に目を向けてみよう。２０１９年、その種の研究の50件以上を、エクセター大学の研究者が分析した。対象となった研究では、それぞれ社会的孤立と社会活動に関する指標が異なっていたが、それでも、その結果はやはり顕著だった。広範な分析の結果、生涯にわたる発見があった。

●社会活動への参加は、認知機能を向上させる。
●幅広い人との交流は、認知機能を向上させる。
●社会活動と人との交流は、思考能力と深く結びついている。
●人間関係の多さは男女ともに効果があるが、どちらかといえば女性のほうが効果が大きい。

研究者は〝社会活動の乏しさや人との交流不足など、社会的に孤立した状態は、晩年の認知機能の低下に大きく関与している〟と結論づけた。(注5) また、ほかの多くの研究同様、生涯にわたる人間関係の希薄さも、認知症のリスクを高めるとのことだった。

社会的なつながりと脳の健康について重要なポイントを、表6―3にまとめた。

6-3

社会的つながりと脳の健康

- 年齢に関係なく、良好な社会生活によって脳は健康になる。
- 社会との関わりは、生涯を通じて、思考能力の維持に役立つ。
- 良好な人間関係は、後年（特に中年以降）の認知低下速度を遅らせ、社会とより多くのつながりを持てば、認知低下のリスクが軽減される。
- 社会活動に参加して、幅広い人と交流すれば、歳を取っても認知機能が維持される。
- 孤独は認知症の大きなリスク要因で、長い年月をかけて徐々に神経変性が進む。
- 人との交流は記憶の形成と回想力の向上に役立ち、神経変性疾患から脳を守ってくれる。
- 年齢に関係なく、豊かな社会生活を送り、新たなスキルを学ぶことで、認知予備力が築かれて、脳は健康になる。

人とのつながりを保つことが脳の健康につながる

この章で取りあげた研究結果から最大のポイントを挙げるとしたら、それは、死ぬまで脳を健康に保ちたいなら、何よりも〝社会的資産〟を大切にすることだ。

社会的資産とは、社会活動に参加して、多くの人との良好な関係を維持することだ。そうすれば、ひとりの時間も快適に過ごせるし、ほかの人と一緒に過ごす時間も持てて孤独感をあまり感じない――そんな生活習慣が身につく。そのためにするべきことも具体的にわかっている。

第一のルールは、〝自分からはじめる〟だ。研究によって、前向きに考えることがいかに重要かはわかっている。前向きに考えれば体調が良くなり、免疫システムが向上して、健康寿命が延びる。イエール大学のベッカ・レヴィーは有名な論文に、前向きに考えると、寿命が7年以上延びると記した。また、別の研究で否定的な感情が心にも体にも悪いことが立証された。

というわけで、ひとりで過ごすことを否定的に考えないのが、大きな最初の一歩だ。それは、効果が立証されている数少ない方法のひとつでもあり、心理学者は〝不適応な考え方を変える〟と言っている。シカゴでの最近の研究で、その方法はほかの方法に比べて4倍の効果があることがわかった。長い人生では、誰でもひとりになることがあり、孤独感を抱くのは珍しいことではない。ひとりになった自分を批判したり責めたりしないのも大切だ。実際、孤独を感じるからこそ、一緒に過ごす相手を見つけようという気持ちになれる。孤独に対処するには、自己認識が大いに役立つ。

コーネル大学の研究者は初対面のふたりに話をさせて、その後、自分の話と相手の話を評価させた。すると話題を与えられた場合でも、与えられなかった場合でも、会話の長さに関わらず、誰もがみな自分よりも相手の話に好感を抱き、話をしていて楽しいと評価した。つまり、他人は自分が思っている以上に、自分のことを好きでいてくれるものなのだ。初対面の相手にも、物おじせずに話しかけてみよう。

第二のルールは、〝些細なことが大きな違いを生む〟だ。現代の社会では、孤独にはマイナスのイメージがつきまとう。そうとわかっていても、孤独感を払拭するために人に話しかける、あるいは手助けをするなど、ちょっとしたことも躊躇して実行できない人が多い。

エセックス大学のジリアン・サンドストームがおこなったいくつかの興味深い研究でも、多くの人が知らない相手と話す方法を忘れていることが明らかになった。通勤の途中、買い物をしているとき、犬の散歩中、学校の門の前などで、初対面の人にどう話しかけたらいいのか、それすらわからないのだ。

だが、その研究では大いに役立つふたつの発見もあった。ひとつは、忘れてしまった話しかけ方は、人との些細な交流を重ねるうちにまた身につくことだ。もうひとつは、知らない人やちょっとした知り合いと話をするだけで、孤独感がまぎれ、さらに、人とのつながりが実感できて、すべてに前向きになれることだ。ほんの二言、三言話をして、挨拶をするだけでも効果は絶大だ。「こんにちは」「おはよう」「お元気ですか?」、そういった何気ない挨拶は取るに足らないことに思えるかもしれないが、孤独感を大いにやわらげてくれる。

1日に一度は誰かに微笑みかけて、ドアを押さえてあげるなど相手を気遣う態度を示そう。しばらく話をしていない隣人や知り合いに連絡をする。電話をかけてもいいし、手紙やメールを送ったり、SNSを覗いてみたりするのもいいだろう。こういうことの効果は、〝ささやかな絆の驚くべき力〟と言われていて、現代社会特有の会話の乏しさを解消するためのキャンペーンにも使われている。ITVの〝ブリテン・ゲット・トーキング〟、BBCテレビの〝クロッシング・ディバイド〟、イギリス国鉄のキャンペーン〝オン・ザ・ムーブ〟はすべて、そのための取り組みである。

第三のルールは、〝相手を思いやる〟だ。マイケル・バブラ博士は、フロイトやマズローなど現代の心理学者が唱えて、長年常識とされてきた考え方をくつがえした。これまで人間はそもそも利己的で、自分の利益を最優先させるのが人生における健全な行動規範と考えられてきたが、それは間違っていると声を上げたのだ。そして、「より広い社会環境を犠牲にして、自分の利益と物質主義を追求したことが欧米社会にはびこる犯罪、残虐行為、不幸、共感の欠如の大きな原因だ」と言った。(注6) 他者を思いやることで人は仲間を求め、助けあい、孤独の辛さがやわらぐ。その行為で社会的な孤立を解消できる。つまり、誰かを助ければ自分も助かるのだ。

それが、第四のルール、〝大切なのは集団〟につながる。この章で解説したことの根底には、人間と集団の切っても切れない関係がある。

人は社会的な生き物だ。社会との接触がなければ、体調を崩して、不幸になり、脳にもダメージが及ぶ。公式であれ非公式であれ、集団の一員でいれば目的意識が生まれ、帰属欲求が満たされて、繁栄するために欠かせない人間関係が得られる。さらに幼い頃から歳を取るまで、生涯にわたる良い社会的資産があれば脳も健康でいられる。

それゆえに、大人になったらなるべく早い段階で人的ネットワークを築き、それを維持し、社会活動に積極的に参加したほうがいい。友達を大切にして、家族や遠い親戚と連絡を取りあい、旧友と再び親交を深めて、グループや趣味の集まりに参加するのだ。

特に効果的なのはボランティア活動だ。美術館、博物館、文化遺産に関する組織、環境に関する慈善団体や公共団体など、ボランティア活動の場は無限にある。インターネットやＳＮＳも人脈作りに役立つが、デメリットもある。時間と労力をかけて実際に会いにいかなくても、容易に連絡を取りあえるのが、孤独の大きな原因だと言う人もいる。

この章の最初のほうで触れた通り、いくつかの研究ではモニターの前に座ってインターネットを使っている時間が長い人ほど、孤独になりやすいという結果が出ている。その理由として、そういった習慣によって社会性がきちんと発達しないことが考えられる。さらに、実際に誰か

スレイド美術学校の女性のための写生教室

と一緒に過ごしているときに相手に不快な思いをさせることもあれば、人との絆のもとになる重要な合図を見逃すこともある。

利用者が急増している出会い系サイトについては、充分に注意しなければならない。1995年にその手のサイトが開設されたときには、独身者同士がインターネットで出会えるのは画期的なアイディアだった。それと同時に、多くの人は懐疑的で、なんとなく馬鹿にしてもいた。そんな歴史がありながらも、今や出会い系サービスは、有料のオンラインサービスの中で第2位の利用者数を誇っている。結婚したカップルの約20%が出会い系サイトで知り合い、オンラインを介した結婚は増えつづけている。さらに、そういった結婚は長続きして離婚は少ないと言われている。

だが、いいことばかりではない。1日に18

スケーエンの美術祭の乾杯

億のアクセスがある世界最大級のマッチングアプリ〝ティンダー〟のようなサービスには、中毒性があることが研究で明らかになっている。予測不可能な報酬があるせいで、（ドーパミンの放出を介して）脳の報酬系が乗っ取られてしまうのだ。さらに、複数の研究で、自尊心の低下や気分の落ちこみを招く可能性があるという結果が出ている。いずれにしても、脳の健康には悪そうだ。

最後のルールは、〝人生を充実させる〟だ。ある研究によると、社会的に孤立しないように心がけるのは大切だが、脳を健康に保つにはそれだけでは足りないという結果が出ている。健康的な食事、充分な運動、良質な睡眠など、孤立以外の生活習慣も改善しなければならない。

さらに文化的な生活を送り、自由な時間を

心から満喫するのも欠かせない。音楽、美術、演劇、映画を楽しむ。自然の中に身を置いて、その状態を堪能する。本を読み、話をして、ラジオを聴き、テレビを観る。知識を広げて、常に新しいスキルを身につけるようにする。

そういった活動はどれも、心理学者が認知予備力と呼ぶものの構築に役立つ。脳のダメージに対する心の抵抗力がつくのだ。認知予備力は、臨機応変に対応して大きな試練を乗り越える際に代替手段を見つける脳の能力と考えられる。車にたとえるなら、障害を回避する強力なエンジンのようなもので、脳にとって予想外の難題に対処する補足的な手段となる。生きているかぎり、知識と経験によって発達し、失敗や挫折に脳が巧みに対処できるようになる。従って、常日頃からさまざまな良い生活習慣を身につけておけば、認知予備力が高まって、健康な脳を維持できる。

人とのつながりを保つための5つのルールを、表6―4にまとめた。

6-4 人とのつながりを維持する5つのルール

1. 自分からはじめる。自分に関するネガティブな思い込みを捨てて、ポジティブに考える。否定的な考え方に惑わされず、孤独は人生の一部だと考える。自分だけでなく、誰もが孤独感を抱くものなのだ。

2. 些細なことが大きな違いを生む。人（特に初対面の人）と話をする方法を学び直す。他愛もない話をしてみる。「おはよう」、「お元気ですか？」といったごく普通の挨拶からはじめよう。隣人や疎遠になった友人、家族と連絡を取る。そっけない態度を取られることをあらかじめ覚悟しておいて、腹を立てたり落ちこんだりしないようにする。

3. 相手を思いやる。自己中心的にならず、相手のことを考えて、共感する。自分が求めていることではなく、相手が求めていることに考えをめぐらす。不幸な人や困っている人を助ける。慈善事業に寄付する。あるいは、慈善活動に参加する。

4. 大切なのは集団。多くの人と交流して、積極的に人とのつながりを維持する。社会参加をする。仲間意識を感じられるグループ活動に参加する。団体でのボランティア活動や仕事をする。インターネットを通じて人とつながる——ただし、これは実際の人との触れあいの代わりにはならない。

5. 人生を充実させる。ひとりで過ごす時間を大切にする。文化的な生活を心がけ、できれば誰かと一緒に過ごす。経験を共有するため文化的な活動をする。認知予備力をつける。

この章の最後に、意外なことを考えてみよう。不安やうつなど、心理的な悩みに効く薬があるなら、孤独に効く薬があっても不思議ではない。その候補となる成分のひとつに、体の中で自然に発生する分子がある。それは副腎でコレステロールから作られるステロイドの一種で、プレグネノロンと呼ばれている。小型の哺乳類の社会的孤立の影響は、このホルモンを一度投与するだけで、大幅に軽減される。

もともとエストロゲンの前駆体分子として女性に処方されていたが、現在は女性に対してはエストロゲンの乱れや更年期障害の治療に、男性ではテストステロン不足の症状を緩和するために、テストステロンやエストロゲンとともに、医師の判断で使われている。

米国では、サプリメントとして簡単に購入できる。気分が上向き、幸福感が増して、睡眠、記憶力、思考能力が向上して、脳の神経細胞の成長が促され、健康な白質が作られると言われている。現在、米国では医薬品としての臨床試験がおこなわれている。

とはいえ、注意すべき点もある。その臨床試験に関わっている人は全員、既存の治療法を補うものとして、この薬品を使用している。グローバル・カウンシル・オン・ブレイン・ヘルスによる50歳以上の人のための推奨事項の一部を、表6－5にまとめた。

6-5　人との関わり方――グローバル・カウンシル・オン・ブレイン・ヘルスによる推奨事項

1. 楽しいと思える人間関係や社会活動に焦点を絞る。ものおじせずに、興味のあるクラブや講座、趣味のサークル、政治的な団体、宗教の集会、料理教室などに参加する。
2. 移動が困難、あるいは治安が悪い地域に住んでいるなど、人との交流がしづらい場合、慈善団体や電話相談サービスを利用して、人とのつながりができるように助けてもらう。
3. 友達、家族、隣人、励ましてくれる人の輪を大切にして、自分の考え、アイディア、悩み、直面している問題を打ち明けられるようにする。
4. 少なくともひとりは信頼できる親しい友人を作り、週に一度など、定期的に連絡を取る。

5. 結婚していれば、それだけで認知機能にメリットがあるが、配偶者以外の人とも交流するように心がける。

6. 少なくとも月に一度は、親戚、友人、近所の人とコミュニケーションを取る。直接顔を合わせる、電話、メールなど、どんな手段でもかまわない。

7. 助け合いを習慣にする。個人的に助けてもいいし、団体やボランティア活動を通じて、手を差し伸べるのもいいだろう。ひとりで寂しそうにしている隣人や友人を訪ねて、代わりに買い物をしてあげる、あるいは、一緒に買い物に行く。一緒に料理を作れば、なお良い。

8. 若者を含めて、さまざまな年齢層の人と交流する。孫と連絡を取りあう。あるいは、地域の学校や住民センターでボランティアをするのもお勧めだ。

9. 日常的に使っているスキルを、人のために役立てる。スキルを子供や若者に教える。料理、イベントの運営方法、家具の組み立て、貯金の仕方、株式投資などなんでも良い。

10. これまでとは違う新たな人間関係を築く、あるいは、新たな社会活動に参加する。毎日人と会って、交流するといった状況（お店や公園など）を作る。

つけ加えておくと、この推奨事項はどれもコロナ禍でのソーシャルディスタンスという考え方に反している。

ソーシャルディスタンスは、新型コロナウイルスの強い感染力や高い重症化リスクゆえに講じられた対策だ。人とは2メートル以上の距離を取る、大勢で集まらない、高齢者や病弱な人と会わない。スポーツイベントの中止などがルール化された。人との関わりという観点で、ロックダウンが心理面や認知力に及ぼす長期的な影響はまだわからない。

だが、現時点でひとつはっきりしていることがある。さまざまなリスクがあっても、たとえ警察や軍隊が取り締まっても、人は自主隔離や社会生活の制限を嫌がる。各国の政府が直面しているのはまさにこの問題だ。人の社会性は100万年の進化と適応の結果で、行動の原動力であり、さらに社会の構造も支えている。それが人と人を結びつけ、社会を形成するために脳に備わった力で、他者との関わりは中毒性のある報酬なのだ。

孤独は人間の一部である

約50年前に、ロバート・ウェイスは孤独を〝救いようのない慢性的な病〟と言った。[注7] だが、孤独を毛嫌いする必要はない。ましてや、何もかも孤独のせいにするのは間違っている。なぜなら、孤独は人間の一部だからだ。

人はもともと社会的な生き物で、長所であるその性質のおかげで進化という旅に出て、地球上でもっとも成功した種になった。とはいえ、人が生殖年齢を超えて、さらに長く生きるようになったのは、進化にとって想定外の出来事だったらしい。

現代人は、遠い昔のご先祖さまよりはるかに長生きして、そのぶん長い間、孤独に苛まれる可能性も出てきた。それは良いこととは言えない。もちろん、社会的な能力が高度に発達した脳にとっても良いことではない。

だが、安心してほしい、孤独にひたすら耐えるなどということはしなくていいのだ。孤独からは逃れられる。それによって脳はますます健康になる。

CHAPTER 7

脳と性欲

- 性に飢えた女たち
- 古代ギリシアの禁欲による死
- 性を対象とした科学的研究のはじまり
- 若い女性より中高年女性のほうが性的に活発
- 頻繁な性行為と長寿の関係
- 女性にとってオーガズムは天然の鎮痛剤
- うつ病は性的健康との関連が強い
- ホムンクルスのペニスはなぜ大きいのか
- クリトリスは快楽の氷山
- 高齢のラットが毎日交尾すると脳が若返る
- テストステロンは健全な脳の発達に不可欠
- エストロゲンは脳の老化を遅らせてくれる
- ジャスト・ドゥ・セックス

性に飢えた女たち

オーガズム。脳が火山のような閃光を放つ。快感が体を駆けめぐる。全身が脈打ち、夢中になる。脳の奥深くの視床下部から、強力なホルモンがほとばしり、血流に流れこむと、数分間、数時間、数日間、眩(まばゆ)い幸福感に包まれる。誰もが快楽を求めるとしたら、それをもたらすのは脳にほかならない。セックスはすべて脳の中にある。

空腹感、喉の渇き、睡眠など、あらゆる欲求から生まれる衝動や行動の中で、セックスほど強力なものはない。その強い衝動は、脳の奥深くの原始的な領域で発生し、それを弱められるのは前頭葉にある学習によって得た倫理観だけだ。それがなければ、大脳辺縁系は暴走する。第1章で解説した通り、大脳辺縁系は母親から「してはいけない」と注意されることすべてを、実行するように命じる。しかも、「今すぐにしろ」と。激しい怒り、攻撃、恐れ、性欲などの情動を司っているのだ。

確かに、フロイトの言葉は正しかった。フロイトは科学的根拠を超えて、人間というものを〝欲望に突き動かされ、偶然に引っ張られる、自身の心のドラマに登場するただの役者〟と定義した。(注1)

性行為は、進化生物学的に唯一無二の鉄則である〝DNAの伝達〟という至上命題によって、

古代ギリシアの花瓶　誘惑術

これほど強力に（あるいは情熱的に）発達した。この世の生きとし生けるものはすべて、たったひとつの明確な原則の上に成りたっている。それは繁殖するか、絶滅するか、いずれしかないという原則だ。何千年もかけて社会の風潮によって形成された人間の性行動もまた、この原則に突き動かされている。

人間の性欲はあまりにも強く、さまざまな文化圏ではっきり認識されている。そのため、今も昔も、あらゆる社会に性行動を制限する道徳観や社会構造が存在する。

これから解説する通り、その種のルールは、おのおのの文化が人間のありようをどう捉えているか、また、社会をどんなふうに見ているかによって決まる。そこには、体や脳の健康と性の関係、男女の性質や性的反応の違い、男女の役割に対する見方も含まれる。

古代ギリシアでは男女合わせて2万人という大観衆の前で、大悲劇が演じられ、深刻なドラマの幕間の滑稽な喜劇には、社会的に重要なメッセージがちりばめられていた。半人半獣のサテュロスが登場し、勃起した巨大な陰茎を恥ずかしげもなく自慢しながら劇の主人公を馬鹿にすると、盛りあがった観客は足を踏み鳴らして大笑いした。これは究極の喜劇だ。

そこには社会的モラルや暗黙の了解が盛りこまれ、それを大衆に伝えて、性的役割や性行動をコントロールする役割を担っていた。ユピテルやゼウスの彫像に見られる小さなペニスは、古代ギリシアの男性美の根底にある重要な価値観をあらわしたものだ（アリストファネスのような大喜劇作家が劇中に描いたように）。

古代ギリシアでは、大きなペニスは力の証ではなく、愚かさや自制心の欠如の象徴だった。力は大きなペニスからではなく、子供を育てるために必要な知性、つまり頭脳から生まれるものだった。アリストテレスの言葉どおり、何よりも重要だったのは、都市国家（ポリス）の基本単位である家庭（オイカ）を守ることだ。つきつめれば、男らしさとは他者を支配する能力だった。

古代ギリシアの女性は、結婚するまでは慎み深く、庇護された処女で、〝見知らぬ男性という好ましくない相手から隔離され〟、大切にされて暮らしていた。少なくとも20世紀の研究ではそういうことになっていて、その結果、1960年代のフェミニスト作家も〝女性は服従させられている〟とますます考えるようになっていった。

だが、それとは別の資料とも言える古代ギリシアの医学書に目をやると、それが理想化された女性像でしかなかったことがわかる。身体的な美しさや純潔を尊ぶ文化の中でも、初期の古代ギリシアの医師は女性を尊重しながらも、その性欲の強さに気づいていた。それは、アリストファネスが喜劇に描いた女性の登場人物（快活で情熱的、社交好きで酒好きで、淫らな冗談を好んだ女たち）と重なる部分があった。

さらに、紀元前5世紀から4世紀にかけてのヒポクラテスの時代からの数百年間、医師たちは女性の健康のためには定期的な性行為が欠かせず、処女でいるのは健康に悪いと考えていた。それは、すべての女性が男性とカップルになることに異常なまでにこだわったアテネの法律と合致している。古典学者のコンスタンティノス・カパリスは、代表的な論文『アリストファネス、ヒポクラテス、性に飢えた女たち』の中で、次のように述べている。

医学書、喜劇、アテネの法律は、心身の健康とバランスを保つために、女性には定期的な性行為が必要であるという点で一致している。アリストファネスが描いた女たちは、立派ではあったが性欲は強かった。それは女性の本来の姿で、男性のペニスは単なる快楽の道具ではなく（快楽も恥じることではないが）、健康な生活を送るために必要なものだった。(注2)

性行為が健康に良いという考え方は、〞精神のバランス〟にも及んだ。そのために、体の4つの体液（血液、粘液、胆汁、黒胆汁）の適切なバランスが重要とされた。当時は性行為で体液が失われ、交換されることで、４つの体液のバランスが保たれると考えられていた。それが心身の健康の基盤だった。

要するに、医師ですら脳について何もわかっていない時代でも、人間の抑えようのない性欲は認識されていた。性行為は男女ともに必要で、健康と幸福につながり、重要な社会的役割を担っているとわかっていたのだ。そればかりか、健全な精神のためにもバランスの取れた性行為が欠かせないとされていた。

古代ギリシアの禁欲による死

現代の性行動と健康に対する考え方は、一周まわって、古代ギリシアの寛大さとバランスに戻ったと言えそうだ。

だが、中世では、キリスト教会によってあらゆる欲望が禁じられ、聖職者は禁欲を強いられ、女性は蔑視され、性はタブー視された。意外にも、そんな時代にあってもバランスの取れた性生活が健康に良いと考える人は大勢いた。実のところ、この考え方は根強く、詩人のアンブロワーズは１１８９年のアッコの包囲戦で禁欲によって死者が出たと記している。

……巡礼者の前で、私は言った。10万もの男たちがそこで死んだのは、女を断たれたからだ、と。(注3)

これは女性にも当てはまり、健康のために、定期的な性交渉で種を放出する必要があると信じられていた。性行為をしない女性は、子宮が窒息して、失神し、呼吸困難に陥る、と。さらに、当時としては驚くべきことに、性交の代わりにマスターベーションを勧める医者もいた。それは、性行為が健康に良いという古代ギリシアの考え方が根強く残っていた証拠と言えるだろう。

それでもルネサンス以降、ビクトリア朝時代まで、相変わらず、性的な禁欲が美徳とされた。そういった時代には、性的快感によって有害な〝神経力〟が構築されると考えられ、女性が性行為を楽しむのはご法度だった。19世紀のある医師は、〝この行為を不自然な形でおこなえば(正常位以外の性行為という意味)、女性の健康を損ないかねない〟と記した。(注4)

尊大で偽善的なビクトリア朝時代の遺産とも呼べる考え方がいかに根深いものであったかは、詩人フィリップ・ラーキンの印象的な言葉にもあらわれている。(注5)

〝セックスがはじまったのは1963年頃のことだ……『チャタレイ夫人の恋人』が解禁され、ビートルズが初のLPを出した頃に〟

そんなふうにして、近代の性革命がはじまると、性生活は道徳観だけでなく、科学や医学も指針にするべきだと考えられるようになった。その結果、米国のふたつの研究機関の先駆的な研究が、性の認識を近代的なものへと押しあげた。

性を対象とした科学的研究のはじまり

1930年代から1940年代にかけての約15年間、インディアナ大学動物学部のアルフレッド・キンゼイの研究チームは、世界で初めて、男女1万8000人を対象に性的嗜好と性的反応を調べた。1940年代後半から1950年代前半にかけて、その結果を発表し、サンプルをもとに以下のように報告した。

●男性の10%は、主に同性愛者だった。
●20〜35歳の女性の2〜6%は、同性愛者だった。
●男性の92%と女性の62%は、マスターベーションの経験があった。
●男性の69%は、売春婦との性交渉を経験していた。
●男性の3分の2と女性の半数は、婚前交渉の経験があった。

●女性の50%は、20歳までにオーガズムを経験し、90%は35歳までに経験していた。

それがどうした?　と思う人もいるだろう。

だが、キンゼイのふたつの報告書が発表されると、人々はショックを受け、激怒し、反感を抱き、抗議した。当時の社会ではこういったことを公に口にするのははばかられ、ましてや、科学的な研究のテーマにはなり得なかったのだ。米国では、この発表は国家の安全を脅かすとまで言われた。

今となっては馬鹿げた発言かもしれないが、作家のカミ・ビークマンの言葉が当時の様子を物語っている。〝冷戦時代、夫婦以外の性的欲求はすべて不適切で、自由社会を遵守するアメリカ国民にとって、危険極まりない行為と見なされていた〟とのことだ。(注6) ただし、古代ギリシア同様、1950年代のアメリカ人は体と心の健康に性行為が欠かせないのを知っていた。

最終的には、前代未聞の調査結果がその時代の性生活の実態を浮き彫りにしていることが明らかになった。その結果、性についてオープンに話ができるようになり、異性愛者以外の人々の権利向上につながった。

また、聞き取り調査以上の研究をおこなう者もあらわれた。

1957年、ワシントン大学セントルイスの産婦人科医ウィリアム・マスターズと、心理学者でマスターズの研究アシスタントでもあるヴァージニア・ジョンソンは、大胆にも性的活動中の男女の生理学的反応を調べた。あんのじょう、その研究は大きな論争を呼んだ。それは、当時の堅苦しい慣習のせいだけでなく、マスターズとジョンソンが合意の上で、性行為をおこなったせいでもあった。ふたりは自ら実験台となり、その後に恋人になったのだった。科学的な実験方法としてあまりにも斬新だ。

さらなる論争の的となったのは、自分たち以外の被験者の選定だった。まずは145人の売春婦を対象に研究をはじめ、その後さらに382人の女性と312人の男性を被験者にした。研究方法には賛否両論あったが、基本的な研究結果は画期的で、今でも参考になる。

マスターベーションと性交渉の反応を測定するために、ふたりはさらに物議を醸す奇抜な方法を用いた。今ではあり得ない方法だ。複数の男女に対して〝パートナー〟をランダムに決めて、〝つがわせた〟のだ。[注7] 心拍数、血圧、呼吸を測定するために、革新的な手法を使い、さらに〝ユリシーズ〟なるものを考案した。

発光する透明なその性具は、末端に拡大鏡がついていて、女性の体内の反応を測定できた。その研究結果は、「性的反応の4段階」として発表された。

●興奮期（初期覚醒）

●高原（平坦）期（完全覚醒）

●オーガズム期（絶頂）

●消退期（絶頂後の回復）

今なら、この程度のことは誰でも知っていると言われそうだが、これは性の研究で最後のタブーとも言われる事柄に関して、現在の研究の基盤になっている。

今、米国では、女性の性的快感の謎、女性の行動の進化を促したもの、脳に深く埋めこまれた応答システムの3つに関して、大規模な研究がおこなわれている。インディアナ大学の研究には、18～95歳までの女性2万人以上が参加した。1050人の女性を対象にした初期の研究で、セックスが上手な人とはどんな人かと尋ねたところ、その答えには3つの共通点があった。

1．しっかり時間をかけて、好みを探ってくれる人。（91％）

2．セックスを楽しんでいるか、耳を傾けて、気遣ってくれる人。（89％）

3．どんなことが一番気持ちがいいのか、きちんと訊いてくれる人。（81％）

2000人の女性を対象にした別の研究では、女性をオーガズムに導いたテクニックのデータベースが作られた。

そこには12種類ほどのテクニックが並び、〝じらす〟〝旋回運動〟〝反復運動〟といった比較的一般的なものもあれば、〝演技する〟〝サインを送る〟〝段階を踏む〟などの聞き慣れないものもある。どのテクニックがもっとも有効かは、個人差が大きい。

詳細は、〝OMGYES〟というサイト(注8)を参照してほしい。そのサイトは、『サンデータイムズ』で〝終わらない性革命の次の波〟というタイトルで紹介された。(注9)

若い女性より中高年女性のほうが性的に活発

40歳、50歳、60歳、70歳、いや、それ以上の年齢になっても性欲はなくならない。これを聞いた若者は驚くかもしれない。だが統計によると、なくなるどころかむしろ強くなるらしい。

一方、若い人ほどセックスに不満があり回数も少ない。1991年にはじまった3つの調査の中で、もっとも新しいのは2012年におこなわれた英国の〝性的活動とライフスタイルに関する全国調査〟だ。それによると16〜44歳の男女のうち、週に1回以上セックスをする人は半数以下で、3分の1近くが前月に一度もセックスをしなかった。

さらに、2010年の米国の研究では、若い女性(18〜30歳)より中年女性(31〜45歳)のほうが性的に活発で、より上質なオーガズムを楽しんでいるという結果だった。

また、英国公衆衛生庁の発表でも、55〜64歳の英国の女性は、それ以外の年齢層の女性より、性生活に満足しているとのことだ。実際、ある研究で、若い女性より40歳以上の女性のほうが、性行為に積極的であるという興味深い結果が出ている。

多くの研究によって、年齢とともに性行為の頻度は低下するが、その主な原因が年齢ではないことがわかっている。心身の健康状態と人間関係が性交渉の頻度と深く関連しているのだ。2018年、マンチェスター大学のデイヴィッド・リー博士は、貴重な調査のひとつ〝老化に関する英国縦断研究〟で、7000件以上のアンケートによるデータを公表した。

その研究は初めて80歳以上の人を含めた性的健康に関する全国調査で、加齢と性行為の重要な関係について従来の常識がくつがえされた。70歳以上の男性の半数以上(54%)と、女性の約3分の1(31%)が性行為をおこなっていると回答し、そのうちの3分の1は頻繁におこなっている(月に2回以上)とのことだった。70歳以上で性行為のある女性が、不満はあまりないと答えているのが興味深い。

こういった結果は、何を意味しているのか? その答えはいくつか考えられる。

ひとつは、仕事や親の介護や子育てなどに追われる中年層はプレッシャーにさらされる〝サンドイッチ世代〟であり、それが性生活に悪影響を及ぼすということだ。また、スマートフォンやSNS、現実の性行為に代わるバーチャルセックスの出現が、若者の性活動の減少につながっているとも考えられる。この傾向は、日本、フィンランド、米国、オーストラリア、英国など、経済大国で顕著に見られる。とはいえ、問題は性交渉の頻度が減っていることだけではない。性的活動が減ると、人とのつながりも希薄になってしまう。

すべての研究で、大切なのは性交の頻度ではなく意義であるという結果が出ている。頻繁にセックスをしていないから、不幸な人生を歩んでいるというわけではない。それよりも愛情や親密な関係のほうが重要だ。ただし、1点だけ注意すべきことがある。あとで解説するが、週に1回以上の性行為は、脳も含めて心身の健康に良い効果がある。

頻繁な性行為と長寿の関係

すべての文化圏が、古代ギリシアほど先見の明があるわけではない。フランス語ではオーガズムを〝小さな死（la petite mort)〟と呼ぶ。それはヨーロッパでは昔から、〝セックスは体に害がある〟とされていたことの名残りだ。その考え方は、〝男性は女性に触れないほうが良い〟[注10]という教会による社会的束縛を広めるのに好都合だった。

英国の一部の年齢層の男性なら、〝マスターベーションをすると目が見えなくなる〟という、今となっては滑稽でしかない迷信を覚えているだろう。インドや中国では、射精は命を縮めると信じられていた。男性は歳を取るにつれて、射精の回数を減らすべきだと言われていたのだ。それを考えれば、迷信を否定する根拠を示してくれた科学に感謝しなければならない。

この50年間におこなわれた科学的研究によって、生涯を通じてマスターベーションも含めた定期的な性行為が、健康と長生きに効果があることが明らかになった。
逆もまた真なりで、生涯を通じて、健康であれば性的な関係が維持できる。エビデンスを見てみよう。

ある事実に、多くの男性はほっと胸を撫でおろすだろう。その事実とは、性交中に死亡することはあっても、死因がオーガズムであることはめったにないというものだ。

2006年、ドイツでおこなわれた3万2000件の死体解剖によると、オーガズムが死因だったのはわずか68件で、そのほぼすべてが売春がらみの性行為だった（いくら注意しても、この手の行為はなくならない）。この結果に多少なりとも意気消沈している男性がいるとしたら、いくらか慰めになる研究結果もある。30年に及ぶケアフィリー縦断研究（1979年にはじまり、45～59歳の男性2235人が対象）で、オーガズムを頻繁に経験している人ほど、死亡リスクが半減することが判明した。いわゆる用量効果が見られるのだ。

つまり、少なくとも男性の場合は、オーガズムの回数が多いほど、死亡リスクが低くなる。これを発表した研究チームは、英国人らしい控えめな表現とやや皮肉なユーモアを交えて、〝もしこの結果が現実に再現されたら健康増進プログラムに大きな影響が出る〟と結論づけた。[注11]

それだけではない。2235人の被験者のうち、67人が10年後に心臓発作で死亡し、83人が別の死因で亡くなった。さらに、〝性的活動が頻繁である〟と答えた被験者の死亡率を調べると、性行為を週に2回おこなっていた男性の死亡率は、月に1回おこなっていた男性の死亡率の半分だった。これもまた用量効果だ。性交渉の回数が増えれば増えるほど、死亡リスクが減っていた。

批評家はこの結果にすぐに飛びついて、性行為と健康は関連しているが、長生きなのは性行為のせいではないと主張した。その関係は逆で、心身ともに健康だから長く生きるのであって、性行為の頻度が主な原因ではない、と。

批評家の反論とは裏腹に、性行為の頻度が高い男性と低い男性では、喫煙習慣、体重、血圧、心臓病などに大きな差はなかった。また、性行為の頻度がとりわけ高い人が、ずばぬけて健康なわけでもなかった。

というわけで、中高年男性の場合、定期的な性行為が死亡率を低下させるらしい。これまた健康関連企業が喜びそうな結果だ。とはいえ、英国国民保健サービスが公表できるのは、〝週に1回の性行為が病気を防ぐ可能性がある〟[注12]ということだけだ。

もうひとつ大切なことをつけ加えておこう。これは男性に限ったことではない。スウェー

愛人

デンでおこなわれた166人の男性と、226人の女性を対象にした研究では、男女にかかわらず、性的活動がなくなると死亡リスクが大幅に上昇するという結果が出た。

なぜ、性行為の回数が多いと寿命が延びるのか？　その理由のひとつは、代謝に関していくつもの良い効果があるからだ。太り過ぎを防ぎ、心拍数が安定し、血圧が低下する。〝セックスは3マイル（約5キロ）のランニングと同じぐらい体に良い〟と言われ、この言葉は実際に検証されている。

カナダの研究チームは、20〜30歳の異性愛者カップル21組を対象に実験をおこなった。性交中のエネルギー消費量を測定し、ランニングマシーンで中程度のスピードで30分走ったときのエネルギー消費量と比較した。

果たして、その結果は？　性交中の男性の平均消費カロリーは101カロリー（毎分4・2キロカロリー）で、女性は69カロリー（毎分3・1キロカロリー）だった。第2章で触れたメッツによる平均活動レベルは男性で6・0メッツ、女性で5・6メッツと中レベルだった。一方、ランニングでは男性の毎分消費カロリーは9・2キロカロリー、女性は7・1キロカロリーだ。というわけで、性行為はランニングほどカロリーを消費しないが、それでも適度な有酸素運動になる。

近頃デンマークでおこなわれた興味深い研究では、逆の効果が発見されている。運動によって勃起機能が向上し、性的能力が高まるというのだ。その研究によって、40分間の中〜強強度の運動を週に4回、半年間続けると、勃起機能が向上することがわかった。

さらに性的能力に関して、自己強化的なメカニズムが働く。定期的な性行為によって、男性はテストステロンの値が上がり、性的能力が向上する。また、女性では生殖サイクルが向上し、更年期の症状が緩和される。

頻繁な性行為と長寿の関係については、ほかにも興味深い説がある。20～50歳の女性129人を対象にした遺伝子の研究で、定期的に性行為をおこなっている女性のほうがテロメアが長いことがわかった(テロメアは染色体の末端にあって、DNAのほころびを防いでいる。ほころびのない長いテロメアは長寿につながる)。だが、これはひとつの要因に過ぎないだろう。パートナーとの性行為の親密さや幸福感、それに伴うリラックス効果が大きく影響していると思われ、それは多くの研究で立証されている。

フレデリック・ホリック医師は1898年に出版した権威ある医学書『結婚の手引　一般に利用するためのわかりやすく実用的な論説』の中で、夫婦間の生殖以外の目的での性交渉は、人間にとって有害で、死に至ることもあると断言している。

マスターベーションという言葉をあえて出さずに、1章を費やしてその害悪を説き、男女ともにこうむるその淫らな悪癖の悪影響を列記している。〝大いなる倦怠感と憂鬱……多くの場合、記憶力が急速に低下し、ひとつのことに気持ちを向けられなくなり、絶えずぼんやりする。ときに落ち着きが欠如し、完全なる愚行に走る〟とのことだ。

こういったことを、世間も表面上は支持した。表面上はと言うのは、当時のロンドンでは、600万人の人口に対して、約5万人の娼婦がいて、間違いなくその手のサービスが提供されていたからだ。

女性にとってオーガズムは天然の鎮痛剤

20世紀になると、もっといろいろなことがわかった——と言いたいところだが、そうとは言い切れない。1940年代後半のキンゼイの報告書で、ようやく性に関する事柄が解禁されたとはいえ、性行為と心の健康の関係が科学的に解明されたのは、1990年代になってからだ。それで、どんなことがわかったのか？　過去20年間の、あらゆる年齢層を対象にした研究すべてで、〝性的健康、体の健康、心の健康、そして幸福感は、性的な満足感、性的な自己肯定感、性的な快感と明らかに関連している〟ことが立証された。(注13)端的に言うと、年齢に関係なく、性的に活発な人のほうが幸福感が高いのだ。

性的活動の効果は種類によって差があり、マスターベーションなどさまざまな性的活動の中で、心身への健康効果がもっとも高いのは、性交であるという研究結果が出ている。さらにほかの研究では、性的関係の満足度と、その効果（健全な精神、気分の落ちこみにくさなど）は、性行為の頻度と同じぐらい、相手との親密さの質（親しさや愛情）と深く関連している。

こういった発見は驚くにはあたらない。オーガズムが健康増進とストレス軽減につながることは、研究で立証されているのだ。オーガズムによって、ドーパミンや愛情ホルモンのオキシトシンといったストレスを払拭するホルモンが分泌されるからだ。また、性行為によって得られる親密さが、主たるストレス反応であるコルチゾールの生成を適度に抑え、正常範囲に留めてくれる。さらにオーガズムのあとは、プロラクチンと呼ばれるホルモンが分泌され、リラックスして、眠くなる。というわけで、セックスのあとでパートナーが眠ってしまっても、怒ってはいけない。それはあくまでも自然なことなのだ。

ラトガーズ大学の著名な性科学者ベヴァリー・ホイップルの研究によると、〝女性にとってオーガズムは天然の鎮痛剤〟とのことである。痛みの許容範囲が75％、痛みの検知範囲が１００％以上高くなる。それは主に、オキシトシンとエンドルフィンの分泌によるものと思われる。どちらも脳由来の天然の鎮痛剤だ。

脳の画像検査を用いた追跡研究で、さらに発見が続いている。ある研究では、10人の女性にＭＲＩという狭くて騒々しく寒々しいトンネルの中で、マスターベーションをおこなってもらい、その間の脳の状態を調べた。その結果、オーガズムを感じているときに脳のどの部分が〝光る〟のかがわかった。セロトニンを分泌する背側縫線核だ。それが女性のオーガズムの鎮痛作用のもとと思われる。

健康に関する貴重な情報を見逃さないようにするのは大切だ。そこで、驚くべき結論を導きだした論文を紹介しておこう。健康と身の安全を重視する権力者が、断固として否定するような結論だ。

なんと、コンドームをつけない性交が、まぎれもなく女性の健康に良いというのだ。正直なところ、そのエビデンスに初めて目を通したときは驚いたが、疑問の余地はなかった。

2010年、スチュワート・ブロディ博士は分厚いレビュー論文で、コンドームを使用すればするほど気分が落ちこみ、憂鬱感が増し（その結果、自殺未遂が増加し）、女性の骨盤反射が低下し、膣の健康状態が悪化して、性的反応が鈍ると主張した。この意外な発見には生理学的、あるいは心身医学的な根拠がある。

コンドームを使うと、膣の酸素供給と血流が減り、気分を高めるプロスタグランジン分子を含む精液との接触がなされない。さらに、親密感も低下し、それとともに脳内のストレス低減効果もなくなる。〝膣から吸収される精液の直接的で化学的な抗うつ作用もあるが、気分の落ちこみや自殺の増加は、コンドームを使った性交が正真正銘の性交というより、ゴム製の用具を介した相互マスターベーションのようなものだからだろう〟とのことだ。[注14] 性反応の鈍さとうつ症状の関連は、多くの研究で立証されている。

精神疾患の中で、うつ病はもっとも一般的で、全世界に3億人の患者がいると言われている。高齢者の精神疾患としても一番多く見られる。2017年と2018年、英国のうつ病の正式な罹患率は9・9％で、約500万人が鬱々としていたことになる。また、男性より女性が多い。男女ともに重度のうつ病は、健康面だけでなく、人間関係にも悪影響が及ぶ。

うつ病が器質的なものである場合、つまり原因が心理的なものではなく、身体的な機能の場合、脳内神経伝達物質の変化によって性欲が減退することがよくある。

男性では、うつ病の症状である不安や自尊心の低下が勃起不全につながり、それがさらにうつ病を悪化させる。35歳という早い段階で勃起不全が起きることもあり、英国では430万人の男性が悩んでいるが、その約半分は治療を受けようとしない。英国性医学会が定めたガイドラインでは、医師はすべての患者に血液検査をおこない、内分泌などをチェックすることになっている。ほかの病気がないことを確かめてから診断が下され、そこで初めて勃起不全の治療薬が処方されるのだ。

男性にとっても、そのパートナーにとっても嬉しいことに、ほぼ例外なく症状は解消される。だから、ひとりで悩む必要はないのだ。また逆の例もある。性機能障害を放っておくと、うつ病、不安、ひきこもりなどの精神的な問題が起きることもある。

うつ病は性的健康との関連が強い

最後に、2015年の画期的な研究に触れておこう。カリフォルニア大学サンディエゴ校の精神科医ヴィッキー・ワンが、4人の仲間と一緒におこなった研究だ。被験者は50～99歳までの600人以上で、全員が配偶者と自宅で暮らしていた。研究の目的は、体、感情、認知機能と性行為の関連だった。

　すると、意外な発見があった。被験者の70％以上が、週に1回以上性行為をおこない、そのうちの60％以上が、性行為に満足、または非常に満足していた。年齢、身体機能、不安、認知能力、自覚的ストレスを考慮したうえで、男女ともに性的に健康であればうつ病の症状が出にくいことがわかった。そればかりか、うつ病は身体機能や不安やストレスや年齢よりも、性的健康との関連が強かった。

　つまり、性行為が精神状態に良い影響を与えると言ってもいい。では、体の健康に対して、長期的な影響はあるのだろうか？　定期的な性行為が代謝に良いことはすでに述べた通りだ。心拍数が安定し、血圧が下がる。それは性行為と関連したストレスレベルの低下とあいまって心臓と血管を守ってくれる。とはいえ、ことはそれほど単純ではない。

　ミシガン州立大学とシカゴ大学の研究チームは、50歳以上のアメリカ人2000人以上から、長期的にデータを収集し、次のような結論を導きだした。


　高齢の男性は、同年代の女性より性的に活発で、性行為の回数が多く、満足度も高いと答える傾向にある。（中略）性行為の頻度は、男性では高齢になってからの心血管疾患のリスクと関連があり、女性ではそういった関連は見られない。一方、上質な性生活は女性の健康に良いが、高齢男性の心血管疾患のリスクとは関連がない。(注15)

この結果は、先に述べた〝性的関係、そして性行為に関して、質と量の両方が重要である〟という見解を裏づけている。

もうひとつ、前立腺がんについても触れておこう。それは簡単に治療できる病気ではなく、英国だけでも1日に30人以上の男性が前立腺がんで死亡している。

1992年、のちにハーバード射精研究として知られるようになる研究で、46〜81歳の男性3万人に〝20〜29歳、40〜49歳の間、そしてこの1年間で1か月に平均して何回射精したか〟を尋ねた。さらに1992年の毎月の射精に関して、より具体的な回答（マスターベーション、性交、夢精）を求めた。その後、何人の被験者が前立腺がんと診断されたか、また、2年ごとに治療とその結果を追跡調査して、2000年に研究を終了した。

すると、驚くべきことがわかった。射精の回数が前立腺がんのリスク低下に関連していたのだ。1か月に21回以上射精した男性は前立腺がんの発生率が31％低かった。具体的に言えば毎週1〜2日の休みをはさんで、それ以外の日は毎日なんらかの性行為をおこなうということだ。

オーストラリアでの小規模だが意義のある研究でも、同様の結果が出ている。やはり、若い頃の射精の頻度が大きく影響していて、そういった被験者は何十年経っても前立腺がんと診断されなかった。この種の研究結果ではメカニズムまではわからないが、原因不明のがんの予防に役立ちそうだ。

性行為が心身の健康と幸福にもたらす効果を、表7−1にまとめた。

7-1

定期的な性行為の健康と幸福と長寿への効果

長期にわたる慢性的な病気

●男性では、射精の回数が多いと前立腺がんにかかりにくい。
●男女ともに、定期的な性行為は、安静時の心拍数や血圧を下げ、心血管疾患を予防する。
●性交の頻度は代謝に多くのメリットがある。肥満防止、心拍反応の改善、男性ではテストステロン値の向上、女性では更年期の症状の緩和につながる。

幸福感

●年齢に関係なく、活発な性生活を送っている人は幸福度が高く、健康だ。
●性交はその他の性行為（特にマスターベーション）より、健康効果がある。
●オーガズムによって幸福感が増す。ドーパミンやオキシトシンのようなストレスを追い払うホルモンが分泌され、ストレスが減る。
●女性のオーガズムは天然の鎮痛剤で、耐えられる痛みの程度が75%、痛みを感じるレベルが100%以上も上がる。

●親密度（親しさや愛情）は、性的関係の質に直に結びつく。
●性交の頻度はメンタルヘルスの向上や、うつ病の症状の軽減に結びついている。
●うつ病、不安、ストレスは、性生活に悪影響がある。
●医師の診断を受けていない、または治療していない性的問題が、うつ病、不安、ひきこもりなど、精神的な問題を引き起こす場合がある。
●コンドームをつけない性交は、気分の向上や精神的安定と関連があり、特に女性では免疫機能の改善につながる。

長寿

●性交の回数が多いほど、長生きする。

ホムンクルスのペニスはなぜ大きいのか

古代ギリシアではペニスのサイズを重視したが、それは本当に重要なのだろうか？ それに関して興味深い話がある。しかも、その舞台は古代ギリシアではなく、20世紀の科学界だ。さらに、芸術的でもあり、何よりも脳が主役だ。あまりにも歪で不可思議なその姿は、絵や彫刻になると不気味に思えるが、性と脳を理解する上で重要だ。それが、ラテン語で〝小人〟を意味するホムンクルスだ。

ホムンクルスには興味深い由来がある。１９２８年、ニューヨークの医学界で、ロックフェラー財団の助成金をめぐって、政治的な対立や激しい論争が起こり、それが意図せず幸運な結果を招くことになった。見苦しい騒動の結果、脳神経外科界ではまだ無名だった新鋭の医師が、ロックフェラー財団の数百万ドルの資金を携えて、モントリオールに移った。

そんなふうにして、１８９１年に米国のスポーケンに生まれたワイルダー・グレイヴス・ペンフィールド医師は、てんかんの外科的矯正を研究すべく新たなスタートを切ったのだった。だが、やがてペンフィールドは、幻覚や錯覚、デジャビュを調べ、さらには、人間の魂の探求までおこなうことになった。その結果、脳科学の分野で画期的な突破口が開けた。ペンフィールドは脳細胞と体の各部の細胞とのつながりをまとめあげたのだ。微弱な電気ショックで脳を刺激し、大脳皮質が体の各部位とどのようにつながっているのかを明らかにした。複雑な動きをする筋肉群、触感、痛み、冷たさ、熱さなどを伝える感覚神経とのつながり方を突き止めたのだった。

その観察結果をもとに脳の運動と感覚のマップを作り、それは1世紀近く経った今でも、ほとんど修正されることなく使われている。そのマップがとりわけ印象的なのは、歪な体として描かれていることだ。リアルな人体図ではなく、脳にとって重要な体の部位と、それほど重要ではない部位が、ひと目でわかる図だ。体の部位は、皮質内にその部位専用の細胞が多くあるものもあれば、ほとんどないものもある。

ペンフィールドがホムンクルスと名づけた脳マップを、立体的にしたのが、次ページのイラストだ。このイラストでは、体の各部位が専用の脳細胞の数に比例する形で描かれている。唇と口が大きいのは、脳内に専用の細胞が数多くあるからだ。それとは対照的に手首と腕が細いのは、専用の脳細胞の数が少ないことをあらわしている。

そんなふうに、ホムンクルスの体の比率は各部位を司る脳の細胞数を反映している。人の手は非常に重要だ。もちろん、性器も。

仕組みについてまとめてみよう。感覚野は前頭葉の近くにセットしたヘッドホンのような形をしていて、脳に入ってくる情報を受けとる。目で見たもの、耳で聞いたもの、鼻で嗅いだもの（匂い）、痛み、感触、温度、圧力など、ありとあらゆる情報だ。そういった情報のすべて

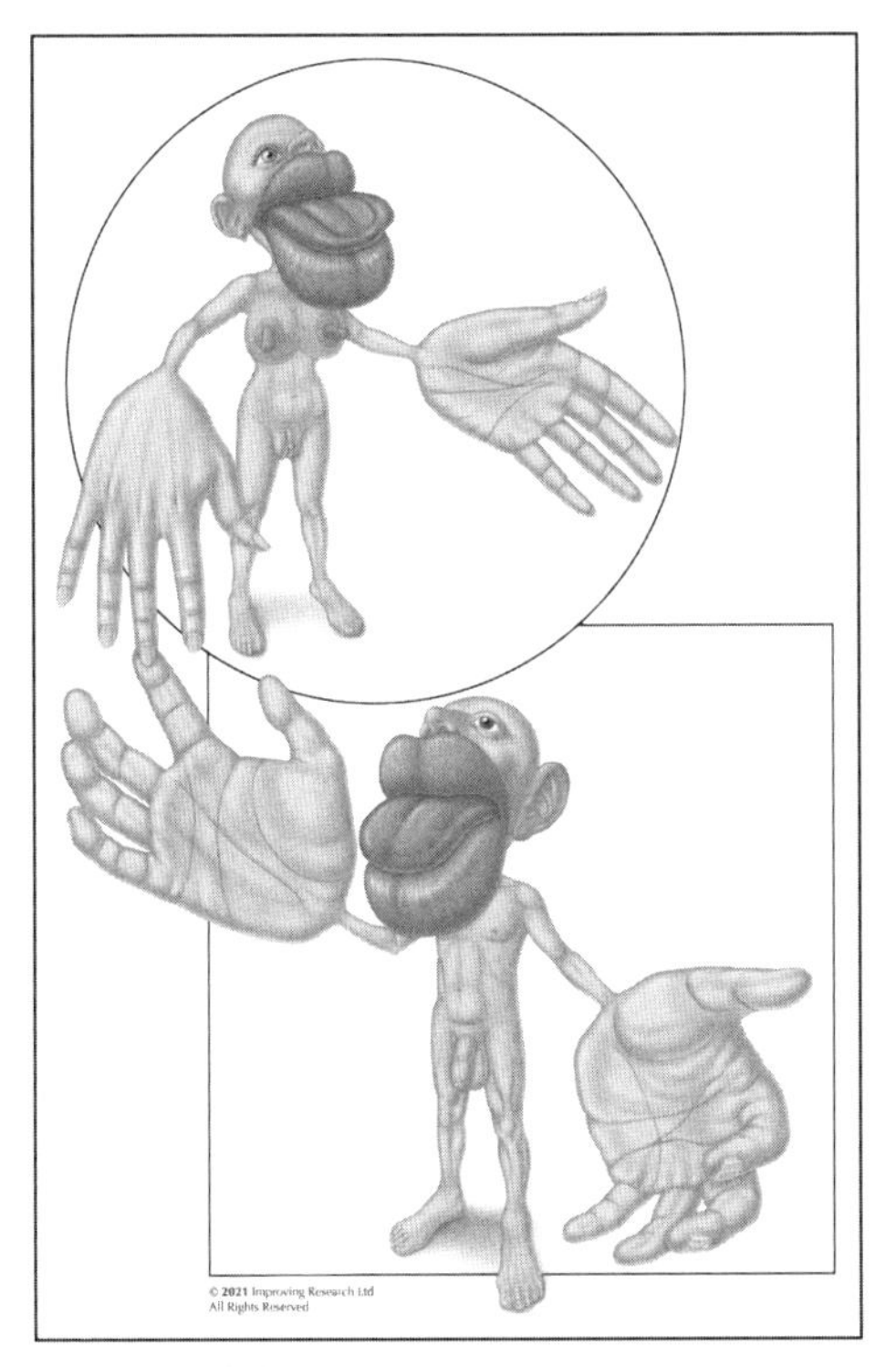

フェミンクルス（上）とホムンクルス

を人は意識するわけではない。入ってくる情報に対する体の反応の多くは、無意識のうちにおこなわれ、それは情動性自律反応（自動的な反応）と呼ばれている。

たとえば、体内環境（酸性度、ブドウ糖、水分、塩分の量など）を安定させるために必要な反応だ。感覚野のもっとも重要な機能は、反応を調整することで、それは主に、運動野を介して動作という形でおこなわれる。視覚、触覚、嗅覚の3つの感覚は、性的活動に極めて密接につながっている。

感覚野を詳しく見ていくことで、性機能について何がわかるのか？　体の性的な部位、つまり性器や性感帯が脳と密につながっていることがわかる。それは何を意味しているのだろう。簡単に言えば、脳には膨大な進化的圧力がかかっている。性欲と性行動を最大化して種の生存を確保せよ、という圧力だ。性的快感は交尾を誘発するためにある。男性の包皮だけでも2万個の神経終末があり、脳内にも同じ数の専用の感覚神経細胞がある。神経終末それぞれが触感の刺激を感知する。2万個の神経終末が包皮で起きていることを、大脳皮質の2万個の神経細胞に送るのだ。

男性のホムンクルスの性器が、不釣り合いに大きいことには驚かされる。

一方、女性に関してはどうだろう？　1950年に男性の感覚野のマップが発表されたが、女性の感覚野に関して、同じように意義のある研究がおこなわれるまでには、実に68年の歳月を要した。明らかな手落ちだが、その理由は見当がつく。だが、現在では新たな脳画像データによって、女性の性器と性感帯についても男性同様、対応する脳内の神経細胞が不釣り合いなほど多いことがわかっている。

たとえば、クリトリスの先端だけでも約８０００個の神経終末があると言われている。クリトリスは人の体の中で唯一、性的快感のためだけに存在する部位だ。女性なら誰でも、また大半の男性も、クリトリスがどんなものか知っていると言うはずだ。だが実は知らない人のほうが多い。見えている部分は外側のごく一部だけなのだ。

クリトリスは快楽の氷山

本当のクリトリスは体の中にあり、陰唇、膣、会陰、肛門にまで、神経線維が張りめぐらされている。その長さは13～15センチほどでペニスとほぼ変わらない。以上のようなことから、クリトリスは快楽の氷山とも呼ばれてきた。そして、その敏感な神経終末はすべて脳の快楽中枢に通じている。女性の快楽のための大きな神経ネットワークなのだ。この発見は、フロイトが唱えた説、すなわち女性のオーガズムに関して膣とクリトリスを区別する考え方を根底からくつがえし、約70年前にマスターズとジョンソンの研究によって裏づけられた。女性がどんなふうにオーガズムに達したとしても、その生理機能に変わりはない。

というわけで、３０１ページにある女性のホムンクルス（フェミンクルスと呼ぶべきか？）は、今回初めて描かれた。これによって男女の性生活に対する認識のバランスが取れて、男女

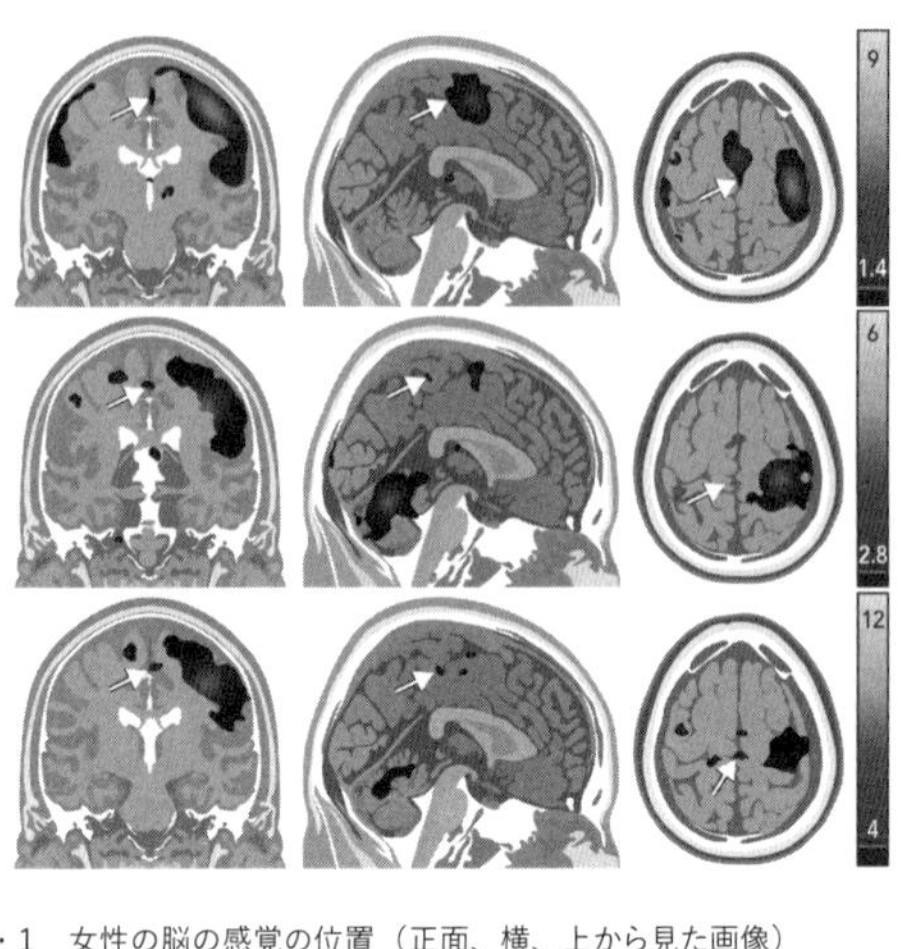

図7・1　女性の脳の感覚の位置（正面、横、上から見た画像）

に共通する強力な脳の基本構造が明らかになった。

２００３年、ラトガーズ大学の研究室で、車椅子に乗った３人の女性が涙を流すほど感激した。３人とも脊髄を損傷し、医師から性生活はもう望めないと告げられていたのだ。

それが、性器から脳への神経経路を特定する実験で、３人ともオーガズムを経験した。実に何年かぶりの出来事だった。画像診断によって、迷走神経を介した代替となる感覚経路が見つかった。その感覚経路が人間の骨盤内にまで延びているのが発見されたのは、それが初めてだった。その発見は、女性の脳内のオーガズムの発生源を示す世界で初めての証拠となった。

今では脳の画像診断によって、女性の脳内でのオーガズムの正確な発生源、また、クリ

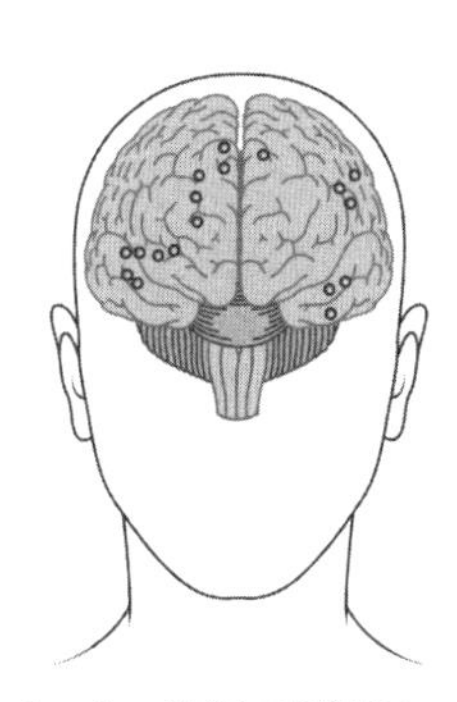
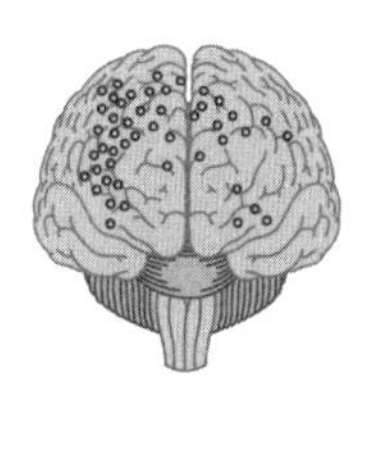
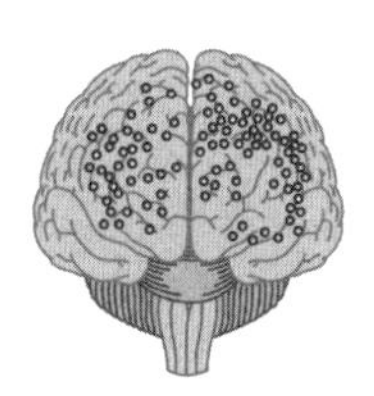

図7・2　性行動による脳内の活性化

トリス、膣、子宮頸部に特化した大脳皮質の感覚領域が明らかになっている。そういった領域を図7・1に示した。

複数のリアルタイム研究によって、オーガズムが脳を活性化する度合いが明らかになった。それには30以上の統合された領域が含まれ、図7・2に示した通り、そのすべてが性行為中に〝点滅〟した。

とはいえ、すべてのオーガズムが同じわけではない。進化的な理由から、より上質なオーガズムもあるのだ。

現時点で、セックスと脳についてわかっていることは、科学的にはまだ初期段階だ。それでも、大きな力を持っているのは間違いない。そして、それは、乱交、性感染症、望まない妊娠といった問題によって、性行為の抑制にばかり重点を置いてきた従来の公衆衛生の指針に影響を及ぼしている。

遠い昔から人は、性行為をなんとかして抑制しようとする高潔な試みに逆らってきた。なぜなら人間の性欲は脳の奥深くに根づいているからだ。人類の数百万年の進化の過程で揺るぎないものになった根源的な衝動なのだ。セックスは健康に良い。そして、脳のためにも良い。

高齢のラットが毎日交尾すると脳が若返る

ここではまず、人間ではなく、慎ましいラットの話からはじめよう。科学者は小さなその哺乳類を観察して興味深い発見をした。それは、運動をするとグルココルチコイドと呼ばれるストレスホルモンの分泌が増えるが、同時に運動には長期的な健康効果もあり、学習能力や記憶力が向上するというものだった。運動から快楽が得られるせいで、ラットはまわし車に乗りたがる。それればかりか一晩で15キロメートル以上も走りつづける。

どうやら、運動がもたらす潜在的な悪影響から、脳は〝報酬が得られるストレス〟によって保護されているらしい。これについては第10章で詳しく解説する。

性行為にも同じことが言えるのだろうか？　発情期の雌のラットに見知らぬ雄のラットをいきなり引きあわせるのは、双方にストレスがかかるが、同時にそれは雄にとって究極の報酬となり（こういうチャンスを拒む雄がいないのは、女性読者も驚かないはずだ）、雌も発情しているから協力的だ。だが、それは脳にどんな影響を及ぼすのだろう？

雄のラットに、発情した雌のラットと一度だけ交尾をさせると、雄のラットのストレスホルモンの値が上がる。にもかかわらず、脳内の細胞が増える（具体的には、大脳辺縁系の一部で、感情の制御、学習、記憶を司る帯状回の細胞が増える）。ストレスがかかるが、報酬も得られる出来事は、脳に良い影響があるわけだ。

一方で、発情した雌のラットと毎日交尾ができる雄ではどうなるのだろう？　その場合、ストレスレベルが下がって、より多くの神経発生が起こり、脳への効果が増す。新しい細胞が成長して神経の接続も増えるのだ。

それだけではない。高齢のラットが14～28日間、毎日欠かさず交尾をすると、同じ状況にある若いラットと同レベルまで神経発生が増えた。性行為が脳を若返らせたのだ。別の研究で、性行為の明らかな効果のメカニズムが判明した。そのひとつは、大脳辺縁系（海馬）の細胞を活性化するオキシトシンなどのホルモンの分泌が促されるのだ。

大喜びする前に、ひとつの疑問について考えてみよう。これと同じような副次的な効果は、人間でも立証されているのだろうか？　初期の研究で、老化による認知機能障害がある人より、ない人のほうが性行為の回数が多く、パートナーとの肉体的な親密度も高いという結果が得られている。つまり脳をいたわり、成長させれば、定期的な性行為や親密な関係を維持できるというわけだ。一方、思考力や精神力などの認知機能が低下するとパートナーとの親密度が薄れ、性行為も減っていく。それは意欲の問題と考えられている。老化によって脳機能が低下すると、性欲がなくなるのだ。

その逆についてはどうなのだろう？　頻繁な性行為は脳に良い効果があるのだろうか？

これについては、２０１６年まではほとんどわかっていなかったが、オーストラリアのマーク・アレン博士が2年間の研究をおこなった。50歳以上（平均年齢66歳）の６０００人分のデータを分析し、中高年以上の性行為が脳に及ぼす影響について調べた。

その結果、人との交流が深まる性行為が、認知低下を防ぐことがわかった（これもまた、公衆衛生に関する定説をくつがえす発見だ）。その研究では、記憶力、性行為、感情的な親密さを調べた。感情的な親密さを調べたことに違和感を覚える人もいるかもしれない。それは、過去の人体研究で、パートナーへの愛着と信頼によって、オキシトシンの分泌量が増えるなどホルモン反応が強まることがわかっていたからだ（動物実験でも、オキシトシンが神経発生を促すという結果が出ている）。

つまり、性行為による脳への健康効果は、相手との親近感とも関係があるのだ。

アレン博士はすばらしい発見をした。性欲が強く、精神的に親密な関係を築いている人のほうが、記憶力が優れていることがわかったのだ。さらに、年齢効果もはっきり見られた。性行為と記憶力の関連は、年長の被験者のほうが強く、その節目となる年齢は60・4歳だった。

また、2年間の調査期間で、被験者はおしなべて記憶力が低下したが、この低下は性行為やパートナーとの親密さとは関係がなく、純粋に年齢によるものだ。一方、年齢に関係なく、性的に活発な人のほうが記憶力が良かった。

　ヘイリー・ライトとレベッカ・ジェンクスは、アレン博士と同様の研究に取り組んで、『老化に関する英国縦断研究』のデータを分析した。さらに、記憶力だけでなく、実行機能を調べるために数学的な能力もチェックした。採用したデータは50～89歳の6800人分という、これまた大がかりな研究だった。すべてのサンプルで男女を問わず、性的に活発な人は性的に不活発な人に比べて、数学テストでも回想テストでも明らかに成績が良かった。

　だが性別で見ると、意外な結果が出た。女性の場合、性的に活発であっても数学的な能力（数列）が優れているわけではなかった。この研究では、こういった男女の違いの原因までは追求しておらず、それについてはさらなる研究が必要だ。

　ライトとジェンクスのその後の研究は『頻繁な性行為は高齢者の脳機能を向上させる』[注16]という魅惑的なタイトルで、『サイエンス・デイリー』に掲載され、その研究結果が広く知られることとなった。それはどちらかというと小規模の研究で、50～83歳の男性28人と女性45人を対象にしたものだった。男女合わせて73人の被験者のうち、37人が週に1回セックスをしていると答え、26人が月に1回、10人がまったくしていないと答えた。

　次に、被験者の注意力、記憶力、言葉の流暢さ、言語能力、視覚による空間認識力などの脳機能を測定した。すると、もっとも頻繁に性行為をおこなっている被験者は、性行為が月に1回の被験者より、視覚による空間認識力テストの成績が平均で2ポイント高く、言葉の流暢さのテストでは、性行為をまったくおこなっていない被験者より4ポイント高かった（どちらのテストも脳機能を測定する正しい方法だ）。意外にも、それ以外のテストでは差はなかった。

研究チームはこの結果の原因については推測の域を出ないとしながらも、独自の見解を述べた。性行為によって脳機能が改善されると思われる。性行為の増加に用量効果があるのはほぼ間違いないが、そのメカニズムはわからない。ドーパミン、オキシトシン、セロトニン、エンドルフィンなどの幸せホルモンの分泌と関連している可能性が高く、さらなる研究が必要だ、とのことだ。

中年以上の人の研究結果はこのぐらいにしておくとして、若者はどうなのだろう？　年齢に関係なく、性行為が脳に良さそうなのは容易に想像がつく。

カナダでの興味深い研究で、若い女性の性交頻度と記憶力の向上に関連が見られた。カナダのケベック州にあるマギル大学の研究チームは、18〜29歳の異性愛者の女性78人に性交の頻度を正確に自己申告してもらい、コンピュータを使った知能検査をおこなった。知能検査の内容は、すでに提示された顔や言葉と新たに提示された顔や言葉を見分けるというものだ。すると、非常に興味深いことがわかった。

性交頻度の高さは抽象的な言葉の記憶力と関連していたが、顔を覚える能力とは関係がなかった。一見したところ、その研究からわかるのは関連性だけで、因果関係の証明にはなっていないように思える。記憶力が良いから性行為の頻度が高くなるのかもしれないし、性行為が記憶力を向上させるのかもしれない。あるいは何か別の要素があるのかもしれない。だが、よく見ると、興味深いことがわかる。

言葉の記憶は主に海馬が司り、顔の記憶は脳のより広い部分が司る。間接的にとはいえ、この研究結果は性交の頻度が高い女性では海馬の神経発生が多いことを示していて、それは先の動物実験の結果と一致している。

すでに触れた通り、いくつかの重要なホルモンは脳内で性的反応を引き起こす。ここでは、そういったホルモンの中からテストステロンとエストロゲンについて考えてみよう。このふたつは性別の決定に重要な役割を果たし、また、男女どちらの体にも存在する。

テストステロンは健全な脳の発達に不可欠

あなたが応援しているサッカーチームが、ホームで因縁のライバルと戦っているとしよう。明らかな接戦だ。ホームのサポーターはアウェイのサポーターに数ではるかに勝っている。興奮と歓声でスタジアムが揺れていた。敵意、いや、威圧感すら漂っている。激しい攻防の末に、あなたが応援しているチームが勝利した。やはりホームチームが有利だったのだ。

とはいえ、本当の勝因は違う。大応援団のおかげでもなければ、使い慣れたピッチのおかげでもなく、雰囲気のおかげでもない。あなたが応援しているチームの選手が優位に立てたのは、テストステロンのおかげだ。そんな馬鹿なことがあるか、と思う人は大勢いるだろう。

だが科学的な研究によって、縄張り意識のおかげで、ホームチームの選手は一時的にテストステロンが大量に分泌されることがわかった。

テストステロンはイメージが悪い。それはタンパク同化ステロイドで、筋肉や骨を作り、力を強くする。攻撃性が高まり、暴力的になり、性欲が強くなると言われている。〝テストステロンによる行動〟という文言をメディアは好んで使う。しかしテストステロンに関しては興味深い事実がある。

あまり知られていないことだが、投与量の研究では、テストステロンを補充しても、男性の攻撃性や感情が変化するという証拠はほとんど得られていない。

また、もうひとつほとんど知られていないこととして、健全な脳の発達と機能にテストステロンが欠かせないという事実もある。脳細胞の化学反応に関して、テストステロンは分子に変換され、脳細胞膜上の受容体に結合する（張りつく）。あるいは、アロマターゼと呼ばれる脳内の酵素によってエストロゲンに変換される。アロマターゼも右記の受容体も、扁桃体や海馬など記憶や学習に関わる脳の重要な領域でよく見られる。そういった領域でテストステロンが神経成長因子の濃度を上げるのだ。

男性のテストステロンの値は中年期以降、1年間ごとに約1～2％ずつ減っていく。また、一般に、歳とともに認知機能（精神機能）も低下する。アルツハイマー病患者や軽度認知障害がある人のテストステロンの値が低いことから、テストステロン値の低下と認知機能の低下の関連が疑われている。テストステロン値と認知機能の低下の関連には、年齢による偶然の一致では片づけられないほど多くの証拠がある。

たとえば、細胞培養実験と動物実験では、テストステロンが脳機能を保護することがわかっている。また、別の実験でテストステロンが記憶力及び脳の空間処理や実行機能に関連していることが判明した。

モントリオールのマギル大学に在籍するフランス人精神科医オリヴィエ・ボーチェがおこなった科学の系統的レビューでは、健康な高齢の男性のテストステロン値の低下は、いくつかの知能検査の低成績と関連していた。ランダム化比較試験の結果はまちまちだが、一般的には、年配の男性のホルモン補充療法としてテストステロンを投与すると、脳機能の一部（空間認識能力など）に、いくらかの効果が見られる。

空間認識能力とは、物体と空間の関係を把握して、判断し、記憶する能力で、さらに外から入ってきた情報を処理し論理的に考える能力でもある。テストステロンによる治療が、歳を重ねた脳を保護すると考えられている。

だが、これを読んでいる中年男性がテストステロンのサプリメントに飛びつく前に言っておこう。英国ではテストステロンは医師による処方が必要で、（不可能とは言わないまでも）そう簡単に手に入るものではない。一方、米国では事情が大きく異なる。米国の30～79歳の男性の4人にひとりはテストステロン値が低く、そのホルモンの処方薬は2001年以降3倍にふくれあがり、売り上げは年間38億ドルにのぼる。これは、アメリカの医者が患者の求めに応じて、気軽にテストステロン補充薬を処方することを意味している。

一方、英国国民保健サービスは、いわゆるバイオアイデンティカルホルモンの使用を推奨していない。バイオアイデンティカルホルモンとは、人の体内で自然に生成される成分と分子レベルで一致しているホルモン薬のことだ。

だが、米国の医師が積極的に処方しているにもかかわらず、２０１８年、米国食品医薬品局は独自調査をおこなって、バイオアイデンティカルホルモンに関する未報告の有害事象（医療上のさまざまな不都合な出来事）が無数にあることを発見した。

エストロゲンは脳の老化を遅らせてくれる

女性ホルモンと脳機能に関する状況もほぼ同じだ。エストロゲンは脳の機能にさまざまな良い影響がある。神経伝達物質の機能が向上し、ブドウ糖代謝を促し、新たなシナプスを形成させ、脳の老化を遅らせる。現時点での研究結果によれば、エストロゲンだけでは発症したアルツハイマー病を治療することはできないが、発症を遅らせることはできる。とはいえ、ホルモン補充療法（ＨＲＴ）でのエストロゲンの使用に関しては賛否両論ある。

〃女性の健康イニチシアチブ〃と名づけられた調査は、世界最大の健康調査機関であるアメリカ国立衛生研究所が６億２５００万ドルを投じておこなったもので、50～79歳の女性16万人が対象だった。

１９９１年にはじまったその調査の目的は、閉経後の女性の病気と死因を調べることで、特に心臓病、がん、骨粗しょう症に焦点が当てられた。その３つの疾病のリスクが、閉経後のホルモン補充療法で高まるという調査結果は大きな影響力を持っていた。だが、その研究結果には反対意見も多く、痛烈に非難する者もいた。２００６年、某評論家は次のように書いている。

> 単刀直入に言って、その研究の結果は、〝心血管疾患、浸潤性乳がん、脳卒中、静脈血栓塞栓症に関して、有意なリスクは認められなかった〟とするべきだった。だが、研究チームは（中略）閉経後のホルモン療法が右記の病気すべてのリスクを高めると結論づけた。これが報道されると、医師も患者も混乱して、無数の女性が有益なホルモン療法を受けずに生きていくことになった。誤った研究結果の決定的な影響はまだ出ていないが、閉経後のホルモン療法で防げるはずの病気に無数の女性が苦しむことになるのは間違いない。[注17]

米国での〝女性の健康イニチシアチブ〟調査から遅れること5年、英国でも同様の目的の研究がおこなわれた。キャンサー・リサーチＵＫ、英国国民保健サービス、イギリス医学研究評議会という3つの権威ある機関の共同出資で、女性のホルモン補充療法の健康への影響を調べた。１００万を超える50歳以上の女性のデータを分析したその研究は、〝１００万人の女性研究〟と名づけられた。

その研究での主な発見は、ホルモン補充療法をおこなった女性はそうではない女性に比べて、乳がんを発症しやすいというものだった。これによって、英国での処方方針が決まり、医学界の常識にもなった。

その結果、またもや論争が起きた。一般にはあまり知られていないこの研究も、〝女性の健康イニチシアチブ〟調査同様、やはり大きな欠陥があるとして批判された。データから導きだされた結論に根拠がないばかりか、それによって痛手をこうむる国民（さらには、さほど痛手はない医学界）への周知方法（さまざまな報道機関が、勝手気ままな見出しで報じたこと）が不適切であると非難された。

一方、研究者は再分析をおこない、〝ホルモン補充療法によって乳がんのリスクが高まる〟という部分を撤回したが、それが大々的に報じられることはなかった。

こういった出来事は脳の健康にどう関わってくるのだろう？　それには、ふたつの点を挙げておきたい。

まず、深刻な結果を招きかねない研究結果の公表方法が不適切だったせいで、研究者のイメージを損ねた。脳に良いという多くの主張がなされたが、そのすべてが確たる証拠に基づいているわけではないことをまざまざと思い知らされた。科学者のはしくれとして、私も残念でならない。

次に、医学的な通説や世間の風潮によって、男女を問わずその治療法を嫌厭する傾向にあり、認知低下防止のためのホルモン補充療法の有用性についての判断が進まない。この分野は重要で早急にさらなる研究をおこなわなければならないのだ。ホルモン補充療法は女性の脳に効果があり、知的機能だけでなく、日常的な情動や幸福感にも良い影響があると思われる。

最後に、代替え〝天然（ナチュラル）エストロゲン〟のサプリメントに関する、全米アカデミーズの報告書に触れておこう。

〝宣伝広告や影響力のある有名人によって、バイオアイデンティカルホルモン補充療法の安全性や有効性、天然であることやアンチエイジング効果が謳われているが、そういった臨床的有用性に関する主張は理路整然とした研究によって立証されたものではない〟(注18)

そこから、6万4000ドル分の疑問（訳注／米国のテレビ番組『ザ・6万4000ドル・クエスチョン』にちなんで）が浮かんでくる。ホルモン補充療法は脳を健康にしてくれるのだろうか？　その答えは実に複雑だ。エストロゲンもテストステロンも、脳の発達や脳機能の保護に不可欠で、どちらも脳の老化と関係している。アルツハイマー病の患者や軽度認知障害のある人はテストステロン値が低いのだ。

さらにいくつかの研究で、ホルモン補充療法を受けている女性はアルツハイマー病の罹患率がかなり低く、またアルツハイマー病の女性がその治療を受けると、いくらか軽症で済むという結果が得られている。

だからといって、ただちにホルモン薬（エストロゲンやテストステロン）を処方してもらって、神経変性疾患から身を守ったほうが良いとは言えない。現時点では、そのエビデンスは曖昧なのだ。また、英国での最新の医学的見解から、そのふたつのホルモンを処方したがる医者はほとんどいない。

それでも女性にとってホルモン補充療法が、更年期の症状の緩和に何よりも有効なのは間違いない。更年期障害による性欲の低下、気分の落ちこみはもちろんのこと、骨粗しょう症の予防にもなる。一部の年齢の人にとっては、心臓病の予防効果もある。２０１９年、米国の名高いメイヨークリニックは次のように発表した。

閉経から10年、あるいは20年以上経った女性、または60歳以上からホルモン療法（エストロゲンとプロゲステロン）をはじめた女性は、心臓病、血栓、乳がんのリスクが大幅に高まる。一方で、60歳より前、あるいは閉経から10年以内にホルモン療法をはじめると、リスクより効果が上回る。(注19)

英国でも、その種の治療を合法的かつ安全に受ける方法がある。たとえばケア・クオリティ委員会の監査に合格した専門の施設で、正真正銘の医療コンサルタントに処方してもらう。この方法なら誰でも地域の医師の診療を受けながら、処方薬が手に入る。

とはいえ、注意してほしい。健康関連業界には詐欺師が大勢いて、偽物を売りつけようとする。特に男性はまやかしのホルモン補充療法に騙されないようにしてほしい。充分に注意して、本物の医者に処方してもらおう。

性行為と脳の健康についてわかっていることを、表7―2にまとめた。

7-2

性行為と脳の健康

- 老化による認知（精神）障害がないと、性行為の回数が増え、また、パートナーとの身体的な親密さが高まる。
- 思考能力や精神的能力など、さまざまな認知機能が低下すると、親密な人間関係や性的関係が築けなくなる。
- 動物実験では、性行為の多さが新たな脳細胞（特に海馬の脳細胞）の成長につながった。
- 年齢に関係なく、性的に活発な人のほうが記憶力が良い傾向にある。

●性行為中の相手との絆や精神的な親密さは、優れた記憶力と関連している。
●年齢が高くなるほど（特に60歳以上）、パートナーとの親密さや性行為が記憶力の向上につながる。
●性行為をおこなっても老化による記憶力の低下は抑えられないが、年齢に関係なく、性的に活発だと記憶力が向上する。
●定期的に性行為をおこなっている50～89歳の人は、そうでない人より、知能検査の成績が良い（女性は記憶力テストで、男性は記憶力と数字のテストで高得点を取る）。
●性交の頻度は言語能力の高さと関連している。
●主要な性ホルモン（テストステロンとエストロゲン）は、生涯を通じて脳に有益で、脳を守ってくれる。

ジャスト・ドゥ・セックス

性的活動とは何を指すのか――その点がやや漠然としていたかもしれない。性的活動にはマスターベーションからペッティング、性交までさまざまなものがある。実のところ性行為の定義は各研究によってまちまちで、一貫していない。

その原因は無数にある。文化、年齢、健康状態、研究の目的など、挙げればきりがない。それでも、概して、どんな種類の性行為も脳に良い影響がある。中でも特に効果的なのは、少なくとも週に一度のセックスと言えそうだ。

さらに、多くの研究で用量効果が示されている。性行為の回数が多ければ多いほど、良い影響があるのだ。体が健康になり、もちろん脳も健康になる。というわけで、眉をひそめる人もいるだろうが、結論は、〃脳を元気にするために、定期的にセックスをしよう〃だ。

本書のために調べものをしていて、もっとも効果のある性行為がわかった。それは親密なパートナーとのセックスだ。生理学者の私でも、これまで知らなかったことがいくつもあった。マスターベーションで射精された精子の成分や質は、性交で放出された精子に比べて劣っている。すべてのオーガズムが同じではなく、もっとも強い快感は性交中に発生する。コンドームの使用など自然な性交を邪魔するものによって、特に女性の生理的効果や心理的効果が失われる。精神的な親密さが、脳の健康に大きな効果をもたらす。また、性行為の効果にはランクのようなものがあるらしい。

従って、マスターベーションはセックスができない場合にだけおこなう。セックスができるなら、親密で近しい関係の相手とする。すばらしい。人類が確実に進歩して繁栄できるような性的関係を結べば、脳の健康が向上する——そんな設計図を大昔のご先祖さまが描いてくれたかのようだ。

一般に、人は20代、30代と性的活動が減っていくと言われている。確かにそういう傾向はなきにしもあらずだが、覚えておいてほしいことがふたつある。

ひとつは、この章の最初のほうで触れた通り、年齢とともに性行為の頻度が減るとは言い切れないことだ。70代、いや、80代と歳を重ねても、人間の活発な性生活は続く。性生活を維持するために、ふたつのポイントがある。性的に積極的でいること——これによって性ホルモンが分泌され、性欲が維持される。健康維持に努める——食事、運動、社会的な活動、良質な睡眠、また、深酒を避けるなど。

特に男性は、飲酒に関して注意が必要だ。脳も精巣も大酒飲みを嫌うのだ。20代であろうと、30代であろうと、何歳だろうとそれは変わらない。常に体に酒があふれていると、性欲が弱まって、それが性的不能に結びつく（アルコールの脳への影響は、第9章で解説する）。

だが、安心してほしい。ルールでがんじがらめになる必要はない。健康で活発な性生活を送れば、それだけで良いことがあり、さらに脳にも大いに良い影響がある。

表7−3に、主な推奨事項をまとめた。

7-3 性行為と脳の健康のためにすべきこと

●パートナーと性的に親密になり、お互いに積極的になるように努力する。少なくとも週に1回のセックスをおこなえば、生涯を通じて脳の健康に効果がある。

●大人になっても心身の健康を保つためのルールを守る。健康的な食生活を心がけて、太りすぎに注意する。上質な睡眠習慣を身につけて、煙草は吸わず、酒を飲みすぎない。有害なストレスを避け、定期的に運動をして体を鍛える。心と体が健康であれば、性行為を続けられる。

●酒の飲み過ぎによる低質な性行為を避ける。特に男性は若い頃からの大量の飲酒によって、脳と性的能力に永続的な悪影響が出ることを肝に銘じてほしい。体の組織の多くは、若い頃の過剰な飲酒の影響は残らないが、睾丸だけはそうではない。

●定期的な性行為は男性ではテストステロンを、女性ではエストロゲンを増やし、それによってさらに定期的な性行為が促されるという好循環をもたらす。

●年齢に関係なく、定期的な性行為は幸福感を高める。歳を取っても性行為を続けるために、必要に応じて専門の医師に相談する。診断いかんでは、男女ともにホルモン補充療法を勧められる場合がある。男性の勃起不全は必ず医師の診察を受ける。

●60歳を過ぎたらパートナーと性交渉を持つように特に努力する。また、身体的にも精神的にも親密な状態を保つ。それによって記憶力や実行機能をはじめ、さまざまな知的能力が高まる。

●男性の場合、テストステロン値の高さは記憶力や実行機能などの認知機能の高さと関連している。テストステロンの補充については、有望な結果が得られているものの、思考能力の向上や、認知症などの認知低下に予防効果があるとは言い切れない。ただし、ホルモン補充療法を受けた男性は幸福度が高まると報告されている。

●女性の場合、性ホルモンのエストロゲンに、認知低下と認知症の予防効果があると考えられる。だが、閉経後はエストロゲンが減る。男性同様、閉経後の女性には認知能力の改善や維持のためのホルモン補充療法はお勧めできない。ただし、ホルモン補充療法を受けた女性は、幸福度が高まると報告されている。

本章を読んで、年齢に関係なく、生涯を通じて性生活を維持することが体の健康にも脳の健康にも効果があることがおわかりいただけたはずだ。幸いにもここ数年で、この分野での研究結果が数多く得られている。相互作用があるのも間違いない。脳も体も健康なら、性生活を持続できる。同時に持続的な性生活は、脳に計り知れない効果がある。

1988年に、スポーツメーカーのナイキが掲げた有名なスローガンがある。それは経歴や年齢に関係なくすべての人に向けたもので、普遍的でありながら、極めて個人的な意味を持っていた。本章の内容を一言で言いあらわしているような言葉だ。

アリストテレスやヒポクラテス、さらには、古代ギリシアの性欲の強い立派な女性たちも、これには納得するはずだ。

〝とにかくやってみろ（ジャスト・ドゥ・イット）〟

CHAPTER 8

脳を明晰にする活動

■ 脳トレゲームは役に立たない

■ 厳しいトレーニングで脳細胞が生き残る

■ ロンドンのタクシー運転手の海馬は大きい

■ 若返りは夢ではなくなった

■ 新たな言語を習得すると脳の量が増える

■ ダンスをすれば脳の老化を防げる

■ 難しいダンスで脳の損傷への抵抗力がつく

■ 脳にチャレンジさせれば認知低下を防げる

■ 記憶力を鍛えても知力などは向上しない

■ 脳トレゲームで認知能力は改善されない

■ 脳を明晰に保つ——そのためにできること

脳トレゲームは役に立たない

脳の中では毎日、神経発生と呼ばれるプロセスで数百もの新たな細胞が作られている。動物実験では、作られる数に関係なく、新たな細胞の約半分が1～2週間以内に死ぬことがわかっている。そういった細胞は既存の脳細胞とつながる前に死んでしまう。だが、この細胞死は避けられないものではない。脳を鍛えれば食い止められるのだ。

科学技術によって動いているこの複雑な世界では、日々、過剰な思考能力、記憶力、集中力が求められる。それができなければ、ほかの人に追い越され、期待にも応えられない。この状況は、人の脳が進化してきた環境とはまるで違っている。今という時代は、過去になかった種類のデータを大量に処理して、入ってくるデータすべてに対処する能力が必要だ。そういった新たな能力の習得は、〝脳への不正侵入（ハッキング）〟と呼ばれることもある。

現代人は人間の限界を超える方法を模索しているのだ。そのプレッシャーは欧米社会の高齢化によって、さらに重くのしかかる。すでに解説した通り、歳を取るにつれて頭の回転は鈍る。日々、能力を試される現代人にとって、健康管理や仕事を続けていくうえで、頭を鈍らせないようにすることが最大の関心事と言ってもいい。

というわけで、多くの人が知力を高める〝脳トレ〟に惹かれて、ついお金をつぎこんでしまう。2005年、アメリカ人は脳を鍛えるためのゲームに200万ドルを費やした。2013年には、その額は3億ドルに増え、2014年にはなんと10億ドルに達した。ヨーロッパ、英国、アジアでも事情は同じだ。その手のゲームの効果は誇張され、中には裁判沙汰になるほど大袈裟なものもある。

そういったゲームは大人だけでなく、赤ん坊もターゲットにしている。

1996年、ごく普通のある夜に、米国ジョージア州の専業主婦ジュリー・エイグナー＝クラークはあることを思いついた。赤ちゃんの脳を刺激するビデオを作ったらどうだろう？

そうして、『ベビー・アインシュタイン』が誕生した。最初のビデオは自宅の地下室で撮影して、かかった費用はわずか1万8000ドルだった。2001年、エイグナー＝クラークはその版権を2500万ドルでディズニーに売却した。また、数々のテレビ番組（『オプラ・ウィンフリー・ショー』、『グッド・モーニング・アメリカ』、『USAトゥデイ』）にも出演した。

さらに、2007年のジョージ・W・ブッシュ大統領の一般教書演説で、スター起業家として讃えられた。『ベビー・アインシュタイン』はシリーズ化され、『ベビー・ヴァン・ゴッホ』『ベビー・ガリレオ』『ベビー・シェイクスピア』と、次々に続編が作られた。

幼児の脳に早い段階で適切な刺激を与え、発達を促すというのが商品の謳い文句で、2002年には、アメリカ中の親子が『ベビー・アインシュタイン』の虜になった。その影響は大袈裟に語るほうが難しい。何しろ当時の米国の幼児の3分の1が、この〝天才赤ちゃん〟ビデオを少なくとも1回は観ているると言われているのだ。

そのシリーズの宣伝担当者は、「間違いない！　クラシック音楽と迫力ある映像が子供の脳を刺激する」と宣言した。

だが、その主張には問題があった。それを裏づける証拠が何もないのだ。なぜかといえば、当時はその種の研究はひとつもおこなわれておらず、ゆえに、証拠もなかった。

2007年のある学術論文誌に、幼児向けのDVDやビデオを1時間観るごとに、観なかった幼児に比べて理解する言葉の数が平均6～8個少なくなる、とする研究結果が掲載された。ビデオの製作者は反発したが、2009年にバブルがはじけた。ディズニーはその手のビデオに教育的価値がないことを認め、やがて権利を売却した。続編はもう作られなかった。

『ベビー・アインシュタイン』はある意味ですばらしい例だ。総売上4億ドルとも言われるほど商業的に大成功をおさめたのは、科学的なメリットがなくても親なら誰もが飛びつきたくなるアイディアのおかげだ。そういった例はほかにもある。とはいえ、直感的に惹きつけられるアイディアはさておき、本章では脳トレの効果を示す証拠を検証していく。

脳トレの効果を何よりも明らかにしてくれたのは、人間の幼児ではなく、本章の冒頭で取りあげた脳細胞の発生の研究で実験台となった小動物だ。そう、脳内の細胞死は間違いなく〝メンタルトレーニング〟によって阻止できる。しかしそのトレーニング方法は昔ながらのものではなく、いくつかの条件がある。新たな細胞を生かしつづけるには、集中的におこなう必要がある。高度な集中力が求められ、新しいスキルが身につくものでなければならない。さらに、長い間、毎日、多くの試練を乗り越えながら、続ける必要がある。

効果があるものとないものを、より詳しく見ていけばさらに興味が湧くはずだ。この効果的なトレーニングのひとつに、心理学用語で〝連合学習〟と呼ばれるものがある。この種の学習を人間はよくおこなっている。その原理は、関連づけられる（結びつけられる）情報や考え方は、より簡単に学習できるというものだ。

逆に言えば、脳は関連のない事柄を学習して記憶するようにはできていない。物事をグループ化して、ひとつの〝連合記憶〟にするのだ。たとえば、人は誰かの顔の造作を個々に覚えるのではなく、顔全体として記憶する。なんと、500年以上前にレオナルド・ダ・ヴィンチはこの原理に気づき、『絵画論』に書いている。

〝すべてのパーツは……全体と対応していなければならない……暗闇やベッドの中で、その輪郭を頭の中でたどることで、少なからず効果を実感している……この方法で確認し、記憶の中に大切にしまっておくのだ（注1）〟

連合学習は条件づけの一種で、報酬とともに新たな行動が定着することを意味している。

厳しいトレーニングで脳細胞が生き残る

典型的な例として、〝パブロフの犬〟がある。その実験では、ベルを鳴らすなどの刺激が報酬（食べ物）につながることを犬に学習させた。刺激と報酬を何度か繰り返すうちに、犬はベルの音を聞いただけで唾液を出すようになった。つまり、合図に続いて食べ物が出てくるのを学習したのだ。

それから数十年後、20世紀のアメリカの心理学者B・F・スキナーは、この方法をさらに展開させて動物に行動を促した。とりわけ有名な実験は、正しい鍵盤を押したときに報酬を与えて鳩にピアノを弾かせるというものだった。

ほかにも、動物実験で効果が明らかになったトレーニング方法がある。それは〝空間学習〟で、人間にも効果がある。

たとえば、今あなたは知らない街にいるとしよう。街を歩いていると頭の中に地図ができあがっていく。自分を取り巻く環境に関する情報が取りこまれ、整理されて、無事に目的地に到着できる。目的地を見つけるために役立ったものがすべて記憶されるのは、それによって報酬が得られるからだ。実のところ、これは複雑で特殊な連合学習の一種で、とりわけ労力を要する作業だ。関連のありそうないくつもの情報の切れ端をつなぎあわせていかなければならない。

さらに、動物実験でわかったことがある。新たな身体的スキルの学習によって、脳内の神経細胞の数が増えるのだ。学習するスキルが複雑であればあるほど、効果も大きくなる。

また、身体的な学習とメンタルトレーニングの効果にはちょっとした違いがある。身体活動、特に有酸素運動によって、脳内の新しい細胞が大幅に増える。たとえば小型の哺乳類では、2週間、毎日運動すると、海馬（学習と記憶の中枢）の細胞が約50％増えた。第2章で解説した通り、人間の研究でもこれと同じ効果が確認されている。一方、メンタルトレーニングでは、新たな神経細胞が増えるのではなく、生き残る神経細胞が増える。

3つのタイプの学習（連合学習、空間学習、新たな身体的スキルの学習）によって、新たな神経細胞は数か月間、脳の中に残る。そして、その寿命が尽きる頃に、その細胞はほかの細胞と機能的に結合する。だが、新たな細胞を生き延びさせるには、それだけでは不充分だ。

そこには、もうひとつの条件がある。動物の学習能力の高さと、生き残る脳細胞の数には用量効果がある。あまり学習できない、あるいはまったく学習できないとなればゲームは終了だ。

しかし、トレーニングが簡単すぎても、新しい細胞は生き残れない。一方、トレーニングや学習プロセスが難しく、なおかつスキルを習得できるなら大成功――新しい細胞は生き残る。より多くのトレーニングを積んで、スキルを習得したほうが、努力せずに習得するより、新しい細胞がたくさん生き残るのだ。つまり、効果を得るには、厳しいトレーニングでなければならない。

脳内、特に海馬内で神経細胞が発生すると、新たなその細胞は、ある種の脳トレによって新しいことを学習している限り維持される――これもまた動物実験で立証されている（要約は、表8―1を参照）。それと同じことが人間にも言えるのだろうか？

8-1

脳を鍛える――動物実験でわかったこと

新しい脳細胞の生成と、細胞を守るためにすべきこと

●トレーニングの種類

○身体的トレーニング――新たな身体的スキルを身につけると、神経細胞が増える。

○メンタルトレーニング――連合学習と空間学習によって、神経細胞が保護される。

●強度――試行錯誤が必要な厳しいトレーニング。

●努力――高い集中力を要するトレーニング。

●練習――繰り返しと継続を要するトレーニング。

●成功（報酬）――トレーニングに成功すればするほど、脳内で生き残る細胞が増える。

●要求――新たな学習がおこなわれるような、脳にとって〝難題〟となるトレーニング。

賢いタクシー運転手

ロンドンのタクシー運転手の海馬は大きい

小型の哺乳類の脳で、学習と記憶を司るのは海馬だ。人間も例外ではない。とはいえ、もちろん学習と記憶に関わる脳の領域は海馬だけではなく、前頭前野（前頭葉）、扁桃体、小脳（〝小脳〟と呼ばれているが、脳の後部に位置する大きなコントロールセンター）も同じぐらい重要だ。だが、その中でも海馬は極めて重要で、海馬がなければ新たな記憶は作られない。

人間の脳は使い方に応じて物理的に変化する。海馬のその種の変化に関しては、ロンドンのタクシー運転手の実験で否定しようのない結果が出ている。格式ある黒塗りのタクシーの運転手には誰でもなれるわけではない。タクシー免許を得るには〝ロンドンの知識〟を身につけなければならないのだ。

具体的には、ロンドンの中心に位置するチャリングクロス駅から、半径9・6キロメートル以内の2万5000もの通りの作業記憶が必要になる。その通りはニューヨークのように碁盤の目にはなっていない。パリのように放射状でもない。ロンドンの複雑に入り組んだ迷路のような裏通りを、一から十まで熟知しなければならないのだ。それは、その首都の通りを自転車や原動機付き自転車で走りまわり、3〜4年かかってようやく覚えられるという大仕事である。

ロンドンのタクシー運転手養成講座の受講者の約4分の3は途中で脱落する。合格して、晴れて運転手になれたとしても、試練の連続だ。タクシーを利用する人は、あっさり目的地に着くと信じて疑わず、道に迷うとは夢にも思っていない。しかも、ナビは使えない。

2011年、ユニバーシティ・カレッジ・ロンドンの研究チームがタクシー運転手の海馬を調べた。タクシー運転手の脳と、対照群としてタクシー運転手ではない人の脳をMRIで撮影すると、年齢、学歴、知力が同等の対照群と比べて、タクシー運転手の海馬内の灰白質の量が多いことがわかった。さらに、〝ロンドンの知識〟を習得中のタクシー運転手見習い79人を4年間にわたって調査した。79人中、晴れてタクシー運転手になれたのは39人で、その39人は不合格だった者より海馬が大きく、記憶力テストの成績も良かった。

こういった差の主な原因は、とてつもなく難しい〝ロンドンの知識〟を長い時間をかけて学ぶことで、海馬内で新たな細胞が作られるからだ。つまり、神経発生が起きる。さらに、常にその知識をフル活用しなければならないというプレッシャーが、灰白質を大いに成長させると

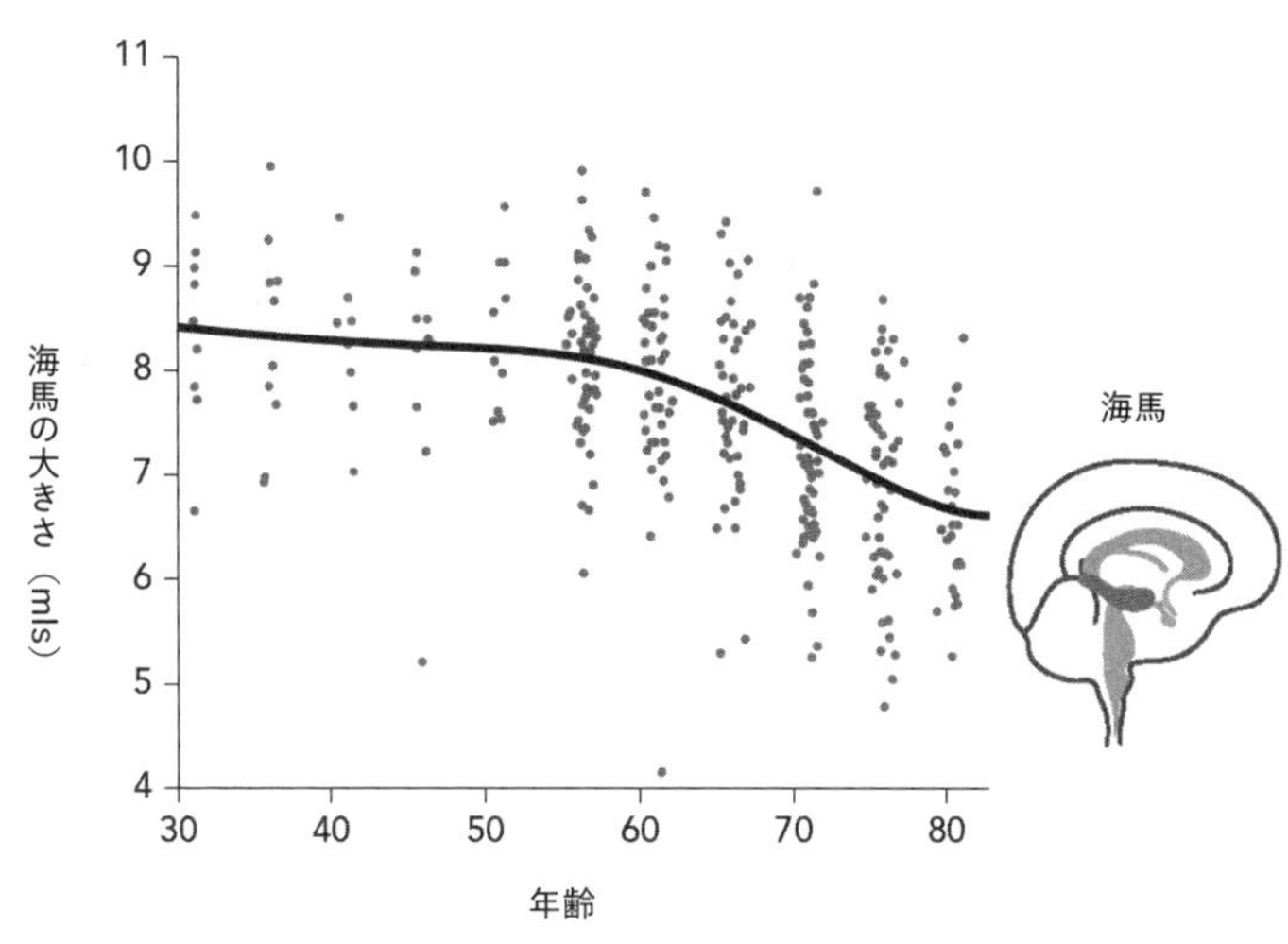

図8・1　年齢と海馬の大きさ

考えられる。

海馬の大きさは個人差が大きい。図8・1に海馬の大きさをグラフにした。グラフ中の点は各年齢（横軸）での海馬の大きさをあらわしている。そのグラフによって、ふたつのことがわかる。

ひとつは、歳とともに海馬が縮んでいくことだ。とはいえ、全員がそうなると決まっているわけではない。もうひとつは、各年齢での点の配置と、水平軸の年齢を見ればわかる通り、70代や80代でも40代や50代より海馬が大きい人もいる。

こういった観察結果から得られた脳の基本原理は大いに希望が持てる。年齢とともに、必ず知力が衰えるわけではないのだ。また、こうした変化の個人差に関して、多くの人が遺伝によるものと考えているようだが、実は生活習慣と環境による影響が大きいことが研究で明らかになっている。

つまり、この手の脳の老化は努力次第で抑えられるのだ。

若返りは夢ではなくなった

これは海馬だけの話ではない。信頼できる大規模な研究によって、脳のさまざまな領域で、生涯にわたって新しい神経細胞とシナプスが発生しつづけることがわかった。そういった細胞や接続は柔軟で、個々の生き方によって変化する。

つまり、脳がどんなふうに適応して、どんなふうに機能するかは自分の行動次第なのだ。行動いかんで、神経細胞やシナプスの発達の仕方、記憶力や注意力、思考力や言語能力、分析力に至るまで、あらゆる脳の機能が向上する。ある印象的な研究によると、脳の神経可塑性はトレーニングによって向上し、その神経可塑性が新たな脳細胞という形であらわれる。

２０１１年、ピッツバーグ大学のカーク・エリクソンの研究チームは、１年間、定期的に有酸素運動を続けると海馬が２％増えるのを発見した。それはつまり２歳若返ったことに等しい。さらに記憶力も向上した。

また、この変化が神経栄養因子であるＢＤＮＦの放出によるものであることも立証された。ＢＤＮＦは、すでに触れた通り、新しい脳細胞の成長を促す。エリクソンの研究は、50代後半以降の高齢者を対象にしたもので、その結果は中年後期以上の人にとって非常に喜ばしい。老化による変化は避けられないものではなく、適度な運動を続ければある程度は防げるのだ。いや、ある意味で若返りも夢ではない。

20年前には、生物学的老化を免れて若返るという考え方は、非現実的な夢でしかなかった。ところが今、いくつもの新たなエビデンスが集まり、『ネイチャー』のような伝統的な科学誌までが、若返りが夢ではないのを認め、そういった見解が支持されている。なんと魅力的な話だろう。薬に頼らず実現するならなおさらだ。だからこそ、ここでもやはり注意してほしい。若返りを謳っている商品は、疑ってかかったほうがいい。

ここまでの話をまとめておこう。

学習と記憶の中枢である海馬、さらに、それ以外の脳の重要な領域で神経発生が起こる。そういった新しい細胞と接続は良い生活習慣によって守られ、それによって脳の神経可塑性がさらに増す。こういった一連の流れは運動とメンタルトレーニングによって実現する。

脳に効果があるのは、どんなトレーニングや学習なのか？　また、脳トレにはどんな効果があるのだろう？　それについては、小型の哺乳類の実験でも人間の実験でも、ほぼ同じ結果が得られている。それは認知機能を刺激するトレーニングでなければならない。

認知機能を刺激するのは、知的好奇心をかきたてる活動や、思考能力が必要な運動だ。たとえば楽器の演奏を習う、外国語を身につける、ダンスのレッスンを受ける、カードゲームをはじめるなど。あるいは太極拳やジャグリングのような、これまで経験したことがない複雑な精神的・身体的スキルを身につけるのも良い。

ジャグリングは特に効果がある。研究によれば、ジャグリングは非常に複雑で、上達するには努力が欠かせず、それによって脳の構造が変わるという。新たな白質が作られ、灰白質の量が増える。それはまるで、脳が困難に立ち向かい、新たなことを学びたがっているかのようだ。そういった活動は認知能力を保つと同時に研ぎ澄ましてくれる。意思決定力、記憶力、考える力、集中力、論理的思考力などの脳の機能を高めるのだ。その種の活動を〝認知機能強化戦略〟と呼ぶ人もいる。なんと呼ぶかはさておき、動物実験の解説で触れた通り、その手の活動には共通点がある。困難だがやりがいがある、没頭できる、高度の集中力を必要とする、新たな技術を身につけられるといったことだ。

つまり、努力を要する活動だからこそ、脳の仕組みが変化する。〝快適な船旅〟のようにのんびりしていては駄目なのだ。

〝認知機能強化戦略〟と意識されていたかどうかはともかく、昔から脳の機能を高める活動は数多く存在する。何世紀も前からあるものもある。音楽の訓練、ダンスの練習、外国語の習得など、昔ながらの文化的活動もそうだ。そういった活動の中には、特定の技術が身につき、なおかつ思考能力が向上するものもある。

たとえば、２０１４年におこなわれた20の研究のメタ分析では、太極拳によって実行機能が向上するのがわかった（マルチタスク能力、時間の管理能力、決断力などの知能検査によって測定）。また、太極拳で脳の特定の領域の体積が増えることもわかった。軽度認知障害がある高齢者では、ほかの運動以上に太極拳をおこなうことで認知低下の速度が遅くなり、認知能力が向上した。というわけで、裏づけとなる研究がたくさんあるふたつの活動を紹介しよう。

　それは、語学学習とダンスだ。


言葉はコミュニケーションの手段として、人間特有のものであり、さらには本質的に複雑で多様で、構造的にもすばらしい。

　言葉が生まれたのは15万年以上前だ。その頃、人間の脳は構造的に大きく成長し、複雑になり、それによって、ある意味で人間が本物の人間になったと言ってもいい。抽象的思考、計画、絵画、音楽、ダンス、集団での狩りなど、現代的な人間の特徴ともいえる行動を取れるようになったのだ。

　だが、言語の起源に関する科学的研究は反論主義者の標的にされた。１８６６年、パリ言語学会は、そのテーマでの議論を禁じ、それによって１００年以上もの間、正式な研究ができなかった。その結果、人類学的研究の中でもとりわけ難しい分野として取り残され、本格的な研究がはじまったのは１９９０年代になってからだった。

新たな言語を習得すると脳の量が増える

言葉は脳の構造に自然に組みこまれ、広範囲に統合されており、言葉と脳機能の関係が判明するまでは脳を理解することはできないと言われている。言葉は感情表現、思考、推論、記憶に欠かせない。ふたつの言語を自在に操るバイリンガルや、新たな言語の習得の大きな効果は、数々の最新の科学的研究によって明らかになりつつある。

第一に、新たな言語を学習すると脳の量が増える。

２０１２年、スウェーデン軍士官学校の語学留学生と、語学を学んでいない学生（対照群）を比較した。両者に3か月間、同じ難易度の学習課題を課し、その実験の開始時と終了時に、脳画像を撮影した。すると、終了時には語学を学んだ学生の脳のいくつかの部分が大きくなっていた。一方、語学を学ばなかった学生の脳は変化がなかった。

特に大きくなったのはどの部分なのか？　予想通り海馬だ。とはいえ、みんなが一様に大きくなったわけではなかった。語学の習得が苦手で、懸命に努力した者のほうが大きくなったのだ。しかも大きくなったのは海馬だけでなく、中前頭回など学習に関わる領域も大きくなった。

つまり、どのぐらい大きくなるかは、どんなふうに課題に取り組んだのか、どのぐらい努力したかによって違っていたのだ。動物実験でもやはり同じ結果が得られている。

では、完全なバイリンガルではどうなのだろう？　シアトルの研究者は、スペイン語と英語の両方を流暢に話すアメリカ人と、英語だけを話すアメリカ人のグループを比較するために、脳画像を撮影し、白質（コミュニケーション線維）の違いを調べた。その結果を複雑な論文にまとめ、〝外国語漬け〟が大人の脳の神経可塑性を誘発し、そこには用量効果がある、と結論づけた。

つまり、変化の度合いは、その言語への没入度に比例する。複数の言語を操ると脳の構造が変わり、その変化は第二言語をどのぐらい頻繁に使うかによって決まるらしい。

この発見は非常に重要だ。なぜなら、それこそが子供と違って大人が新しい言語をなかなか習得できない理由のひとつだからだ。大人の脳に比べて、子供の脳はより神経可塑性がある。それでも年齢に関係なく、第二の言語を学ぶことで脳の可塑性は向上する。

とはいえ、大人と子供ではもうひとつ異なることがある。脳内の言葉を処理する場所は、その言葉を学んだ年齢によって異なるのだ。12歳以下では両方の言語がひとつの記憶領域におさまると言われている。一方、大人では言語ごとに異なる領域が必要になる。どうやら、新たな言語の習得に関わる脳の構造の変化は、初めからきっちり決まっているわけではなく、流動的であり、新しい言葉を学ぶたびに少しずつ変化するらしい。

また、第二言語を使うには前頭葉、皮質下の深い部分、脳梁など、脳のさまざまな領域を活性化させる必要がある。その結果、そういった広い帯状の組織によって二分されている脳（右脳と左脳）が話しあえるようになる。

つまり、右脳と左脳の両方が関与して、そのふたつの脳の間で情報交換がおこなわれる。そうやって脳が活性化されると白質と線維が増えて、脳の両半球間の〞やりとり〟が盛んになる。

第二言語を使うと変化するのは白質だけではない。米国のジョージタウン大学の研究チームは、バイリンガルの脳の灰白質と、一言語だけを話す人（モノリンガル）の灰白質を比較した。すると明らかな違いが見られた。ふたつの言語を操るバイリンガルは、重要な領域である前頭葉の灰白質が多かった。どうやら、両半球間のスムーズな情報交換とも言える〞やりとり〟によって、情報処理組織である灰白質が増えるらしい。


もうひとつ大きな疑問がある。第二言語を学んで、それを使って話をすれば脳の機能は向上するのだろうか？　それについては、英国のエディンバラ大学のトーマス・バク博士と、インドのハイデラバードのニザム医科学研究所のスヴァルナ・アラディ博士が興味深い実験をおこなった。学生をバイリンガルとモノリンガルのグループに分けて比較した。すると、モノリンガルの学生より、バイリンガルの学生のほうが注意力テストの成績が良く、集中力も高かった。

バク博士がおこなった別の研究で、もうひとつの基本的な疑問が解決した。〞第二言語の効果は、それを学ぶ年齢によって異なるのか？〟という疑問の答えを求めて、スペイン語教室に通う大人を、18～30歳のグループと56歳以上のグループに分けて比較した。

すると、意外な結果が得られた。４週間のコースで、年齢に関係なく全員が注意力、記憶力、流動性知能（精神的な柔軟性）が高まったのだ。しかも若いグループより、年長のグループのほうがより向上した。

この結果は、それまでの研究結果と一致している。何歳であろうと学習によって認知機能が向上し、また、同期間の学習では、若者より年齢が高い人のほうが向上するのだ。動物実験でのメンタルトレーニングを覚えているだろうか？　こういった機能の向上は、個々がその言語をどのぐらい練習したかが決め手であることが判明している。


さらに心強い研究結果がある。それは脳の老化を防ぐ方法として、新しい言語の学習が有効であるというものだ。その証拠はイタリアにあった。イタリアの研究チームは進行度合いが同じぐらいの認知症患者85人の脳の画像を撮影した。85人中45人はイタリア語とドイツ語を話すバイリンガルで、40人はイタリア語かドイツ語のいずれかを話すモノリンガルだった。

脳をスキャンしてブドウ糖の取りこみを検出すると、脳のさまざまな領域の活動や、その領域が他の領域とどのぐらい結びついているかがわかる。その結果は非常に興味深かった。

バイリンガルのグループは平均で5歳年長だったが、認知症の進行度はモノリンガルのグループと同じだった。それはつまり、バイリンガルの言語能力が病気の進行を遅らせたと考えられる。モノリンガルの脳は重要な領域で代謝が遅く、それは機能不全が進んでいる証拠だ。

一方、バイリンガルは脳の実行領域間の接続が良好で、第二言語の習熟と脳の主要なネットワークの活性化に深いつながりが見られた。

これまでのところ、良いことずくめに思える。だが、重要な疑問が残っている。新たな言語を学ぶと、流動性知能が向上するのか？　それとも、流動性知能が高い人ほど、新たな言語を学ぼうとするのか？　いったいどちらなのだろう？　この疑問の答えは、有名な長期的研究〝ディスコネクテッド・マインド〟によって明らかになった。

第1章で少し触れたが、この実験の被験者は１９４７年に11歳で知能検査を受け、70代と80代前半で再び同じ検査を受けた。被験者の中には、英語以外に少なくとももうひとつの言語を話す者が２６２人いた。第二言語を習得した年齢は１９５人が17歳以下、65人は18歳以上だった。研究の結果、２か国語以上を操る人は、11歳のときの知能検査をもとに予測した認知能力をはるかに上回っていた。もっとも影響が大きかった能力は基本的な知能と読解力で、第二言語を学んだ時期は関係なかった。

ということで結論は出た。何歳であれ、外国語を学ぶのはまぎれもなく〝認知機能を刺激する活動〟だ。脳の〝配線〟が増えるだけでなく、脳の量も増え、知力を向上させる方法として大いに有効だ。脳の明晰さが保たれ、脳を老化から守ってくれる。

ダンスをすれば脳の老化を防げる

音楽や運動によって認知機能を刺激するには、どうすればいいのだろう？　若さを保って知

踊りつづけよう

力を高めたいなら、『ストリクトリー・カム・ダンシング』（訳註／有名人がプロのダンサーと組んで、コンテストで競う英国のテレビ番組）への出場をお勧めする。少なくともダンサーなら、出場を真剣に考えてみる価値はある。

２０１６年、カリフォルニア大学アーヴァイン校でアンケート調査が実施された。ダンス教室の生徒（71％が女性）２００人以上を対象に、ダンスのレッスンを受けることで身体面、情動面、認知面、また、対人関係で効果が感じられるかどうかを調べたのだった。すると有益な結果が得られた。

認知的な効果に関しては、大半の人（82％）がダンスによって記憶力や新しいことを学ぶ能力が向上したと答え、70％が集中力や注意力が持続するようになったと答えた。さらに多くの人（95％）が、情動面で日常的に良い影響が得られていると答えた。また、対人関係のメリットも大きく、2人1組になって踊るダンスのおかげで堂々と人と目を合わせられるようになり（80％）、体が触れあうことに抵抗がなくなり（89％）、初対面の人と会っても物おじしなくなった（89％）と答えた。また、社交的な場面で緊張しなくなった（89％）、社会性や対人スキルが向上した（88％）とのことだった。さらに、大多数（93％）がダンスによって自信がついたと答えた。

別のグループ（ダンス歴がもっと長い人たち）の調査でも、興味深い発見があった。全員が、思考能力、情動面、対人関係のすべてで、非常に良い影響があると答えた。

ダンス歴の長さと頻度は重要な要因だ。認知機能への効果は年齢と相関関係にある。年長の被験者ほど、認知機能への効果も大きかった。だが、それが本当に年齢によるものなのか、それとも年長のダンサーのほうが認知機能への効果をより実感するだけなのかはわからない。

その感じ方は研究で裏づけられているのだろうか？　答えはおおむね〝イエス〟だ。多くの研究で、ダンスを習うのは脳に良いという結果が得られている。とりわけ、生涯を通じて処理能力が維持され、処理速度も向上する。

２０１２年、米国ノースダコタ州のマイノット州立大学の研究で、ラテン・スタイルで人気のあるダンス〝ズンバ〟が、気分を向上させ、視覚認識や意思決定といった認知能力に良い影響があることがわかった。別の研究では、ダンスがストレスを軽減し、幸せホルモンのセロトニンを増やし、脳内の新たなつながりを発生させるという結果が出ている。特に実行機能、長期記憶、空間認識（自分がいる場所の把握）に関する領域でつながりが増えた。

なぜ、こういった効果があるのだろう？　米国の複数の大学による共同研究で、信憑性のある解釈が得られた。その研究では、半年にわたって、いくつかの日常的な活動が脳に与える影響を比較した。

その中のひとつが、被験者に難度の高いダンス（カントリー・ダンス）のレッスンを受けさせて、脳の白質を調べるというものだった。白質は脳の処理速度、新しい情報を理解して反応する能力に関与している。60～79歳の認知障害のない健康な被験者174人は、研究の開始時と6か月後の終了時に脳の画像撮影と思考力テストに臨んだ。

さまざまな活動の中で、6か月間で白質が増えたのは、唯一、ダンスだけだった。それは主に複雑な振り付けを覚えるために脳を使ったおかげと思われた。

その他の活動のグループ――ウォーキングをおこなったグループ、ウォーキングと栄養摂取をおこなったグループ、活動的な対照群（ストレッチや体調を整えるための体操をおこなったグループ）では、白質が減っていた。

6か月という短期間で老化によって白質が減少したこと自体、興味深い結果だ。また、ダンスを習ったグループの白質の変化は処理速度の向上と関連していた。さらに注目すべきは、こういった白質の良い変化は、認知訓練をおこなった若年成人にも見られることだ。

難しいダンスで脳の損傷への抵抗力がつく

ダンスをするという行為は、心理学者が〝複雑介入〟と呼ぶものだ。人間関係でも、情動面でも報酬が得られ、なおかつ感覚や運動能力はもとより、注意力、判断力、記憶力など、いくつもの脳の活動を統合しなければならない。

栄養を摂る、あるいは有酸素運動をするなど、ひとつのことだけをおこなうより、いくつもの要素が絡みあっているほうが効果的なのは、数々の研究で立証されている。本章の最初のほうで取りあげた動物実験でも、運動とメンタルトレーニングの組み合わせが、より効果が高かった。人間にとってはダンスそのものが、完璧な組み合わせのトレーニングになる。語学の習得と同じように、ダンスを習えば脳の老化を防げると言ってもいいだろう。

2003年、ニューヨークのアルバート・アインシュタイン医科大学の研究で、それが初めて明らかになった。精巧なその研究では、さまざまな活動を比較した。読書、執筆、クロスワードパズル、トランプ、楽器演奏、ウォーキング、テニス、水泳、ゴルフ、そして、ダンス。認知活動（クロスワードパズルやトランプなど）はすべて認知症のリスクが低下したが、身体活動で同様の効果が得られたのは、ダンスだけだった。

それればかりか、ダンスは、認知機能を使うさまざまな余暇活動に比べて、2倍の認知症リスク低下（76%低下）が見られた。その一方でこの研究では、水泳とサイクリングは認知症リスクの低下と関連が見られなかった。

なぜ、ダンスがこれほど効果的なのだろう？　それは自由形式のダンスでは、常に瞬時の判断が必要で、脳は回路を配線しなおさなければならないからだ。配線しなおすことで神経可塑性が起こり、科学者が〝認知予備力〟と呼ぶ脳の損傷への抵抗力がつく（これに関しては、第6章で解説した）。

その後の研究でさらに優れた証拠が得られた。2017年、ドイツのマクデブルクにあるオットー・フォン・ゲーリケ大学の研究チームは、過酷な実験を思いついた。非常に難度の高いダンス・レッスンを考案したのだ。

それは〝高齢の被験者（63〜80歳）が回を追うごとに難しくなる斬新な振り付けを覚えなければならない〟というものだった。(注2) 半年間、毎日ダンスのレッスンは続いた。そうして、このダンスのレッスンを受けたグループと有酸素運動として同程度の強度のトレーニングをおこなったグループを比較した。

その結果は？　もちろん、どちらのグループも実験が終わるとより健康になった。さらに、ダンスをしたグループは、もうひとつのグループより、海馬を含めて脳の4つの部分の量が大幅に増えた。また、BDNF（脳由来神経栄養因子）が増加したのは、ダンスをした人だけだった。どちらのグループも精神的な能力では大きな差はなかった。

ほかの研究と同じように、この研究でも期間が重要であると思われた。6か月間というのは、脳が変化するには充分な長さだが、完璧に踊れるようになるほど長くはない。この研究チームは、〝難しいダンス・プログラムは脳の老化による悪影響を防ぐために有効である〟と結論づけた。(注3)

認知予備力がどういうものかは、第6章で解説した通りだ。繰り返しになるが、それは人生の大きな試練に対処するための代替方法を、すばやく見つける脳の能力と言ってもいい。なぜ、知力が衰える人と衰えない人がいるのか？　この疑問の答えもそこにある。アルツハイマー病特有の病変をすべて持っていても症状が出ない人もいる。それは認知予備力を高めておけば、一生知力が衰えないからだ。では、どうしたら、認知予備力が高まるのだろう？

脳にチャレンジさせれば認知低下を防げる

生涯にわたって人を観察した研究で、認知予備力の高さは、教育や仕事の成績と関係があることがわかった。また、第6章で述べたように、余暇活動や社会生活など個々が選んだライフスタイルとも関連がある。認知予備力の高さは脳内の神経回路網（ニューラル・ネットワーク）がしっかり築かれているかどうかにかかっている。この神経回路網は〝脳の可塑性〟によって必要に応じて変化する。神経回路網がより複雑で精緻であればあるほど、認知予備力が向上するのだ。

バイオリン協奏曲

喜ばしいことに、認知機能を刺激する活動を通して認知予備力を高めれば、身体的外傷（脳震盪や発作など）にも、老化による脳の変化にも対処でき、認知低下を抑えられる。

認知刺激に関する基本的なメカニズムはまだ完全には解明されていないが、これまでの研究結果をまとめると、どうやら重要なのは脳にチャレンジさせることらしい。

メンタルトレーニングであれ、身体的トレーニングであれ、練習を重ねればうまくできるようになる。とはいえ、そのトレーニングが脳にとって難題でないかぎり、脳内の既存の回路が強固になるだけだ。回路の配線が増えるのは、本当に必要に迫られたときだけで、必要がなければそういうことは起こらない。

脳を健康に保ち、老化による認知低下のリ

スクを減らすために、グローバル・カウンシル・オン・ブレイン・ヘルスは健全な生活習慣のひとつとして、認知機能を刺激する楽しい活動を推奨している。

だが、そういった活動を、ただ増やせば良いというものではない。大切なのは、活動の質だ。目新しさ、多様さ、熱中度、認知的難易度、楽しさなどが重要である。さらに、その活動によって脳機能がどのぐらい維持され、向上するかは、活動に費やす期間によって決まる。(注4)

認知機能を刺激する活動の効果を、表8―2にまとめた。

8-2 認知機能を刺激する活動——活動の種類とその効果

●認知機能を刺激する活動とは、これまでにやったことがなく、感情に訴え、考える力が試されるトレーニングや運動を指す。

●具体的には、楽器の練習、外国語の勉強、ダンスのレッスン、初めてのカードゲーム、太極拳やジャグリングなど、複雑でこれまでと異なる精神的・身体的スキルを身につけるための活動だ。

●認知機能を刺激する活動は、努力、集中力、熱中が不可欠で、長期間、継続して、繰り返し練習する必要がある。

●認知機能を刺激する活動によって、注意力、記憶力、意思決定力、論理的思考力など、考える力が向上する。

●認知機能を刺激する活動によって、神経可塑性が増し、脳の神経回路網（ニューラル・ネットワーク）の新たな配線が増えると考えられている。

●外国語を学び、2か国語が話せるようになると、海馬などの記憶と学習の中枢部分が大きくなる。それによって、脳の処理速度が上がり、右脳と左脳のコミュニケーションが増えて、脳が老化しにくくなる。

●ダンスは脳機能に効果があり、健康、人間関係、精神面にも数々のメリットがある。ダンスによって、白質の神経線維の体積と数が増え、それによって処理速度が上がり、高齢になってからの認知症など、認知低下のリスクが減る。

●認知機能を刺激する活動は、認知予備力を高めてくれる。それによって、身体的外傷や老化による認知力の低下など、人生でのさまざまな問題に巧みに対処できるようになる。

●年齢に関係なく、認知機能を刺激する活動は脳に良い影響がある。脳を使う新しい活動を、何歳からでもはじめるべきだ。
●認知機能を刺激する活動によって、認知機能障害のリスクが低下するという証拠は、今も増えつづけている。
●脳を刺激する活動をやめると、認知低下が加速する。

訓練すれば、歳を取っても知力は低下しないのだろうか？　脳の働きが活発になり、回転が速くなって、知能が上がるのだろうか？　約１００年もの間、多くの科学者が認知トレーニング（ＣＴ）を研究して、さまざまな結果が出ている。

認知トレーニングとは、思考能力を向上させるための心理学に基づいた学習プログラムだ。その点で、先ほど取りあげた認知機能に効果がある趣味などの〝認知機能を刺激する活動〟とは異なる。

認知トレーニングの研究が初めておこなわれたのは１９１０年で、それはランダムに並べたアルファベットを大学生に記憶させるというものだった。そのトレーニングには多少の効果は見られたものの、記憶するという作業そのものが上達したことを除けばメリットはなく、その研究によって、その後の研究の方向性が決まった。

認知トレーニングの目的は、問題解決力、論理的思考力、注意力、意思決定力、作業記憶力などの向上で、神経可塑性に基づいてトレーニングをおこなう。すでに見てきた通り、神経可塑性は変化する状況や環境に対応して適応する脳の能力で、歳とともに衰えていく。

認知トレーニングの効果に関して、一般には次のように言われている。

- 多くの実験で、認知トレーニングで取り組んだ作業は上達するという結果が得られている。
- トレーニング課題と類似した認知機能への効果（近い転移）に関するエビデンスは少ない。
- トレーニング課題と異なる認知機能への効果（遠い転移）に関しては、さらにエビデンスが少ない。
- いくつかの研究で、認知低下の速度を緩める認知トレーニングの効果が報告されているが、認知症やアルツハイマー病といった認知機能障害の発症を遅らせる、あるいは、防ぐという決定的な証拠はない。

記憶力を鍛えても知力などは向上しない

クロスワードパズル、頭を使う難しいクイズ、数学的なクイズはどうなのだろう？　知力が保たれ、脳の機能が向上するのだろうか？　この疑問に答えるプロジェクトは数多くおこなわれている。

２０１９年、エクセター大学医学部は、プロテクト(PROTECT)研究プログラムの一環としておこなった研究結果を公表した。プロテクト研究プログラムとは、その大学とキングス・カレッジ・ロンドン、英国国民保健サービスによる共同研究で、目的は歳を取っても脳を衰えさせないために何ができるのか、また、なぜ認知症になるのかを解明することだった。

当初この研究では、50歳以上の１万９０００人を25年にわたって追跡調査した。すると、クロスワードパズルや数独などを定期的におこなっている人は、注意力、記憶力、論理的思考力が優れ、特に頭の回転が速かった。

さらに興味深いことに、定期的にそういったパズルをしている人は、そうではない人より、右記の能力が８歳若かった。となると脳の老化速度を遅らせて、知的能力を維持するには、クロスワードパズルが効くのかもしれない。

いや、そう断言する前にもう少し考えなければならない。この研究で調べたのは相関関係だ。テストの結果と脳を使うゲームの関連性だけを検証したもので、因果関係は明らかにしていない。だとすると、脳を使うゲームをおこなっていた被験者は、そもそも頭の回転が速かったのかもしれない。つまり、〝逆の因果関係〟も考えられるというわけだ。

また、この種のゲームが日常的な認知能力に効果的か否かは、かなり微妙で、この研究では有力な証拠は得られていない。

もうひとつ興味深い研究として、ドイツでおこなわれたジグソーパズルに関する研究がある。それによって、ジグソーパズルをおこなうと重要な能力を使うことがわかった。洞察力、反応速度、柔軟性、作業記憶、論理的思考といった能力だ。30日間、毎日、熱心にジグソーパズルをおこなった成人のグループは、対照群（ジグソーパズルをしなかったグループ）と比べて、ジグソーパズルを解くための能力は向上した。だが、〝包括的な視空間認知機能〟に変化はなかった。言い換えれば、向上したのはそのゲームで必要な認知能力だけだった。

認知トレーニングによって、人はさらに知的になれるのだろうか？

今から50年ほど前、カリフォルニア大学バークレー校のアーサー・ジェンセン教授の論文が、『ハーバード・エデュケーショナル・レビュー』誌に掲載され、物議を醸した。ＩＱ（当時の流動性知能の主な指標）は環境変化に強く、ほぼ変わらないという内容だった。

その論文は、〝補償教育は試みられてきたが、明らかに失敗した〟という悪名高い一文ではじまっていた。その結果、政治的にも学術的にも世間を騒がせ、それは米国だけにとどまらず、外国にまで広がった。その後、何十年にもわたって真偽は闇の中だったが、２００８年、ミシガン大学のスザンヌ・ジェッギの研究チームが、画期的な研究をおこない、ジェンセンの見解を覆した。流動性知能は向上し、また、スタート時の知能がどのレベルであっても向上することがわかったのだ。さらに用量効果も見られた。トレーニングを積めば積むほど、効果が得られる。

この研究は、作業記憶が決定的な要因であるという、当時としては斬新な考え方に基づいていた。研究チームは、作業記憶に効果があるふたつのテストを用いていた。その後、この結果を再現するための研究がいくつもおこなわれたが、結果はまちまちで、当初の主張はいくらか見直された。現在では個人差が大きいとはいえ、流動性知能は年齢とともに低下することがわかっている。また、トレーニングで流動性知能が向上するとしても、それが日常生活にどのように反映されるかは、まだわかっていない。

研究結果を多数決で決めるなら、トレーニングを積んだ特定の作業は劇的に向上するが、日常生活への全般的な効果などほかの作業への効果は見られないということになる。

作業記憶を鍛えればさまざまな事柄に良い効果があるという見解は、２０１６年におこなわれた87件の科学的研究の〝メタ・レビュー〟でついに否定された。３人の研究者が、作業記憶のトレーニングプログラムは短期的で限定的な効果しかなく、〝現実世界〟での日常的な認知能力には効果がないと結論づけた。つまり記憶力を鍛えれば、物覚えは良くなるとしても、知力、注意力、思考速度は向上しない。

脳トレゲームで認知能力は改善されない

戦略ゲームは新しいものではなく、人類と同じだけの歴史がある。紀元前10世紀頃から存在する中国の囲碁、インドのチャトランガ、古代ペルシアのチェスの原型など、どれも知力と戦略が試される。のちに視覚的要素が、その後さらに触覚的要素がつけ加えられ、ジグソーパズルやルービックキューブが完成した。さらに最近では、ビデオゲームやコンピュータゲームの出現によってますます複雑になり、勝利するには終わりない戦いを繰り広げなければならない。〝ラスト・オブ・アス〞〝グランド・セフト・オート〞〝スナイパー・エリート〞などのコンピュータゲームはどれもスリル満点で、病みつきになる。

頭の回転の速さ、巧みな操作、抜け目のなさが試される。脳の中の複数のネットワーク（運動、感覚、視覚）を活性化させ、報酬中枢を刺激する。アドレナリン、コルチゾール、セロトニンが体中にあふれ、耐え難い緊張感に包まれて、まるで迷路の中の小動物のような行動を余儀なくされる。その結果ようやく勝利する。こういったことは脳に良いのだろうか？　思考力、判断力、記憶力が高まるのか？

最新の科学研究によると、コンピュータゲームにはメリットとデメリットの両方があるらしい（ゲーム好きなら、メリットのほうが多いことに安心するだろう）。

この分野の研究がはじまったのは20年ほど前で、科学的にはまだ発展途上の段階だ。だが、たまにゲームをする人や、ゲームにのめりこんでいる人など、ゲーム人口が増加するにつれて、この分野の研究の重要性はますます高まっている（２０１７年、英国のゲーム人口は約３２００万人に達し、ゲーム市場で世界第6位となった）。２０１７年、ゲームと脳に関する１００件以上の研究に関して初のレビューが発表された。そのすべてで、コンピュータゲームをすれば、子供から老人まですべての世代で脳の構造と機能が変わり、さらには、行動まで変化するという結果が得られた。

具体的には、どんなメリットがあるのだろう？　まず、その種のゲームによって、注意力が向上する。コンピュータゲームをすると、長時間にわたって注意を払うことになり、それによって選択的注意力（複数のアイテムの中からひとつを選びだすなど）が向上するとのことだ。注意力に関する脳の領域が効率的になり、負荷のかかるタスクに対して、より簡単に〝スイッチが入る〟ようになる。また、見たものを知覚し、認識し、処理する能力である視空間認知も向上する。視空間認知に関わる脳の領域では、ゲームをする人のほうが灰白質が多く、より効率的で、刺激に対する反応が速い。

新たな研究では、脳の電気的活動が変化するという結果が出ている。いくつかの領域で、リラックス状態であることを示すシータ波が増えるが、別の領域では脳の一部が抑制され、ほかの部分が優先されていることを示すアルファ波が増える。さらに、アルファ波が多いプレイヤーほど、反応時間と作業記憶が向上した。また、迅速な意思決定など、制御に関わる脳の領域がより活性化する。

とはいえ、そうやって鍛えられた実行機能はコンピュータゲーム以外の認知トレーニングで鍛えられた実行機能に比べて、ほかの活動に転用されにくい。つまり、コンピュータゲームのためだけに使われる脳の回線を延々と訓練しつづけ、磨きをかけていくイメージだ。

一方、デメリットはどんなものなのか？　コンピュータゲームには依存性があり、インターネットゲーム障害（ＩＧＤ）が起きる。ゲーム依存症患者に〝ゲームの合図〟を与えて脳の反応を観察すると、報酬系の機能と構造が変化する。この変化は基本的にほかの依存症と一緒だ。

まとめると、コンピュータゲームはそのゲームをするために必要なことには脳に対する効果があるが、その効果が日常生活に生かされることはない、ということになる。

だが、コンピュータを使ったゲームやパズルの中には、知力が向上すると謳っているものもある。そういった効果が本当にあるのだろうか？

２０１２年、成長産業である電子的な脳のゲーム（コンピュータによる脳トレ）の年間売上高が10億ドルを超えた。２０１４年、そういったゲームに関して、著名な神経科学者たちの見解が真っ二つに割れた。スタンフォード長寿センターとベルリンのマックス・プランク人間開発研究所による研究チームは、10月に研究結果を発表し、この種の脳トレゲームの謳い文句は、大半が誇張され、ときには誤解を招きかねないと切って捨てた。研究概要には、〝脳トレゲームが科学的根拠に基づいて、認知機能の低下を抑制、または若返らせる手段を消費者に提供するという主張に、われわれは異を唱える〟と書かれていた。(注5)

だが、すぐさま反論の声が上がった。100人を超える一流の神経科学者や研究者が公開書簡に署名して、反論したのだ。

〝脳トレゲームが認知低下を抑え、若返らせる科学的根拠のある手段を提供するという主張に対して、説得力のある科学的根拠はないとする見解には同意できない〟と述べたのだった。(注6)

コグニティブ・トレーニング・データのウェブサイトで公開されたその書簡は、ポジット・サイエンス・コーポレーションの主任研究員マイケル・メルゼニッチ博士が主導してまとめたものだった。ポジット・サイエンス・コーポレーションは、ルモス・ラボと並んで、脳トレゲーム産業を牽引するリーダー企業だ。

何人もの著名な科学者が署名をしたふたつの書類に、それぞれ相反する結論が記されているとは、いったいどういうことなのだろう? 私たちは何を信じればいいのか? この問題を解決するための第一歩は、2016年に発表されたイリノイ大学のダニエル・サイモンズ博士と6人の研究チームによる132件の研究のレビューだった。そこから導きだされた結論は、脳トレゲームによって脳トレゲームとは関係のない能力が高まるという証拠もなければ、日常的な認知能力が高まるという証拠もほぼないというものだった。

スタンフォード長寿センターとコグニティブ・トレーニング・データの意見が衝突する4年前に、ケンブリッジ大学が主導して、『ネイチャー』誌に掲載された大規模な研究でも、同様の結果が出ていた。それは1万1000人以上の成人を対象にした6週間にわたる研究だった。

実験の開始時に、被験者は論理的思考、記憶力、学習能力のテストを受けた。次に、毎週、オンラインでトレーニングをおこなった。ひとつのグループは論理的思考、計画、問題解決に重点を置いた課題をこなし、もうひとつのグループは記憶力、注意力、数学的能力が試されるゲーム形式のテストを受け、もうひとつのグループは曖昧な設問に答えるというトレーニングをおこなった。

その結果、どのグループの被験者も、おこなった作業に関連する能力が向上したが、それは研究の目的ではなかった。その後、開始時と同じテストを実施したところ、テストの成績はグループ間で差はなく、最初のテストより大幅に成績が上がった被験者はいなかった。というわけで、研究者は、「この結果は、健康な大人の大規模な研究では、〝脳トレ〟をおこなっても認知機能が改善される証拠がないことを意味している」と結論づけた。[注7]

〝(このデータは)トレーニングに関連した能力は向上しても、似たような認知機能を使うほかの作業の能力にまで効果が及ぶことはないのを示している〟ということだ。2013年にノルウェーのオスロ大学でおこなわれた23の研究のメタ分析でも、同様の結果だった。

脳トレはそのときにおこなっている作業の能力を短期的に向上させるが、知力、記憶力、注意力はもとより、その他の認知能力全般を向上させることはないとのことだ。

だが、これで一件落着とはならなかった。当然のことながら、脳トレゲーム産業の謳い文句を連邦取引委員会は見逃さなかった。

２０１６年、連邦取引委員会の訴えに応じ、ルモス・ラボ社は２００万ドルの罰金を払うことに合意した。その訴訟内容は、ルモス・ラボが提供する脳トレゲーム〝ルモシティ〟が日常的な知的能力を向上させ、老化による認知障害を軽減、または遅延させるという根拠のない主張で消費者を欺いた、というものだった。

それでも、いまだに多くの人がその種のゲームに夢中になっている。２０１９年、『フィナンシャルタイムズ』誌は〝証拠のない10億ドルの脳トレ産業〟と題した記事の中で、２０２１年には脳トレゲーム産業は80億ドル規模になると予測した。

最後に、グローバル・カウンシル・オン・ブレイン・ヘルスが発表した声明文を引用しておこう。

グローバル・カウンシル・オン・ブレイン・ヘルスは、認知トレーニングという点では脳トレゲームとして販売されている製品の大半を認めていない。脳トレゲームをおこなえば、ゲームは上手くなる。だが、ゲームで高得点を取れても、それが日常的な認知能力の向上につながるという明白な証拠は今のところ得られていない。ゲームの成績が上がれば日常生活での総合的な認知機能も改善するという証拠は、相変わらず不充分だ。たとえば数独が上達すると、資産管理が上手くなるという証拠はどこにもない。(注8)

表8―3に、認知トレーニングに関する研究結果をまとめた。

8-3 認知トレーニングについてわかっていること

●処理速度、作業記憶、注意力などの特定の能力は、コンピュータゲーム、パズル、脳トレなどのトレーニングによって改善する。

●コンピュータゲームや脳トレなどは、知覚、処理速度、柔軟性、作業記憶、論理的思考、エピソード記憶など、数々の認知能力を必要とし、ゲームを巧みにこなすという点で、そういった能力が向上する。

●だが、その効果が総合的な知力にまで及ぶという研究結果はほぼない。つまり、〝遠い転移〟はなされない。

●クロスワードパズルや数独などの認知力を使う活動は、記憶力、注意力、処理速度、論理的思考力の高さと関連があるが、必ずしもそういった能力が向上するとは限らない。

●コンピュータの脳トレゲームは、そのゲームで使用するスキルは向上させるが、日常的な認知機能を改善させる、認知低下を遅らせる、認知症リスクが低減するという証拠はない。

脳を明晰に保つ——そのためにできること

最新の証拠に基づく具体的な方法として、次のようなものがある。

●脳に課題を課す。難しく、集中力を要し、習得するまでに時間がかかる活動を取りいれて、脳を刺激する。簡単で習慣的な活動（何も考えずにできるようなこと）は効果がない。

●脳を刺激する活動として、外国語の勉強、ダンス、カードゲーム、チェスなどがある。太極拳、ヨガ、ジャグリングなど、難しい運動も効果的だ。また、新しい技術の習得、創作的な文筆活動、絵画、ボランティア活動など、ほかにもたくさんある。認知を刺激する活動として、特に抜きんでているものはない。

●老化による変化から脳を守るために、右記のような活動を健康的な生活習慣に取りいれる。テニスやボウリングなど、練習が必要な運動を定期的におこなうのは特に脳のためになる。

●新しい活動を若い頃にはじめればそれに越したことはないが、いくつになっても遅すぎることはない。大切なのは一生学びつづけることだ。年齢を理由にして活動や知的生活の幅を狭めてはいけない。

●楽しめる活動を選ぶ。意志の力だけでは続かない。誰かと一緒にはじめる、あるいはグループに入れてもらうなどすると長続きする。

●ジグソーパズルやクロスワードパズル、数独、数学ゲーム、頭を使う難しいクイズなどを楽しみながら解いてみる。それによって総合的な思考能力が向上するとは言えないが、そういったゲームを上手くこなすスキルが身につき、それが害になることはない。

●コンピュータの脳トレゲームにも同じことが言える。楽しめるのであればやってみよう。ただし、それによって総合的な思考能力が向上するとか、老化による脳の変化が抑えられるとは思わないほうがいい。そういったゲームをすれば、アルツハイマー病やその他の神経変性から身を守れるわけではない。

もし私たちが迷路の中のマウスで、白衣を着た研究者と同じことを知っていたら、迷路からの脱出ゲームを楽しむはずだ。精一杯努力して、マウスとしての小さな頭を一生懸命働かせて、脳を刺激するのだ。健康な脳が手に入る〝魔法の薬〟はない。知力を強化してくれる〝特効薬〟があってほしいと誰もがつい願ってしまう。だが、そんなものはない。

それでも、科学の進歩によってわかったことがある。

何か新しいことを学んで、意欲が湧き、脳が刺激されるような活動をおこなえば、それはある意味で、健康な脳を保つための〝特効薬〟を手に入れたようなものだ。

睡眠と脳

- 睡眠科学の恐るべきはじまり
- イルカの脳は一度に半分ずつしか眠らない
- 睡眠の研究の端緒となったテレパシー事件
- なぜ、人間には睡眠が必要なのか?
- 睡眠不足が引き起こした世界的大惨事
- 常に概日リズムに合わせて生活しよう
- 毎日同じ時間に起き、同じ時間に寝る重要性
- 夜はブルーライトを避け、日中は自然光を浴びる
- コーヒーと睡眠の関係
- 寝る数時間前には酒を切りあげろ
- 現代人の平均睡眠時間は50年前から2時間減少
- 睡眠不足が中高年期に認知機能の問題を生む
- 女性は男性より脳の老化が遅い
- よく眠ることが頭脳を明晰に保つ秘訣

1963年、ラジオからビーチ・ボーイズの曲が流れ、クリスマスが目前に迫る中、ふたりのカリフォルニアの学生がコインを投げた。それは、自ら考案した科学研究の実験台に、どちらがなるかを決めるためだった。その実験とは、眠らない世界記録に挑戦することだ。幸運にもと言うべきか、コイン投げに勝ったのは、サンディエゴ出身のランディ・ガードナー、17歳だった。その結果、ガードナーは11日と25分眠らずに過ごして、実験を終えた。

それによって、いくつかの基本的で重要な観察結果が得られた。その様子を記録したのは、当時の米国の数少ない睡眠学者のひとり、ウィリアム・デメントだった。それから約60年が経ったが、ガードナーの記録は今でも破られていない。そして、これからも破られそうにない。なぜなら、ギネス世界記録はその種の記録をもう受け付けていないのだ。なぜ、受け付けていないのか？　それは、脳へのダメージがあまりにも大きすぎるからだ。

現代人にとって、睡眠不足ほど解決困難な健康問題はない。不眠症、寝つきの悪さ、睡眠障害は現代社会に蔓延している。今を生きる私たちは、ある意味でおぞましい隔離睡眠実験の被験者のようなものかもしれない。夜勤、長時間の通勤、カフェイン、ストレス、人間関係、海外旅行、テクノロジー、老化に関連した変化など、すべてが睡眠習慣に悪影響がある。

寝不足で死ぬことはないかもしれないが、死に限りなく近づくと言っても過言ではない。寝不足は体の隅々にまで染み渡り、健康、幸福、仕事、余暇を蝕んでいく。睡眠は人生のおまけのような贅沢品ではないのだ。

『睡眠こそ最強の解決策である』の著者で神経科学者のマシュー・ウォーカーによれば、睡眠は〝生物学的に譲れない必要不可欠なもの〟だ。そして、眠れない現代人が多くいるとしたら、その原因は頭の中にある。脳の中に。だが、その前に、重要な教訓となる歴史をひもといてみよう。

睡眠科学の恐るべきはじまり

1907年、ふたりのフランス人科学者が残酷な実験をおこなった。ルネ・ルジャンドルとアンリ・ピエロンは、2匹の健康な犬の首輪を壁につなぎ、座ることも横になることもできないようにした。しかも10日間も。不運な犬にとって、監禁されて、眠ることも禁じられるとは、悲惨な体験以外の何ものでもない。この責苦の10日間が終わると、研究者は2匹の犬を安楽死させ、採取した脳脊髄液を健康で活動的な犬に注射した。すると、1時間もしないうちに、犬は眠りに落ちた。

これは、いったいどういうことなのか？　原因は謎の睡眠誘導分子によるもので、研究者はそれを睡眠毒素（ヒプノトキシン）と名づけた。ただし、それがどんなものなのかはわからなかった。

睡眠不足の致命的な力に気づいたのは、そのふたりが最初ではなかった。いくつもの古文書に記述があり、中でも大昔の中国人はその致死効果を十二分に理解していた。強制的に睡眠を奪う行為は非情な拷問だけでなく、残虐な処刑方法でもあった。ヨーロッパでは当時数少ない女性博士で、モスクワの軍事アカデミーの医師だったマリア・マナセイナは、「一睡もしないのは、何も食べないことより致命的だ」と述べた。[注1]

ルジャンドルとピエロンは睡眠研究のパイオニアで、その後、睡眠の研究が続々とおこなわれるようになった。安心してほしい、そういった研究の大半はさほど残酷なものではなく、なおかつ、そういった研究のおかげで睡眠の秘密が徐々に解き明かされていった。睡眠の必要性、重要性、制御方法、眠れない（睡眠障害）理由など多くのことがわかった。

本来、睡眠は健康に欠かせない。それなのに睡眠が生活に及ぼす影響や、生活が睡眠に及ぼす影響については、ようやくわかりはじめたところだ。睡眠と生活の相互関係が話題にのぼるようになったのは比較的最近（ほんの50年前）のことだった。

それは、技術革命によって24時間社会になり、人の生活ががらりと変わって、睡眠問題が社会に広がりはじめたことに端を発している。英国は世界最大の睡眠不足大国で、なんと国民の37％が睡眠不足を自覚している。

イルカの脳は一度に半分ずつしか眠らない

１９０７年から１００年以上にわたって研究されてきたにもかかわらず、睡眠に関してはわからないことが多い。

そのひとつ、睡眠の進化にスポットを当てることにして、〃イルカの謎〃を紹介しよう。私が大学院生だったとき、睡眠学の教授が簡単な質問をしてクラス全員を沈黙させた。「水生哺乳類は呼吸をするために目を覚ましていなければならないのに、どうやって眠るのか?」と質問したのだ。誰も答えられなかった。

解決策のない難題のように思えたが、その答えは興味深く独創的でもあった。イルカの脳は一度に半分しか眠らず、その際、眠っている脳とは反対の目を閉じる。それを知ると、私は睡眠の重要性を痛感した。だが、その答えを聞いた学生が口にした質問も同じように難解だった。

イルカはなぜ、眠る必要があるのか? 睡眠は生物学的にどんな意味があるのか? なぜ、哺乳類はみな眠るのか? 睡眠はどのように進化してきたのか? 教授は何かしら答えたものの確証はなかった。睡眠の生理機能はともかく、生物学的な意味についてはいまなおそのほとんどが謎のままだ。とはいえ、この問題は人間の睡眠を理解するうえで非常に重要だ。もう少し詳しく解説しておこう。

生物学的に、進化は生き残るためのものだ。捕食者や気候などの逆境によって、病気にかかったり死んだりするリスクを減らし、繁殖にもっとも適した者がその目的を果たせるだけの間、生き長らえるためのものだ。その結果、最良な適応が次世代へと受け継がれる。睡眠は生き残ることとは相容れないように思える。眠っていたら、食べ物を得ることも、繁殖活動もできず、さらには寝ている間に捕食者に襲われる危険もある。

一方で、眠るからこそ集団での生活という行動修正を強いられて、かえって捕食されるリスクが減るという見方もある。タンザニア北部のハヅァ族の研究結果は興味深い。その部族は夜の間、何度も目を覚まし、眠っている時間が個々に大幅に違っていた。３週間の調査期間中に、33人いるその部族全員がそろって眠ったのは18分間だけだった。その研究では、不規則な睡眠は、夜間の危険から身を守り、生き延びるために祖先から受け継がれてきたメカニズムだと結論づけられた。

どうやら睡眠は、もっとも捕食されやすく、かつ餌がとれない時間、つまり夜に、人間を活動させないように進化してきたらしい。これによって、健康維持の重要な要素である人体の約24時間周期のリズム（概日リズム）が完成したと考えられている。概日リズムについては、本章の後半で解説する。

進化の大きな流れのひとつに、人間を含めた一部の哺乳類の脳の発達がある。脳はより大きくなり、構造や機能が複雑化した。人間の場合、この進化と関連して、直立、ものを摑むのに適した指（ほかの指と向かいあわせの親指）、社会集団での作業、不要な情動の抑制、高度な計画と意思決定の能力などが発達した。不要な情動とは、獲物やライバルを倒すための計画を立て、実行するといった大切な生存行為の邪魔になる情動だ。

脳が大きくなった分、乳幼児の脳の発達にかかる時間が長くなり、その間、親が世話をしなければならず、そのためには両親の間に親密な絆が必要になる。

意外かもしれないが、霊長類の中では、ほぼ人間だけが向かい合わせで性交をおこなう。それは複雑で高度な脳の進化が主な原因である。つまり、人間の赤ん坊が胎内で過ごす9か月間だけでは、脳が充分に成熟しないからだ。従って、脳の発達は産まれたあとに持ち越され、無防備な子供とその世話をする母親は保護が必要になる。

目と目を合わせて性交することで、絆が深まり、どの霊長類の雄と比べても、人間の男は赤ん坊とその母親のそばに留まろうという気持ちが強くなる。

現時点での脳と睡眠の研究結果をもとに考えると、大きな脳によって人の生存能力が大幅に高まり、さらに高度で大きな脳を効果的に機能させるために、より長く、より複雑で、より積極的な睡眠が必要になったと推測できる。睡眠にはリスクを上回るほど大きなメリットがあるのだ。睡眠研究のパイオニアであるアラン・レヒトシャッフェンは、〝もし睡眠が何よりも重要な役目を果たしていないとしたら、それは進化のプロセスがこれまでに犯した最大のミスだ〟と言った。(注2)

ここでは、睡眠の効果や、睡眠の知識を得ることになったきっかけについてお話ししよう。そのために時間を1893年に戻して、ドイツのニーダーザクセン州に目を向けることにする。そこではプロイセン軍の若い騎兵隊員ハンス・ベルガーが演習に参加していた。貴族の家に育ったベルガーは、イェーナ大学の数学科を1学期で中退した。

イエーナ大学といえば、作家のフリードリヒ・フォン・シラー、哲学者のゲオルク・ヴィルヘルム・フリードリヒ・ヘーゲル、思想家のフリードリヒ・シュレーゲル、生物学者のエルンスト・ヘッケルなど多くの著名人が学んだ、ドイツでも有数の名門学術機関だ。

そのときのベルガーは高尚な雰囲気の学舎とは天と地ほども違う場所で、深い紫と赤の軍服に身を包み、颯爽と馬に乗っていた。しかし、次の瞬間、災難に見舞われた。何かに驚いた馬がのけぞるとベルガーは馬から振り落とされ、近づいてくる騎砲の前に落ちた。幸いにも騎砲の操縦者は目にも止まらぬ速さで反応し、見事にベルガーをよけた。恐怖に打ち震えながらも無傷のベルガーは奇跡的に助かったことに呆然としながらも、立ちあがった。

睡眠の研究の端緒となったテレパシー事件

それで終わっていれば、まあよくある話で、注目をされることはなかったはずだ。だが、まさにその瞬間、はるか遠く離れた場所でベルガーの姉ははっとした。弟の命が危ないことを感じとり、激しい胸騒ぎがしたのだ。そうして父に頼みこみ、弟の連隊に電報を打った。

この一連の出来事が世に知れると、あり得ない偶然に誰もが驚いた。何年ものちにベルガーは、「あれは自然発生のテレパシーだった。命に関わる危機に瀕して、私は死を覚悟し、その思いを送りだし、とても仲が良かった姉がそれを受けとったのだ」と語った。

ベルガーは兵役を終えるとイエーナ大学に復学したが、専攻は数学ではなかった。自分の思

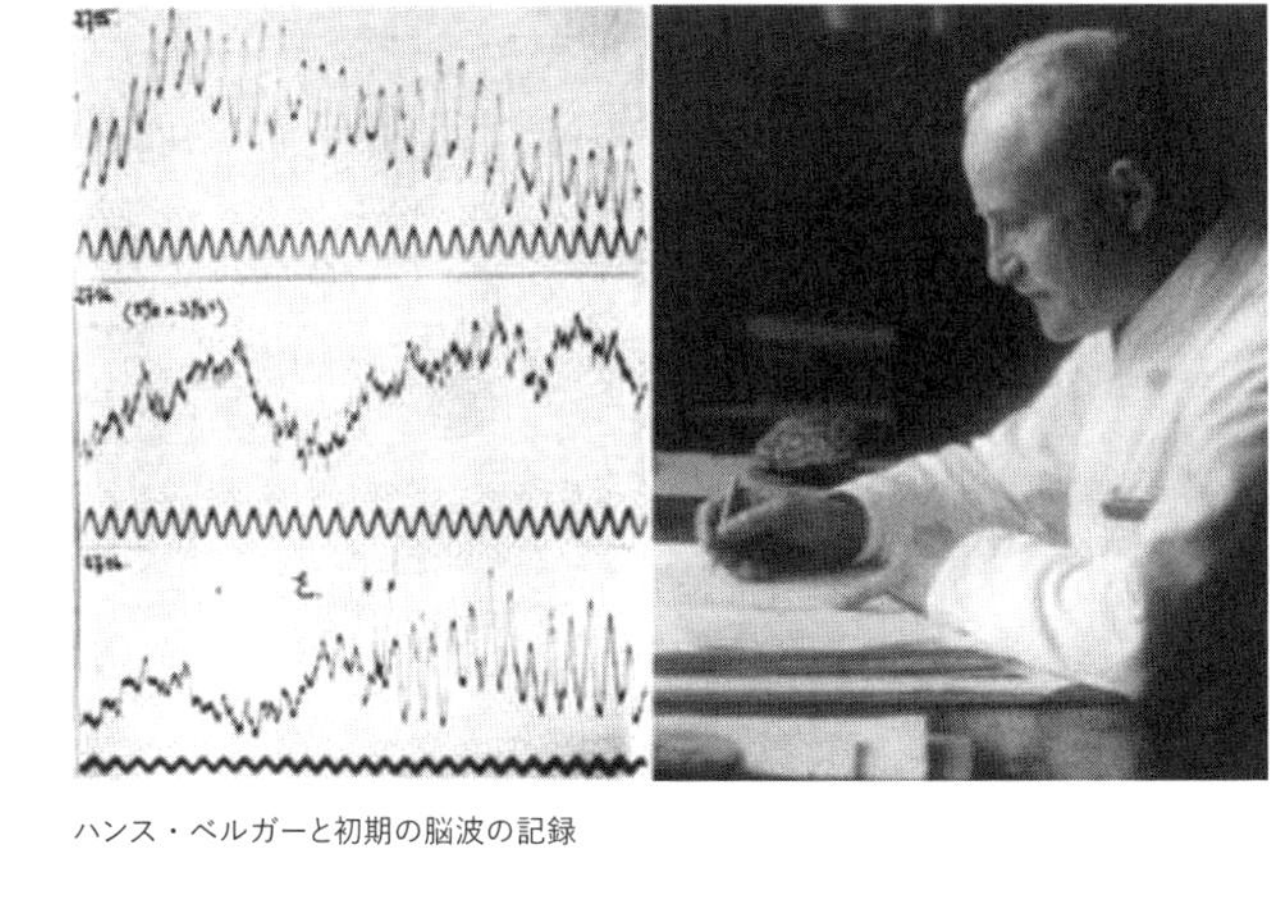

ハンス・ベルガーと初期の脳波の記録

いが信号となって姉に伝わったことが頭を離れず、医学を専攻して、心的エネルギーの生理学的根拠を突き止めることにした。

主たる研究テーマは、〝脳の客観的な活動と、主観的な心霊現象の相関関係の探究〟だった。(注3)その研究自体は実を結ばなかったが、それから約30年後、ベルガーの研究によって、脳科学が大きく進歩した。ベルガーは脳の電気的活動を調べ、初めて脳波を記録したのだ。

この画期的な出来事は、当時は嘲笑(あざわら)われ、誰にも信じてもらえなかったが、現代の睡眠研究の基礎となった。1953年、シカゴ大学でユージン・アセリンスキーとナサニエル・クレイトマンは、脳波の技術を用いて、急速眼球運動（レム睡眠）を発見した。

そこから、睡眠とは何か、どんな役割を担っているのかを解明すべく、研究がはじまったのだった。

睡眠は必要不可欠なものであり、20世紀後半の研究によってその複雑さが明らかになった。眠っている間は〝電気が消えた〟状態で、脳は休んでいると思いがちだが、それは真実とはほど遠い。（あとで解説する通り）眠っている間も脳は活発に動いている。睡眠は目覚めている状態の合間の生物学的に不活性な期間ではないのだ。さらに脳波の研究で、すべての睡眠が同じではないこともわかった。

脳は2種類の眠りを作りだす。〝深い眠り〟と呼ばれている徐波睡眠を含むノンレム睡眠と、〝夢を見る眠り〟と呼ばれているレム睡眠だ。眠っているとき、脳はそのふたつの眠りを周期的に繰り返す。

睡眠周期の最初の部分はノンレム睡眠で、それはN1、N2、N3の3段階に分かれる。第一段階は目覚めたときや眠りに落ちるときに誰もが経験している通り、うとうとしている状態だ。第二段階は浅い眠りで、心拍数や呼吸が安定し、体温が下がる。第三段階は深い眠り（徐波睡眠）で、それが人の睡眠の大半を占め、大きくゆっくりした脳波、弛緩した筋肉、ゆったりと深い呼吸が特徴だ。現時点で、ふたつの細胞のグループ（ひとつは視床下部に、もうひとつは脳幹にある）が、深い眠りの誘発に関与しているという証拠が得られている。その細胞のスイッチが入ると、意識の消失が起きる。

以前はレム睡眠が学習や記憶を助けるもっとも重要な睡眠と考えられていたが、新たなデータは、その点ではノンレム睡眠が重要であることを示唆している。同時にもっともリラックスできて回復効果の高い睡眠でもある。

レム睡眠に入ると、閉じた瞼の中で眼球がすばやく動き、（脳波計によって検出可能な）脳波は目覚めているときと同じ状態になる。呼吸数が増え、夢を見ているときは、体が一時的に麻痺する。

それは不可思議な状態だ。脳は非常に活発なのに、体の筋肉は動かず、呼吸や心拍数は不規則になる。レム睡眠の役割は生化学的、神経生物学的には解明されつつあるが、生物学的には謎のままだ。だが、脳幹内の小さな細胞群（青斑下核）が、レム睡眠をコントロールすることはわかっている。その細胞が傷ついたり、病気になったりすると、レム睡眠中の筋肉の麻痺が起こらず行動障害を引きおこす場合がある。夢を見ながら体が激しく動くという深刻な症状があらわれる。

ノンレム睡眠とレム睡眠のサイクルは自然に繰り返されるが、各サイクルが進むにつれ第三段階のノンレム睡眠は短く、レム睡眠は長くなる。一晩での一般的なサイクル数は、4回、ないしは5回だ。こんなふうにサイクルが繰り返される理由は、まだ解明されていない。

なぜ、人間には睡眠が必要なのか？

眠りが必要な真の理由に関しては単なる通説ではなく、きちんとした証拠が必要だ。眠っている間に脳内で何が起きているのかは科学的に説明できる。だが、謎に包まれたこの一連のプロセスがなぜ重要なのかを解明するには、また別の研究が必要だ。

現在、米国の200の睡眠研究所、英国の大学の10の世界的な研究施設、20以上の科学誌などでこのテーマがさかんに研究され、脳が睡眠を必要とする理由が解明されつつある。とはいえ、公表されているいくつかの解釈を裏づける証拠はまだ充分とは言えない。

人が1日を終えるとき脳は重要な作業をおこなう。人が眠る理由として、科学的に裏づけられているものを列挙しておく。

●睡眠によって、新たなシナプス（神経細胞間の結合）が形成され、記憶、経験、情動が定着する。

●眠ることで、脳内の重要ではないシナプスが除去され、脳の高次の領域（大脳皮質）への負荷が軽減する。

●睡眠によって脳が解毒される。不要な細胞の残骸や害を引き起こしかねないタンパク分子（認知症と関連するベータアミロイドなど）が、グリアリンパ系によって除去される。グリアリンパ系は最近発見された特殊な排液機構で、目覚めているときに比べて、睡眠中は2〜3倍の速さで作動する。

●眠ることで老廃物や脳細胞に酸化ストレスを与えるフリーラジカルが除去され、脳が修復される。睡眠は脳のゴミ処理システムでもある。

睡眠は体内のほぼすべての臓器や組織に影響を及ぼす。心臓血管系、代謝、免疫システム、もちろん脳や神経系も例外ではない。睡眠の質が悪いと高血圧、心血管疾患、糖尿病、うつ病、肥満など、さまざまな病気のリスクが高まり、命を縮める原因になる。

抗酸化物質の重要性については、ご存じの方も多いだろう。本書でもすでに抗酸化物質について触れたが、やはり睡眠とも関係がある。寝不足だと、細胞の損傷や炎症を促進させる分子（フリーラジカルや酸素に反応する物質など）を除去する力が弱まって、体の抗酸化作用が低下する。

つまり、睡眠は脳内のゴミを掃き清め、学習能力や記憶力を高めて、体の細胞を活性化させる。もちろん、気分、食欲、性欲の調節にも大きな役割を果たしている。

だが、睡眠がそういった効果をもたらす仕組みについては、ほとんどわからないままだ。また、特に興味深いのは、脳以外の場所にしかない分子や代謝経路が、睡眠によって影響を受け、その影響が脳内にあらわれることだ。睡眠の謎を解き明かすための長い旅ははじまったばかりだ。それでも、人生をより良いものにするための知識はすでに手に入っている。

眠ってはならないときにうつらうつらしてしまうのは、気まずい。いや、それどころか、災難も招きかねない。最大の災難は１９８６年1月28日に起きた。スペースシャトル・チャレンジャー号が打ち上げから73秒後に空中分解して、７人の乗組員全員が死亡したのだ。

睡眠不足が引き起こした世界的大惨事

その事故の主な原因として、Ｏリングの故障によって加圧された燃焼ガスが漏れたことは広く知られている。だが、あまり知られていない原因もある。それは、前日に開かれた会議で重大な決定がなされたこと、そしてその会議に出席した極めて重要な立場にある幹部たちが、２時間も眠らないまま、午前1時という早朝から任務についていたことだ。スペースシャトル・チャレンジャー号事故を調査した大統領委員会は、睡眠不足による人為的ミスや判断力の低下を重要な要因として挙げている。実際、それは極めて重要視され、その後の打ち上げでは、重大な判断に関する新しい方針が採用された。

ほかにも、睡眠不足という極めて深刻な原因で、壊滅的な産業事故が起きている。１９７９年のスリーマイル島、そして、１９８６年のチェルノブイリでの原子力発電所事故もそうだ。完璧な証拠をそろえるのは難しいが、どちらの事故でも睡眠不足によって早朝に起きた人為的ミスが関与していると言われている。

そういった大惨事が頻繁に起きていないのは、ある意味で幸いだ。眠りと目覚めのパターンをきちんと管理してくれる律儀なふたつの身体システムに感謝しなければならない。それは、概日リズムと恒常性維持機構による睡眠欲求だ。

今から50年ほど前にテキサス州の暗い洞窟で、概日リズムや睡眠に関する知識を一変させる危険極まりない実験がおこなわれた。1972年、フランスの科学者ミッシェル・シフレは、地下30メートルにある禁断の洞窟ミッドナイト・ケイブに入った。そこで半年間過ごすためだ。一科学者として想像するに、シフレがひとりきりでその実験を断行したのは、倫理的理由で仲間を巻きこめなかったからだろう（科学の歴史には、研究のために単独で命懸けの実験をおこなうという、なんとも献身的な事例が無数にある）。

シフレがひとりきりで自然光も音もない地下で暮らしはじめた当時、体の正常な生理機能が外部環境とつながった体内時計に合わせて動いていることはすでにわかっていた。そのリズムについては2000年以上前の人々も知っていたが、それがいかに重要かは理解していなかったはずだ。

古代ギリシアのアンドロステネスは、タマリンドの木が昼間は葉を開き、夜に閉じることを日誌に記した。毎日、繰り返されるその動き（リズム）が、ティロス（現在のバーレーン）を征服しようとしているアレキサンダー大王の提督アンドロステネスの目に留まり、歴史上初めて記録されたのだった。

それから2000年後の1729年、フランス人の天文学者ジャン＝ジャック・ドルトゥス・ドゥ・メランは、そういったリズムが内部に端を発していることを証明した。向日性の植物（おそらくミモザ）を一日中暗い場所に置き、それでも葉が開閉運動を繰り返すことを発見したのだ。

自己監禁の闇の中で、フランス人科学者シフレは昼と夜の自然のサイクルから切り離された状態で、自分の体の反応の変化を記録した。気のおもむくままに眠り、目を覚まし、食べる。そんな自身の活動もすべて記録した。その記録によって、いくつかの重要な発見がなされた。

それまで人間の自然な1日のリズムである概日リズム（サーカディアン・リズム）は、1日の長さと同じ24時間であると考えられていた（ラテン語で〝約1日〟を意味する〝シルカ・ディウム〟から、サーカディアンと呼ばれるようになった）。

だが、シフレはそのリズムが24時間ではないことに気づいた。昼夜の区別がなくなって、解き放たれたシフレの概日のバイオリズムは、平均して24〜25時間になった。

その結果、光も音もない環境で目覚めと眠りのリズムはずれていった。それは概日リズムが24時間ちょうどではなく、毎日、リセットする必要があったからだ。リセットは、目を通して脳に入る日光によっておこなわれる（これについては、本章の後半で解説する）。

また、シフレは時間の感覚がなくなったことにも気づいた。明るい昼と暗い夜という自然のサイクルがないと、時間の流れを正確に把握できなかった。

シフレが自らに課した環境はあまりにも不自然で、6か月間で心身に大きなダメージを与えることになった。地下での苦行を終えて外に出たシフレは、正常な動作や調節ができず、記憶力も低下していた。そういった悪影響はすべて、脳が自然なリズムから切り離されたのが原因だった。現代人の多くは、時差ぼけ、夜勤、夏時間などで、体内時計が狂い、その結果、感覚や能力が低下して、さらに睡眠も乱れるといったことを経験しているはずだ。長い間、宇宙に滞在する宇宙飛行士も同じ問題を抱えることになる。

常に概日リズムに合わせて生活しよう

これほど重要な概日リズムとは何なのか？　それは約24時間の覚醒サイクルのことだ。その間、人の意識レベル（覚醒状態）は増減する。それは体温やホルモンの分泌量、細胞の代謝を調節する他のサイクルと連動している。

たとえば体温は午前6時頃に上がりはじめ、その後、急速に上昇して、午後3時から6時頃にピークに達する。そこからしばらくは横ばいで、夕食後の午後8時頃に再び上昇するが、午後10時頃までは振り子のように上下する。午後10時を境に下がりはじめ、一晩かけてゆっくり下がりつづける。それは外部環境とはほぼ関係ないが、覚醒レベルと同期している。あまりにも暑すぎるとよく眠れないのはそのためだ。

夜に体が急速に冷えると、睡眠ホルモンのメラトニンが分泌されて眠くなる。逆に、温かいシャワーを浴びたり、風呂に入ったりしても眠くなることがわかっている。

それにはふたつの解釈がある。ひとつは温かいシャワーや風呂によってリラックスして、覚醒レベルが下がるという説。もうひとつは体が温まることで冷却機能のスイッチが入り、その結果、体温が下がりはじめるという説だ。研究結果では、睡眠に最適な室温は約18℃となっているが、個人差や文化的な違いも大きい。

表9－1に、概日リズムに合わせて生活するためのヒントをまとめた。

9-1

リズムを常に合わせる——安眠のためのヒント

- 寝室を心地よい温度に保つ。推奨温度は18℃。
- ベッドに入ったら、室温を下げる。
- 寝る前に温かい風呂に入る。

●夏は必要に応じて窓を開けるか、扇風機やエアコンをつける。
●寝室の温度が下がりすぎないように気をつける（12℃以下にならないように注意する）。従って、冬は窓を開けない。
●風呂場を暖かく保つ（冬は窓を閉める）。
●就寝する3時間前からは飲食をしない。
●夜間にトイレに行きたくなって何度も目が覚める場合は、医師に相談する。

概日リズム（次ページ図9・1を参照）は、体内にある生物時計（体内時計）の働きがもとになっている。その時計は身体機能の基盤となる無数の生活リズムを調整していて、脳の奥深くの比較的小さな神経細胞の集合体の中にある。

人の主要な概日時計は、脳の底部の小さな器官、つまり、本書でもすでに何度も取りあげた視床下部に位置する。この小さな器官が、あらゆる生理的機能を調節するという大きな役割を担っている。たとえば空腹、喉の渇き、性欲といった基本的な欲求を司っているのだ。

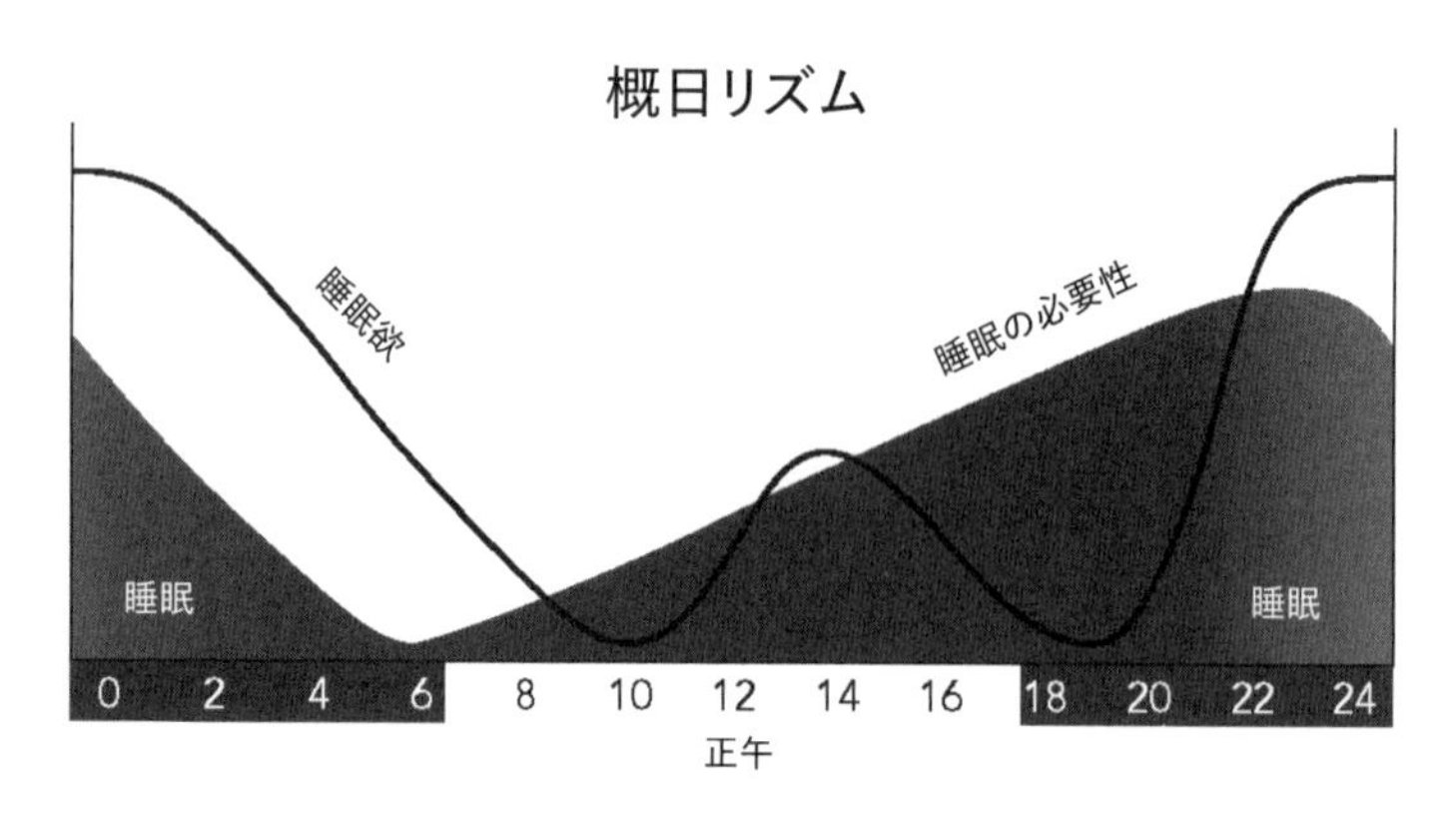

図9・1　概日リズム

さらに、ホルモン系（内分泌系）を制御する下垂体と神経線維でつながっている。下垂体は小さな分泌腺だが、〝内分泌オーケストラの指揮者〟と言われることもある。そのふたつが一緒になって、極めて重要な制御システムである視床下部―下垂体軸（ＨＰＡ）を形成している（これに関しては、第４章の腸内細菌の項でも触れた）。動物実験では、概日時計を構成する視床下部の細胞を除去すると、正常な睡眠と覚醒リズムが完全に失われた。

概日時計は目を介して光の情報を受けとるため、正常な状態では睡眠と覚醒のサイクルとしっかり同期する。

人が目を覚ましていられるのは、昼間はこの時計が発する覚醒シグナルが強まるからだ。

日中の活動と自然のリズムを調和させるこ

とが、生涯を通して脳を健康に保つために欠かせない。午前2時など、妙な時間にものを食べる、毎日ばらばらの時間に食事をする、夜中に活動する（パーティーや仕事の報告書のために夜更かしをする）といったことはどれも、体のリズムや脳内の制御機構を攪乱させる。

とはいえ、幸いにも、その影響が及ぶのは攪乱が続いている間だけだ。食事を正常な時間に戻せば、〝非同期〟は解消する。身体的な能力も精神的な能力も、リズムを正常に保てるか否かで大きく違ってくる。リズムに合わせて生きていけるかどうかにかかっているのだ。

スポーツの勝敗を予測する際に、概日リズムを参考にすれば、より正確に勝者を予測できるとも言われている。覚醒時に高レベルの注意力や知力を発揮するには、概日リズムを乱さずに、毎晩ぐっすりと（深く）充分に眠る必要があることは研究でも立証されている。さらに、そういった睡眠によって、脳はもちろん、全身の不調につながる生理的変化を防げる。

毎日同じ時間に起き、同じ時間に寝る重要性

以上のような研究結果をもとに導きだした睡眠に関する注意点は非常にわかりやすい。第一に規則的であること（睡眠の専門家はこれを〝睡眠衛生〟と呼んでいる）。毎日、同じ時間に起きることが大原則だ。そして、よく眠れているなら、やはり毎日同じ時間に寝るようにする。あまり眠れないなら、うとうとして眠くなるまで待つ。

具体的には、ベッドに入って、眠気を感じる（先に説明したN1段階）のを待つのだ。眠く

なるかどうかは日中の行動に大きく左右され、昼寝や体の疲労度などで違ってくる。従って、グローバル・カウンシル・オン・ブレイン・ヘルスは、良質な睡眠のために、定期的な運動を推奨している。夜はあまり寝られないが、夕方にテレビを観ながらうとうとするようなら、体の声に耳を傾けて、疲れを感じたときに眠るようにする（同時に、睡眠スケジュールにできるだけ合わせる）。寝るにはまだ早すぎるようなら、立ち仕事や軽い運動をして、覚醒度を上げよう。

眠るために薬を飲むのは効果があるだろうか？　それに関しては、なんとも言えない。睡眠薬（ゾルピデムなど）や鎮静剤は効果があるが、医師はあまり処方したがらない。処方するとしても、本当に必要なときだけ服用するように注意するはずだ。

それにはふたつの理由がある。ひとつは薬物依存を避けるためで、もうひとつは、服用しつづけると効かなくなるからだ。従って、処方薬に関しては、医師の指示がないかぎり、服用は週に3晩までにする。市販の薬に関しては、副作用の心配があり、特に年齢が上がるほど避けたほうがいい。睡眠のためのサプリメント（メラトニンのサプリメントなど）は、一部の人には効果があるようだが、科学的には立証されていない。

良質な睡眠のためにすべきことを表9―2にまとめた。

9-2 良質な睡眠のためにすべきこと

●日中は活動的に過ごす。ソファに座ってテレビを観てばかりでは、眠れなくなる。

●寝室は睡眠（とセックス）のためだけに使う。仕事や趣味、テレビを観るために使わない。

●眠りを妨げるペットを寝室に入れない。

●規則正しい睡眠を心がけ、できるだけ毎日同じ時間に眠り、同じ時間に起きる。

●しっかり眠れているなら、常にその時間に寝るようにする。

●あまり眠れていないなら、寝る前にリラックスできることをして、頭の中をすっきりさせる。眠くなってからベッドに入る。あるいは、ベッドに入って、眠くなったら横になる。

- 夕方に眠くなったら、いつもより早くても寝てしまう（体の声に耳を傾ける）。
- 寝心地のいいベッドやマットレス、枕を用意する。
- 市販の睡眠薬は服用しない。
- 眠れない夜が続く場合は、医師に相談する。その際も、処方された睡眠薬に頼りすぎない。

夜はブルーライトを避け、日中は自然光を浴びる

ここまでのところをまとめておこう。脳には良質な睡眠が必要だ。良質な睡眠を得るには、睡眠と概日リズムを同期させなければならない。太陽光を浴びることで同期される。

一方、暗くなるにつれて、睡眠ホルモンのメラトニンが分泌され、眠る準備が整う。基本的にはそういうことだ。とはいえ、日光と睡眠の関係はそれほど単純ではない。光に良い効果があるのは間違いない。だが、食べ物にジャンクフードがあるように、光にもジャンクライトがある。問題は光の波長とそれを浴びる時間だ。

現代の生活は光であふれている。大昔のご先祖さまと違って、現代人は光が届かない場所を探すのに苦労する。人工照明という海の中で暮らしているようなもので、そこには短波長の光、いわゆる〝青い光（ブルーライト）〟があふれている。

短波長光はパソコン、タブレット、携帯電話、テレビ画面などのデジタル機器や省エネ電球から強く発せられる。午前中から午後の半ばまでの、青い波長の自然光は大いに役に立つ。覚醒度を高め、日中の眠気を軽減し、反応を速め、集中力を持続させる。だが、夜にその種の光を浴びると良質な睡眠が妨げられる。目が冴えてしまうのだ。

２０１７年、イスラエルのアスタ・スリープ・クリニックでおこなわれた研究では、健康な若者に夜の9時から11時まで、パソコンのモニターのブルーライトを浴びさせた。すると、メラトニンの分泌が減り、夜中に目を覚ます回数が増えて、睡眠時間が減った。体温は下がらず、日中も疲れやすく、気分も落ちこみがちになった。こういったことを多くの人が経験しているはずだ。逆に、夜の9時から11時まで赤い光（長波長の光）を浴びても、眠りは妨げられなかった。体温が下がり、いつも通りに眠くなったのだ。これはいったいどういうことなのか？

そのメカニズムを説明しておこう。

大気中の粒子によって太陽光の錯乱（レイリー散乱と呼ばれる現象）が起こり、太陽と水平線の位置関係で空の色が変わって見える。つまり昼間の光は青く見え、夕方に太陽が水平線に近づくと赤く見えるのだ。脳に青い光を浴びせると脳は昼間のように反応する。眠ろうとしているときにそんなことをしたら、良いことはひとつもない。

では、どうすればいいのか？　夜はブルーライトを避けて、日中は自然光をたっぷり浴びるのだ。静かな暗い部屋で眠るのはもちろんのこと、少なくとも眠る2時間前からはタブレット、携帯電話、パソコンなどの電子機器は使わないほうがいい。スマートフォン、テレビ、電子機器、モニターはできるだけ寝室に持ちこまない。さもなければ、ブルーライトをカットするフィルターやモニターを使って有害な波長を除去する。夜も起きていなければならないのなら、天井の照明ではなく、やわらかな光のスタンドを使う。青白く冷たい色の電球をオレンジ系の電球に替えよう。

人間と科学技術の不適切な関係が、不眠症や睡眠障害の蔓延を招いたと言われている。そういった悪い習慣を長年続けると、脳にどのような影響があるのかは言うまでもない。

表9－3に光と睡眠に関する注意点をまとめた。また、光の浴び方を調節する具体的な方法も記した。

9-3 光と睡眠に関して注意すべきこと

●昼間は自然な太陽光を浴びる。

●夜はブルーライトを避ける。ブルーライトは快眠の敵だ。

●暗くて静かな部屋で眠る。

●ブルーライトではない照明やランプを使う。あるいは、ブルーライトをカットするフィルターを使う。

●タブレット、携帯電話、パソコン、テレビなど、モニター類を寝室に持ちこまない。

●寝る1時間前からは、モニターを見ないようにする。眠る準備の時間をしっかり取り、モニターの使用と睡眠の間にできるだけ時間をあける。

コーヒーと睡眠の関係

人の体にはもうひとつ睡眠をコントロールする機能が備わっている。恒常性維持機構による睡眠欲求だ。

抗いがたい睡魔なら、誰でも経験したことがあるだろう。退屈な会議で船をこいだり、映画を観ながらいつの間にか眠っていたり、さもなければ車の運転中にふっと意識が遠のいてぞっとしたりする。どれも睡眠欲求の強さを思い知らされる出来事だ。たとえ自覚がなくても、睡眠欲求はつきまとう。眠気は強くなる一方で解消するには眠るしかない。

生物学者はそれを恒常性維持機構と呼んでいる。体が一定の内部環境を維持するための機能だ。恒常性は生命を維持するうえで欠かせず、それが機能しなければ体も機能しない。またもうひとつの機能として、ブドウ糖、体温、水分補給の調節がある。

1932年、英国の生理学者ジョセフ・バークロフトは、〝体のあらゆる器官の中で、高次の脳機能こそがもっとも安定した内部環境を必要とする〟と言った。体温が下がると血管が縮んで体が震える。血糖値が上がると膵臓からインスリンが分泌される。そして、長期間眠らないでいると脳が睡眠を促すのだ。

起きている時間が長くなればなるほど、つまり睡眠時間が短くなればなるほど、睡眠欲は強まる。測定はできないものの、睡眠欲求の強さは、目覚めているときの脳の活動レベルで決まると言われている。ルジャンドルとピエロンが睡眠毒素と名づけた睡眠物質を思いだしてほしい。現時点でのその睡眠物質の有力候補はアデノシンだ。細胞がエネルギーを消費する際に生じる副産物で、睡眠欲求を強めると考えられている。

ここで、一般的な1日の覚醒度と睡魔の変化について考えてみよう。早朝、つまり睡眠欲求が非常に低い時間帯に、覚醒の概日信号のスイッチが入る。その結果、人は目を覚ます。

大半の人は午前6時頃から正午にかけて覚醒レベルが上昇し、それとともに、もうひとつの周期リズムとして、コルチゾール（ストレスに関連するホルモン）の分泌量が増えて、さらに覚醒レベルが上がる。コルチゾールがピークに達するのは午前9時頃だ。ゆえに、朝のコーヒーや紅茶はその時間に飲んだほうがいい。ホルモンによって刺激された覚醒レベルをさらに高められるからだ。それより早い時間にコーヒーを飲んでも充分な効果を得られない。

コルチゾールの分泌は午前9時を過ぎると急速に低下して、午後1時頃には横ばいになる。ゆえに、コーヒーを飲むなら午前中（午前9時～12時）がいい。コーヒーに含まれるカフェインは、アデノシンの働きを阻害して、眠りを促すホルモンを抑えこみ、覚醒を強めて、覚醒の概日リズムを延ばしてくれる。

これが一般的な流れだが、当然、早起きの人もいれば朝寝坊の人もいる。大切なのは自分のリズムを知って、それに合わせることだ。原則は変わらず、サイクルの波も変わらない。ただ、上昇しはじめる時間がいくらか違っている。たとえば早起きの人は目が覚めてすぐにコーヒーや紅茶を飲むのではなく、コルチゾールの値が上がるのを待ってから飲むようにする。もちろん個々の習慣や好みによっても変わってくる。

カフェインの作用を理解しておくのも大切だ。コーヒーを飲むと45分以内にコーヒーに含まれるカフェインすべてが血液に流れこみ、脳へと向かい、血液脳関門を易々と通り抜ける。脳に入ったカフェインはアデノシンの働きを抑制し、それによって睡眠欲求が低下する。さらに、重要な神経伝達物質の受容体の数を増やしてくれる。セロトニンが26～30％、ＧＡＢＡが65％、アセチルコリンが40～50％増えて、さらに目が冴える。だからコーヒーを飲むと、気分が上向いて、やる気が出る。

また、カフェインは肝臓で除去されるが、その半減期は約5時間だ。ということは、午後２時に１００ミリグラムのカフェインを含むコーヒーを1杯飲むと、午後7時になってもまだ50ミリグラムのカフェインが体内を循環していることになる。たとえば昼食のあとにコーヒーを2杯飲むと、真夜中になっても体の中に50ミリグラムのカフェインが残り、それだけあれば充分に目が冴える。

日中に話を戻そう。覚醒シグナルは正午頃にピークを迎え、その後、昼食を食べ終えた午後1時、あるいは2時頃に一時的に休止する。昼下がりによくある意識朦朧（もうろう）状態は、昼食の食べすぎや退屈な会議のせいにされがちだが、実は覚醒シグナルが一時的に弱まるからだ。睡眠欲求がどんどん強まって、午後の1~2時間は人の活動レベルに覚醒シグナルが追いつかず、目を覚ましているのが辛くなる。ゆえに、その時間帯は短い仮眠にうってつけで、多くの国で昼寝（シエスタ）の時間として生活に組みこまれてきた。

とはいえ、40分以上の昼寝はかえって悪影響があるとされている。主な理由は長すぎる昼寝をすると睡眠欲求が低下して、夜に寝られなくなるからだ。

夕方には仕事による疲労感、睡眠欲求の強まり、覚醒シグナルの減少の3つが複合的に作用する。それは眠りを誘うカクテルのようなもので、そこに酒や、神経伝達を妨げる抑制剤や精神安定剤が加われば、ますます眠くなって、さらにセロトニンの分泌も増える。

寝る数時間前には酒を切りあげろ

セロトニンが幸せホルモンと呼ばれるのは幸福感が高まるからで、セロトニンが少ないとうつ病を発症しやすくなる。また、セロトニンは睡眠を促すホルモンであるメラトニンの前駆体分子でもある。さらに、アルコールを摂取すると、前頭葉の行動抑制作用が低下する。酒を飲めば飲むほど、抑制のたがはずれていく。それゆえに、仕事が終わるとすぐに酒を飲みたがる人が大勢いる。とはいえ、大量のアルコールを摂取すると、脳がアルコールで満たされて逆効果になる。アルコールは〝明かりを消す〟効果があるが、深酒は良くない。

その理由のひとつは、飲みすぎると眠りが浅くなるからだ。年齢、健康状態、体質によって影響は異なるが、一般的には、寝る数時間前には酒を切りあげたほうがいい。

グローバル・カウンシル・オン・ブレイン・ヘルスが、睡眠とカフェイン摂取のガイドラインを発表すると、抗議の嵐が起きた。殺到した抗議の一部をご紹介しよう。

〝酒を飲まなければ、夜も眠れない〟

〝神に誓って、私は毎晩酒を飲む〟

〝イギリスは酒飲みの国なのに、飲ませないようにするとはけしからん〟などだ。

確かに、アルコールにはリラックス効果がある。脳内にセロトニンが放出されて、幸福感が高まり、眠くもなる。

だが、27の研究の最新のレビューを含め、あらゆる研究で、大量の飲酒によって通常の睡眠サイクルが乱され、睡眠の質が下がり、脳が脱水状態に陥り（脱水の危険性については、第5章で触れた通りだ）、短期的にも長期的にも脳に悪影響が及ぶという結果が出ている。

カフェインの摂取と飲酒に関する注意点を表9－4にまとめた。

9-4 酒、コーヒー、興奮剤に関する注意事項

- 寝る間際の深酒は避ける。
- 宵の口の飲酒は、年齢や性別に応じて、適切な摂取量を守る。
- 午後2時を過ぎたらコーヒーは飲まない。
- 紅茶はコーヒーに比べてカフェインの含有量が少なく、おおむね睡眠に大きな影響はない。
- 個人差が大きいので、自分の体の反応を基準にする。

午後8時頃に、不動の力（恒常性維持機構による睡眠欲求）と抗えない力（概日シグナル）がぶつかりあう。すると睡眠欲求が人を眠りにつかせようとすると同時に、覚醒シグナルが上

昇する。

概日シグナルは〝内因性〟で、脳の〝時計〟の細胞の遺伝的な活動によって引き起こされる。一般にその活動は1日が終わりに近づくにつれて強くなり、夜の8時頃にピークを迎える。だから、その時間帯は大半の人が眠れなくなる。特に早寝をしなければならないといった事情がない限り、その時間に眠れなくても心配は無用だ。

だが、メラトニン（睡眠ホルモン）の分泌を抑える人工の明かりを浴びていると、眠れない時間が後ろにずれこんで、眠気を感じるのが遅くなり、実際に寝る時間もさらに遅くなる。その結果、睡眠時間が短くなる。

眠りに落ちるとき、体の中では何が起きているのだろう？〝眠れない時間〟が過ぎると、覚醒シグナルが低下して眠気が増していく。眠気は恒常性維持機構による睡眠欲求シグナルに後押しされて、さらに強まっていく。これもまた内因性、つまり体のメカニズムだ。睡眠欲求シグナルはその後数時間は強いままで、この時点でかなり弱まっている覚醒シグナルに邪魔されることなく人を眠りに誘う。

だが、4時間ぐっすり眠った頃に目が覚めやすくなる。それは睡眠欲求が減少したせいで、覚醒シグナルが弱まっているだけでは眠りつづけられなくなるのだ。

そこで、救いの手を差し伸べるのが、体内時計の概日リズムだ。概日リズムが眠りを促すシグナルを脳のさまざまな部分に送ることで、覚醒が抑えこまれる。覚醒シグナル同様、この睡眠シグナルも、主に脳細胞内で作られる強力な化学物質（神経伝達物質）という形で、睡眠を司る脳の領域（脳幹と視床下部）から大脳皮質（前頭葉）へ送られる。

知的能力を高め、情動をしっかりコントロールして、プレッシャーに負けずにいるには、睡眠スケジュールと体内時計を同期させると良い。だが、時差ぼけや夜勤などのストレスによって、体内時計（概日リズム）と睡眠覚醒パターンがずれてしまう。そうなると、覚醒シグナルは目覚めたいときに弱くなり、眠りたいときに強くなる。多くの人が経験しているこのずれ（乱れ）の影響は無数の論文で裏打ちされている。時差ぼけだけでも、疲労感、頭痛、苛立ち、集中力の低下、意欲の低下、学習能力や記憶力の低下につながる。

ここで、チャールズ・ツェイスラーから聞かされた話をお伝えしておこう。

ツェイスラーはハーバード大学の教授で、睡眠研究の第一人者であり、NASAの顧問も務めている。ツェイスラーの研究チームは、ブラジル南部の都市からゆうに5時間はかかる森に暮らしている先住民を探しだした。その先住民は日が暮れると眠り、夜明けとともに目を覚ます。9人いる家族全員が、同じ土間の部屋で寝ていた。

ツェイスラーは、「子供たちが夜遅くに目を覚ましたらどうするのか?」と尋ねた。その家族の母親は、通訳の質問を1〜2分かけてようやく理解すると、「子供たちは夜に目を覚まさない」と答えた。村に電気はない。人工的な明かりも、SNSも、カフェインもアルコールも、目覚まし時計すらなかった。これはそういったものがすべて揃った〝先進国〟に生きる現代人

（眠れずにいる私たち）にとって意義のある教訓だ。

現代人の平均睡眠時間は50年前から2時間減少

残念ながら、睡眠障害を治すには薬を用いるしかない。だが新たな研究で、不眠症は予防できるという結果が得られた。この章の冒頭でも述べた通り、睡眠障害が蔓延しはじめたのは、今から50年ほど前だ。

それは科学技術の進歩による社会の変化と一致している。人工的な光、電化製品、電子機器、ＳＮＳなどが広くいきわたり、カフェインをはじめとする刺激物が多量に摂取されるようになった時期と重なっているのだ。今は50年前と比べて、睡眠時間が6時間未満の人が10倍もいる。１９７０年と比較すると、年齢に関係なく平均睡眠時間が2時間も減っている。英国では成人の40％が睡眠不足を自覚していて、その割合はヨーロッパでもっとも高い。英国のＧＤＰが伸び悩んでいるのも納得だ。

ミレニアル世代と10代の若者に関してはさらにショッキングな結果が出ている。彼らは毎日、平均8時間半ほどをＳＮＳやメッセージのやりとりに費やし、それは睡眠に費やす時間を上回っている。

ここで、睡眠不足と睡眠障害の違いをはっきりさせておこう。

いわゆる睡眠不足とは、おおむね一時的な不眠症のことを指す。原因は時差ぼけ、カフェイン、飲酒、長時間労働、夜遅くの社交活動、ＳＮＳ中毒といった外的要因と、体調不良、不安、ストレスといった内的要因、つまり器質的要因だ。いずれにしても一過性のものであることに変わりはない。

一方、睡眠障害は睡眠不足と同じように眠れないとはいえ、本質的に異なっている。睡眠不足と違って長期にわたり、慢性化して、睡眠に問題があると医師から診断が下される。

ひとくちに睡眠障害といっても、さまざまなものがあり、国際疾病分類（ＩＣＤ）では、88種類に分類されている。不眠症、睡眠時無呼吸症候群（呼吸障害）、歯ぎしり、睡眠時の運動障害（むずむず脚症候群など）、睡眠時異常行動（夢を見ながら体も動く）などだ。

不眠症の症状には、寝つけない、安眠できない、早朝に目が覚める、睡眠の長さや質に不満がある、日中の疲労感が消えないなどがある。英国の成人の40％が不眠症と言われている。少なくとも3か月以上、週に3回以上寝つけない、安眠できない、また、睡眠が不足して日中の活動や健康に支障が出るようなら睡眠障害の可能性が高く、病院に行ったほうがいい。

睡眠不足は誰もが経験している。夜になっても眠れなかった。夜更かしをした。子供がいつまでも眠ってくれなかった。深夜の映画がどうしても観たかった。

その結果、この世は敵だらけになる。なぜ、今日にかぎって、スターバックスでこんなに待たされるのか？　なぜ、これほど渋滞しているのか？　なぜ、雨が降っているのか？　それともこんな思いをしているのは自分だけなのか？　研究では、睡眠不足は二重の苦しみを生むという結果が出ている。苛立って、敵対心をかきたて、つっけんどんになり、意地が悪くなって、しまいには怒りだす。そんなネガティブな感情を抱くだけでなく、心を閉ざし、陰鬱になり、悲観的になって、すべてを悪いほうに考えてしまう。

睡眠不足によって、自制心を司る大脳皮質と、脳の奥深くにある扁桃体（恐怖、憎しみ、怒りを生じさせる部分）とのつながりが分断されてしまうのだ。幸せホルモンのセロトニンやドーパミンなど、気分を変える神経伝達物質が分泌されなくなって、〝脱抑制〟状態に拍車がかかる。ついていない1日になるのも、無理はない。

とはいえ、気持ちが落ちこむだけでは済まない。実際に、何をやってもうまくいかず、集中もできなくなる。すべきことが思い通りに進まず、優柔不断になって、大切なことを見極められなくなり、昨日のことも忘れて、論理的に考えられなくなる。

いったいこれはどういうことだろう？　新たな研究で、睡眠不足だと神経細胞が〝ぼんやり〟することがわかった。そればかりか神経細胞同士の〝会話〟が成立しなくなる。何かを思いだして考え、集中する能力は、何百万もの細胞が正常に連動することで成りたっている。体の中の友好的なこのおしゃべりを、睡眠不足は黙らせる。逆に、静かにしていなければならない脳の領域のスイッチが入りっぱなしになる。活性化状態が続いて、混乱に拍車をかけるのだ。睡眠不足で特に被害をこうむるのは、脳の思考を司る前頭葉だ。

1週間のある実験で、一方のグループには1日5時間の睡眠を取らせ、もう一方のグループには8時間の睡眠を取らせた。その間、毎日全員に決断を迫った。あらかじめ決まっている額のお金を受けとるか、あるいはハイリスク・ハイリターンの報酬を受けとるか（高額を受けとるか、何も受けとらないか）、いずれかを選ばせたのだ。日が経つにつれて、5時間睡眠の被験者はハイリスクの報酬を選ぶようになり、また、リスクを好むようになるにつれて、自分の行動に無頓着になっていった。

睡眠不足だと、判断力が低下するばかりか、自分の決断が間違っていることにも気づけなくなる（軍の司令官には充分に注意してほしい）。さらに、睡眠が足りないと浮気をしやすくなるという研究結果もある。それどころか文字どおり、そして比喩的にも命取りになる。きちんと眠らないと、飲酒運転の基準値を超えたときより反応速度が遅くなるのだ。

睡眠不足が中高年期に認知機能の問題を生む

睡眠パターンと健康な脳について、ある程度のことが予測できるだけの知識はすでに得られている。具体的には中年期の睡眠状態をもとに、10年後の脳の健康状態がわかるのだ。

新たな研究で、中年期に不眠症など睡眠に問題があると、10年後、あるいはそれ以降に認知力が低下することがわかった。同じ研究で9時間以上眠ると、晩年に認知機能が低下するという興味深い結果も得られている。だからといって、たまに眠れない夜があるとか、たまたま具合が悪くて長時間眠ってしまったということまで心配する必要はない。たまになら大丈夫。問題なのは、長期にわたって繰り返される睡眠習慣だ。

すべての長期的研究で、睡眠不足と中年以降の認知低下の関連が報告されている。

2016年のグローバル・カウンシル・オン・ブレイン・ヘルスの睡眠に関する報告書には、〝睡眠不足によって、注意力、記憶力、実行機能が低下し、中高年期に認知機能の問題が頻出することは、数々の研究で明らかになっている〟と記されている。さらに以下のように続く。

大規模な研究で、不眠症とその初期症状である断片的な睡眠によって脳の機能が損なわれるという結果が出ている。途切れ途切れにしか眠れない高齢者は、脳の小血管疾患のリスクが高まり、認知力と情動機能が低下しやすい。また、継続的に眠れる高齢者に比べ、認知低下が早く起こり、アルツハイマー病のリスクも上がると考えられる。

不眠症は脳卒中の危険因子で、うつ病の主要な危険因子でもある。(注4)

逆に、うつ病、不安障害、脳卒中などの脳疾患があると睡眠不足になりやすい。

つまり、事情は交錯している。不眠症の人はしっかり眠れている人より、10倍うつ病を発症しやすい。そしてうつ病だと、寝つきが悪く、眠りが浅く、日中に眠気を感じる。

とはいえ、歳を取れば誰でも、睡眠時間が短くなるのではないか？　そういう話はよく聞くが、実のところ、それは大きな誤解を招く思い込みに基づいている。

この件はさらに込み入っている。大人になると睡眠時間は一定になるが、睡眠の性質は変化する。米国睡眠医学会によれば、世代ごとの1日に必要な睡眠時間は以下の通りだ。

●乳児（生後4～12か月）――（昼夜を問わず）12～16時間
●子供（1～2歳）――（昼寝を含め）11～14時間
●子供（3～5歳）――（昼寝を含め）10～13時間
●子供（6～12歳）――（夜間）9～12時間
●ティーンエイジャー（13～18歳）――（夜間）8～10時間
●大人（19歳以上）――（夜間）7～9時間

これはあくまでも平均で、必要な睡眠時間は人それぞれ異なる。また、なんらかの理由で、推奨される睡眠時間を満たせない人も多いはずだ。

睡眠を研究している大学教授によると、「朝、目が覚めたときに疲労感がなく、日中に眠気

ぐっすり眠る

を感じないなら、充分に睡眠が取れている」とのことである。

睡眠の問題は年齢とともに増えると書かれた論文をよく見かけるが、問題の中身はもっと複雑だ。年齢とともに睡眠が変化するのは正常だが、睡眠の質が低下するのは正常とは言えない。

睡眠の構成と持続性（恒常性）は、歳とともに質も量も変化する。50歳になっても、25歳のときのように熟睡できるとは思わないほうがいい。もちろんよく眠れる人もいるだろうが、それは全体の5〜10％と少数派だ。それでも睡眠が必要であることに変わりはない。

グローバル・カウンシル・オン・ブレイン・ヘルスは、米国睡眠医学会の〝歳を取っても、心身ともに健康でいるために、1日に7〜8時間の睡眠が必要〟という見解を支持している。

そこに昼寝を含めてもかまわないが、もう一度言っておこう、40分を超える昼寝はご法度だ。40分を超えてしまうと睡眠欲が低下する。また、歳を取るにつれて睡眠が途切れ途切れになり、目が覚めやすくなる。中年期にさしかかると睡眠の中断が増えていく。

さらに、30歳から60歳にかけて、徐々に眠りが浅くなっていく。従って、睡眠の回復効果を得るためには充分に眠る必要がある。質の良い睡眠と生活習慣を維持するために、若いとき以上に気をつけなければならないのだ。

睡眠と脳の加齢について第一に言えるのは、明確な答えはまだ出ていないということだ。新たな発見や論争が続いている。この状況をよくあらわしているのは、単純に思えるふたつの疑問の答えが得られずにいることだ。

ひとつは歳を取るにつれて、なぜ睡眠が変化するのか？　もうひとつは加齢による睡眠の変化に、男女差はあるのか？　という疑問だ。

女性は男性より脳の老化が遅い

2番目の疑問から考えてみよう。そこにはちょっとした矛盾が見られる。歳を取って、ノンレム睡眠中に目を覚ましやすくなり、機能障害に陥るのは女性より男性が多い。

一方で、歳を取るにつれて、よく眠れないと訴えるのは、男性より女性が多い。これが精神的な違いによるものなのか、生理学的メカニズムの違いによるものなのかはまだわかっていない。女性が眠れないと訴えるのは、更年期障害との関係も考えられる。

それには多くの女性が納得するだろう。グローバル・カウンシル・オン・ブレイン・ヘルスでは、更年期から閉経にかけてのホルモンの変化が不眠や睡眠障害を引きおこすと考えている。ホットフラッシュはアドレナリンの急増によって眠っている脳を叩き起こす。大量の汗が出て、体温が変化し、睡眠も心地よさも損なわれる。

だが、悪いことばかりではない。２０１９年3月、ウォールストリートジャーナルは、女性は男性よりも脳の老化が遅いという研究結果を記事にした。その研究によると、女性は睡眠障害や更年期障害といった問題を抱えたとしても、一般に男性より老化速度が遅く、長生きするとのことだ。(注5)

いずれにしても、歳を取るにつれて、脳幹、視床下部、視床の覚醒系と、睡眠を司る大脳皮質のいくつかの領域で、重大な神経生理学的変化と神経化学的変化が起きる。たとえば老化によって前頭前皮質の神経細胞が減ると、徐波睡眠（深い眠り）が減少する。

また、視床下部のガラニン産生細胞とオレキシン産生細胞が減ると、寝つきが悪くなり、睡眠時間が短くなって、眠りが浅く、途切れがちになる。客観的な睡眠不足と主観的な睡眠不足は、どちらも脳内のベータアミロイド（アルツハイマー病の神経変性によく見られるタンパク質）の量と関連していると言われている。

それでは、最初の疑問について考えてみよう。歳を取るにつれて眠りが変化するのはなぜなのか？
それに関して興味深い新たな説がある。歳を取っても、睡眠が必要なのは変わりないが、眠りを生みだす能力が弱まる。言い換えれば、年齢が上がるにつれて、より多く眠らなければならないということになる。この仮説を裏づける有力な証拠となるのが睡眠物質のアデノシンだ。細胞外アデノシンは、若者に比べて、睡眠欲求が低下しがちな高齢者のほうが多いことがわかっている。

この矛盾はどういうことなのか？　どうやら、歳を取ると脳細胞のアデノシン受容体が全体的に減るせいで、アデノシンの値が高くても眠気をあまり感じないらしい。受容体がなければ、血漿内のアデノシンは標的とする細胞に入れないからだ。これは2型糖尿病のメカニズムとやや似ている。2型糖尿病では、インスリンの量は正常でも体の細胞がインスリンに対して鈍感になり、あまり反応しなくなるのだ。

年齢が上がるにつれて睡眠パターンが変化し、さらに睡眠障害も起きやすくなる。だが忘れてはならないのは、睡眠以外の健康状態も同じだということだ。老化は病気の大きな原因で、併存疾病、つまり同時に複数の持病を抱えることも珍しくない。

先に取りあげた通り、英国での慢性疾患の平均数は、65歳でひとつ、75歳では3つ、80歳以上では5〜6となっている。それを思えば、65歳を過ぎると睡眠障害が増えるのは不思議なことではない。

そこで重要になるのは、老化速度を遅らせること、そして体内の炎症を減らすことだ。それによって睡眠障害や脳の病気はもちろん、老化によるあらゆる病気のリスクが低下する。

よく眠れないと、脳の炎症が大幅に増える。逆によく眠れれば炎症が減り、脳の病気にもかかりにくくなる。さらに知的能力、情動のバランスと幸福感、生産的な社会活動の能力も向上する。だが、年齢に縛られることはない。すでに触れた通り、高齢者の顕著な特徴のひとつは、歳を重ねるごとに個人差が大きくなることだ。高齢者ひとりひとりが異なっていることからも、年齢以外の要因が数多く関わっているのがわかる。老化プロセスの相互作用が、目に見える違いとなってあらわれる。高齢者の睡眠障害の原因が年齢だけではないのは間違いない。こういったことから導きだされる教訓は、非常にポジティブなものだ。

若い頃から相互に作用する要因に注意して生活していれば、歳を取っても、脳が持つ驚異的な適応能力を生かして最適な量の良質な睡眠が取れる。

よく眠ることが頭脳を明晰に保つ秘訣

いくつもの秀逸な研究で、睡眠が不足すると注意力、記憶力、実行機能が低下し、中年以降に認知機能の衰えを感じやすくなるという結果が出ている。「良質な睡眠を維持すれば脳は健康に保たれる」と、多くの科学者が言っている。中には、「睡眠の質を上げれば脳の老化速度が遅くなる、いや、脳を若返らせることもできる」と考える科学者もいる。

すなわち、睡眠について研究すべきことはまだ山のように残っているのだ。良質な睡眠が脳の機能を向上させるのか、それとも、脳機能が良好だから睡眠の質が上がるのか、それともその両方なのか？　その答えはまだわからない。

睡眠不足の実験で、短い睡眠時間や断片的な睡眠が知的能力に与える影響は、中高年より若者のほうが大きいという興味深い結果が得られている。それを知って、若者以外はほっと胸を撫でおろしているかもしれない。自分より若い同僚のほうが悪影響を受けているのだ。

いずれにしても、現時点で得られている睡眠不足に関するさまざまな研究結果をもとに考えると、何歳であろうと生涯にわたって良質な睡眠を取りつづければ、脳の機能が向上して明晰な頭脳を保てると言えそうだ。どの研究でも、〝できるだけ早い時期からきちんと眠るようにすれば、脳がより健康になる〟という結果が出ている。睡眠に関する権威ある機関すべてが、その考え方で一致している。

英国では睡眠評議会（スリープ・カウンシル）、欧州睡眠研究学会（ヨーロピアン・スリープ・リサーチ・ソサエティ）、米国では全米睡眠財団（ナショナル・スリープ・ファンデーション）、米国睡眠協会（アメリカン・スリープ・アソシエーション）、米国睡眠医学会（アメリカン・アカデミー・オブ・スリープ・メディシン）、米国健康睡眠連盟（アメリカン・アライアンス・フォー・ヘルシー・スリープ）などが、その見解を支持しているのだ。

ただし、あまりにも睡眠について気にしすぎると、ノイローゼになることもある。グローバル・カウンシルの睡眠の専門家は、〝たまに眠れないことがあっても気にする必要はない。意外と自分で思っているより、よく眠れているものだ〟と言っている。

健康に関して心配性の私も、その言葉に大いに励まされた。そこで結論だ。この本を読んでいるみなさんにもう一度言いたい。何よりも大切なのは、長年にわたる良い生活習慣だ。

CHAPTER 10

脳と幸福

- 物質的な豊かさは人を幸せにしたか?
- お金、結婚、子供——何が人を幸せにするのか
- 人間の〝心理的現在〟の時間は約3秒間
- 心は理性には知りえない理屈を持つ
- 脳には幸福回路と不幸回路が別個に存在する
- 思考は情動を助け、情動は思考を助ける
- 日常的な決断はほぼ情動に支配されている
- 不安や恐怖は脳の活動を低減させる
- グリーン・ジム活動で人の脳は健康になる
- ヨガ、笑い、絵画、音楽でストレスに対処する
- ヨガは心にも体にも効く
- 笑いは生き残るための鍵
- 美術、音楽は人の幸福度を上げる
- 酒を飲んでストレス解消という世界的迷信
- 脳の中には神々が住んでいる

フィンランド人は世界一幸せだ。意外に思えるかもしれないが、当てずっぽうで言っているわけではない。科学がそう言っているのだ。過去8度、世界幸福度報告書（ワールド・ハピネス・レポート）は、幸福科学者（そういう学者が本当に存在する）が定めた〝人を幸せにする主な要素〟をもとに、世界の国をランクづけしてきた。その要素とは、収入、健康寿命、社会的支援、自由、信頼、寛容さなどだ。
参考までに表10－1に1位から20位までを記しておく。これを見ればわかる通り、英国や米国などのいわゆる経済大国はトップ集団からかなり後れを取っている。

10-1

世界で一番幸せな国

1. フィンランド
2. デンマーク
3. スイス
4. アイスランド
5. ノルウェー
6. オランダ

7. スウェーデン
8. ニュージーランド
9. オーストリア
10. ルクセンブルク
11. カナダ
12. オーストラリア
13. イギリス
14. イスラエル
15. コスタリカ
16. アイルランド
17. ドイツ
18. アメリカ合衆国
19. チェコ共和国
20. ベルギー

（世界幸福度報告書2020より）

国民の幸福に関して新たな価値観が生まれたきっかけは意外なものだった。

1979年、ブータン王国の第4代国王は、キューバからインドのデリーの国際空港を経由して帰国しようとしていた。このときインドのジャーナリストのインタビューに応じ、「国内総生産（GDP）ではなく、国民総幸福量（GNH）を国の発展を測る基準にするべきだ」と答えたと言われている。こうして〝幸福〟という、ともすれば曖昧な概念が、世界中の国が取り組むべき課題として認識されるようになったのだった。発端は意外なものだったとはいえ、それは突拍子もない発想ではない。

物質的な豊かさは人を幸せにしたか？

実際のところ、幸せになる秘訣を知りたくない人はまずいない。それは人類共通の普遍的な心からの願いだ。何千年もの間、偉大な思想家が永遠の疑問の答えを追いつづけてきた。〝豊かな人生とは何なのか？〟〝みんなが夢見るような人生とは、どんなものなのか？〟米国では、〝幸福の追求〟は自由や命と同じぐらい尊重されている。

この謎を科学は解き明かしてくれるのだろうか？　まず、あたりまえとも言える答えがある。人は何が幸せなのかを知っている。だが、何が自分を幸せにしてくれるのかは人それぞれ違う。個々に異なっていて普遍的な答えはない。

もう少し具体的に言えば、幸福とは自分の人生に満足して心が満たされている状態だ。もし今が旧石器時代なら、日々の暮らしの優先順位はまるで異なるものになる。そこでの幸福は、今日1日を無事に生き延びること、生きて1日の終わりを迎えられることだ。

だが、この1万年間であらゆることが変わった。農業、産業、デジタル分野での大変革など、相次いで劇的な変化が起こり、人は望むものを簡単に手に入れられるようになった。今、人類史上初めて、物質的な意味でわれわれは望むものをほぼ手に入れたと言ってもいい。それでも、やはり疑問は残っている。物質的に豊かな社会が人をさらに幸せにしただろうか？

幸福とはわかりやすいもののように思えるが、実際にはそうではない。

この20年間だけでも、何が人を幸せにするのかを科学的に解明しようとした論文が1万7000以上も発表されている。何が人を幸せにするのかは、自分の身に起きたことをどう受け止めるかで決まる。一方で、物事が順調に進んでいれば、それが幸福につながる。

夫婦仲は良いか？　仕事はうまくいっているか？　生活費を充分に稼いでいるか？　子供たちは元気か？　科学者はこれを〝総合的な生活満足度〟と呼んでいる。

それと同時に、気分が良いことも同じぐらい大切だ。肯定的な感情（喜び、高揚感、愛情、感謝など）と、否定的な感情（罪悪感、怒り、恐怖、憎しみなど）のバランスで、気分の良さが決まる。それは喜びを最大化して、苦しみを回避できるかにかかっている。

この2点の先に、もうひとつ根源的な問題が待ちかまえている。

〝能力をいかんなく発揮して、願望や希望に向かって生きているだろうか？〟

ウィンストン・チャーチル首相にとってそれは、25歳までに名声を得ることだった。アイザック・ニュートンにとっては、博識な学者になることで、母親の貧しい農場で土地を耕していては実現しそうになかった。トーマス・エジソンにとっては、先生から「おまえは頭が悪すぎて勉強しても無駄だ」と言われても、発明家になることだった。

お金、結婚、子供――何が人を幸せにするのか

物事が順調に進むことについて、科学的にどんな発見がなされているのかを見てみよう。

まずはお金だ。お金で幸福は買えるだろうか？　お金によって幸福度に大きな差が出るという研究結果が得られているのは、意外ではないだろう。ただし、それは〝ある程度まで〟という条件つきだ。

２０１０年、プリンストン大学のダニエル・カーネマンとアンガス・ディートンがおこなった研究によると、お金を稼げば稼ぐほど幸福度は上がるが、その額には上限があるとのことだ。上限は７万５０００ドルで、それ以上稼いでも幸福度は横ばい状態だ。それより新しい２０１８年の研究でも、インフレにもかかわらず、やはり７万５０００ドルを上限とする結果が出た。この結果は理解しづらいかもしれない（特に、あまりお金を持っていない人にはなかなか理解できない）。

なぜなら、たいていの人は、もっとお金があればさまざまな問題が解決すると思っているからだ。だが、どれほどお金があっても、人生の根本的な問題――人生にどんな意味があるのか、誰と一緒に過ごすか、自分は何者なのかといった問題――はなくならない。

この話にはさらに続きがある。幸福の研究者に言わせれば、お金があっても幸せではないとしたら、それはお金を正しく使っていないということになる。

ブリティッシュコロンビア大学とハーバード・ビジネス・スクールの研究者は共同で、カナダのバンクーバーのショッピングモールで面白い実験をおこなった。被験者に5ドル、あるいは20ドルのいずれかが入った封筒を渡し、その日のうちに使うように指示した。さらに、被験者の半分には自分の好きなように使っていいと言い、残りの半分には自分のために使ってはいけないと言っておいた。つまり、慈善団体に寄付するなり、ホームレスにあげるなり、人のために使いなさい、と。

翌日には結果が出た。渡されたのが5ドルでも20ドルでも、そのお金を人のために使った人のほうが明らかに幸福感が高く、自己肯定感も高かった。

また別の研究では、物にお金を使うより、体験にお金を使ったほうが幸福度が高くなるという結果が出ている。主な理由は、物と違って体験は自分自身を形作ってくれるからだ。

ほかにもまだある。市場調査でお金の使い方を変えることで幸福度を上げる方法が無数に見つかっている。いずれにしても覚えておいてほしい――〝お金があれば幸福になれるが、お金があればあるほど幸福度も際限なく上がっていく〟わけではない。それほど単純なものではなく、実際にはもっと複雑なのだ。

さて、結婚すれば幸せになれるというのは事実だろうか？

過去20年間に世界各地でさまざまな測定方法でおこなわれたどの研究でも、結婚をしていない状況（同棲、離婚、別居、独身など）に比べて、結婚は幸福に強い関連があるという結果が出ている。この違いは一生変わらず、世代間の差もないと考えられている。

またそこには逆の因果関係も認められる。幸せな人ほど結婚する傾向にあり、従って、結婚相手もそもそも幸福度が高い。だが、ここにもまた一見しただけではわからない複雑さが隠れている。例外はあるものの、一般には結婚生活を続けていくうちに幸福度は下がっていく。

さらに、矛盾しているようだが、結婚の次に幸福な体験は、離婚であるという研究結果が出ている。そのふたつの研究結果を合わせると、基本的に〝良い結婚は人を幸せにする〟が、結婚がうまくいかなくなった瞬間に状況は逆転して、〝離婚が人を幸せにする〟らしい。

3つ目の疑問、〝子供は親を幸せにしてくれるのか？〟について考えてみよう。国や文化が違っても、親は子供を持つすばらしさを強調したがるものだ。〝子供は喜びの源〟だ、と。

だが、客観的な事実は、迷信のようなその言葉を否定している。過去50年間の研究すべてで、それとは逆の結果が出ているのだ。一般的に子供がいない大人に比べて、親は幸福度が低い。とはいえ、そこには曖昧さがつきまとう。子供は親の幸福度にわずかな負の影響を与えるだけなので、多くの親は自分も幸福な親の範疇に入ると思いこむ。また、住んでいる場所にも関係があるようで、たとえばノルウェーやハンガリーの親は他の国の親より幸福度が高い。

あるいは年齢によっても変わってくる。高齢の親ほど幸せな傾向にあるのだ。また、育児の形態によっても異なる。どうやら不幸のもとは家庭生活と仕事の板挟み状態にあるようだ。充分な出産休暇や両親ともに育児休暇が取れるなど、先進的な雇用条件の国では板挟みにならず、不幸の度合いは大幅に低下する。

こういったことは、物事がうまくいっている状態の3つの例に過ぎない。もう少し視野を広げて、2010年にハーバード大学の心理学者がおこなった研究に目を向けてみよう。

研究者は〝トラック・ユア・ハピネス〟というアイフォンのアプリを使って、世界各国の2000人に、自分がしていることを入力し、そのときに感じた幸福度を0から100の点数で評価してもらった（100が一番幸福度が高い）。

1位は言うまでもなく性行為で、ダントツの90点だった。2位は運動で75点。3位以下はほぼ同点で、おしゃべり、音楽鑑賞、散歩、食べる、祈る、瞑想、料理、買い物、子供の世話、読書だった。最下位は何だろう？　人生でもっとも嫌なことベスト3は、身だしなみを整える、通勤、仕事だった。

物事をうまく進めることと幸福との関連について、ふたつの大発見に触れないわけにはいかない。ひとつは、たとえ仕事が嫌いだとしても、幸福になりたいなら無職でぶらぶらしていてはいけないということだ。それはほぼ例外なくあらゆる国や社会で科学的に立証されている。

毎日特にすることもなく無為に生きていては幸せになれないのだ。つまり、目的を持って生きることが、幸せをつかむためには欠かせない。人生の目標が幸せを見つけること（アリストテレスからダライ・ラマまで多くの人がそう言っている）だとしたら、それは目的を持って生きることにほかならない。

１９２６年に、オーストリアの神経学者で精神科医でもあったヴィクトール・フランクルは、科学者として初めて、〝意味〟が人間の生来の衝動であると断定した。その理論は、彼自身がアウシュビッツ収容所という途方もなく過酷な状況を生き延びることで立証された。

愛する妻をナチスに殺されたと知りながら、強制的に穴を掘らされたときのことをフランクルは次のように振り返っている。〝人間の詩や人間の思想や信念が伝えるべき最大の秘密の意味を私は理解した。人は愛を通して、そして愛することによって救われる〟と。(注1)

目的が人を幸福にすることは、心理学で証明されている。

もうひとつの発見は、何をしているにせよ、ぼんやり過ごしてはいけないということだ。集中力の欠如は物事がうまくいくことから得られる幸福感を帳消しにする。ハーバード大学のアイフォンのアプリを用いた研究に話を戻そう。その研究で人はどんな活動をしていても、平均して47％の時間をぼんやり過ごしていることがわかった。ただし、その活動が楽しければ楽しいほどぼんやりする時間は減る（性交中はわずか10％だ）が、それでもやはりこの法則があてはまる。

さらに人は何をしていても、また、その活動（性交だろうと、読書だろうと、身支度だろうと）の〝幸福度〟にどんな点数をつけていても、自分がしていることに集中したほうが幸福度が上がる。だが、これもまたどちらが先なのかわからない。不幸だからぼんやりするのか？ぼんやりするから不幸になるのか？　それに関して興味深い研究結果がある。

たとえば午前9時にぼんやりしていたとする。すると9時の時点と比べて、その5分後には幸福度が下がっている。一方、午前9時に不幸だったとしても、必ずしも15分後もくよくよ悩んだり、夢想にふけったりしているとは限らない。

どういうことかというと、ぼんやりして過ごすと不幸になるという証拠はあるが、不幸だからぼんやりするという証拠はないのだ。だとしたら、今やっていることに集中するに越したことはない。

人間の〝心理的現在〟の時間は約3秒間

気分が良いことを、心理学者は〝主観的幸福感〟と呼ぶ。

1990年代、カリフォルニア大学バークレー校のダニエル・カーネマン（イスラエル人の新進気鋭の心理学者）は〝快楽（ヘドニスティック）〟心理学なるものに傾倒した。人それぞれに、人生での経験が楽しいものになったり、不快なものになったりするのはなぜなのか、それを突き止める研究だ。

1998年、カーネマンはデイヴィッド・シュカーデとともに、『カリフォルニアに住めば、人は幸福になるのか？』という画期的な論文を発表し、それによってノーベル経済学賞を受賞することになった。

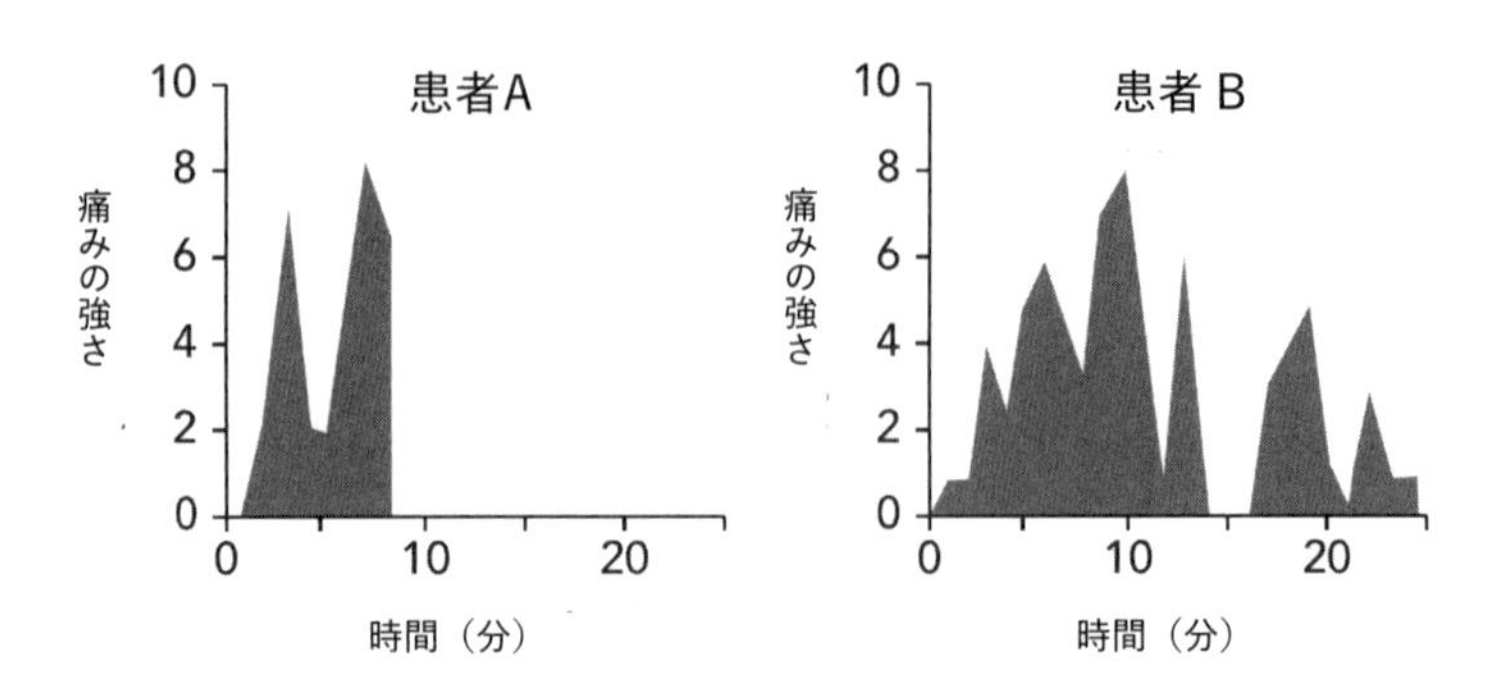

図 10・1　記憶に関するカーネマンの実験

人の脳の記憶の不確かさと、先入観の抱きやすさを調べるための研究で、カーネマンとその研究チームは大腸内視鏡検査（直腸の検査）の不快感を調査した。患者がその検査をどんなふうに体感し、記憶しているかを調べたのだった。研究者は患者の傍に座り、患者の感想を詳細に記録した。

図10・1はふたりの患者の結果だ。約8分間で検査を終えた患者Aより、検査時間が長い患者Bのほうが明らかに苦痛だったはずだ。だが両者に感想を聞くと、予想に反して、苦しくなかったと答えたのは患者Bのほうだった。これはどういうことなのか？

患者Bがもっとも苦しかったのは検査の最終段階ではなかった。つまり、最後は苦痛なく終わったのだ。患者Bの評価は記憶の偏りによって決まり、検査にかかった時間は関係なかった。

カーネマンはこの実験結果から、気分の良し悪しに関して脳にはふたつのシステムがあるという結論を導きだした。そのシステムのひとつ、〝経験する自己〟は、今この場で自分がどのように感じているのかを認識する。つまり、その瞬間を〝幸せに生きている〟と認識するのだ。そんなふうにして、人は一瞬一瞬の感覚として幸福を感じる。その〝心理的現在〟の長さは約3秒間と言われていて、1か月で約60万回の〝経験〟をする。その経験はどうなるのか？

残念ながら、大半は失われてしまう。一方、脳のもうひとつのシステムは〝記憶する自己〟で、瞬間の経験から〝物語〟を作りあげ、それが記憶として定着する。

この物語は、変化、重要な瞬間、結末をもとに紡がれる。また、〝記憶する自己〟はまったく異なる観点で幸福をとらえ、自分の人生がどれほど幸せか、つまり、さまざまな出来事を振り返ったときに、どれほど満足したか、嬉しかったかということを教えてくれる。

ここまで来れば、カーネマンとシュカーデが提示した「カリフォルニアに住めば、人は幸せになれるのか？」という問いの答えが出たも同然だ。

カリフォルニアに住んでいない人に、カリフォルニアでの生活について尋ねると、穏やかな気候やのどかなビーチや風景を思い浮かべ、実際に住んでいる場所と比較して、たいていは（今住んでいる場所に）不満を抱く。とはいえ、実際にカリフォルニアに引っ越すと、〝経験する自己〟の幸福度が跳ねあがるわけではない。

ただし、以前の生活を思い返すように言われたときだけは別だ。すると、〝記憶する自己〟が新たな人生にはるかに満足していることに気づかせてくれる。

心は理性には知りえない理屈を持つ

近代科学の幕開けに、チャールズ・ダーウィンは偉大な著書『人間と動物における情動の表現』の中で、情動の起源について考察した。当時としてはかなり画期的な内容であり、多くの人がその本から心理学がはじまったと考えている。

現代のさまざまな学問分野、とりわけ神経科学で、ダーウィンの結論——個々の情動は思考、感情、行動のもととなる別個のアイデンティティを持っている——が正しかったことが証明されている。その本の中で、ダーウィンはすべての人間や多くの動物種が、極めてよく良く似た手段で情動を表現すると述べている。その主たるものは表情で、それをシグナルとして情動の状態を伝える。ダーウィンは知るよしもなかったが、その偉大な洞察の裏にある原理は、共通の進化の歴史のおかげで他の種と共有している脳の構造にある。

情動は人の脳の奥深くにある原始的な部分で生まれるのだ。

情動は生き残るための生来の自動的な反応で、飢餓感、喉の渇き、強い欲望、恐怖、怒り、嫌悪、悲しみ、高揚などがある。強力かつ原始的で、直感的だ。感情のもととなり、思考や行動に大きく関わっている。実際、激しい情動によって、人は考える間もなく行動する。

21世紀のカナダのケベック州のテレビ局で放映されたラブコメディは、17世紀のフランスの偉大な博学者ブレーズ・パスカルの名言「心は理性には知りえない理屈を持っている」をもとにしていた。そして、それはまさに双方向に作用する。周囲の人々や状況への認識が情動と感情を起こさせる。激しい怒り（レッド・ミスト）が痴情のもつれによる犯罪につながるのは、いつの世も変わらない。人が何かを見て、考える脳である前頭葉がそれを脅威と見なすと、恐怖と嫌悪が湧きあがり、大脳辺縁系で〝闘争・逃走反応〟と呼ばれるものが起きる。

それは、１９３６年にオーストリア出身の生理学者ハンス・セリエによって初めて報告された複雑な生存行動で、なんらかの方法で脅威を排除するためのものだ。具体的には、脅威となるものを殺すか、逃げるかの二択だ。心臓の鼓動が速くなり、全身に力が入り、呼吸が荒くなり、手のひらに汗がにじむ。アドレナリンとノルアドレナリン、最終的にはストレスホルモンのコルチゾールといったホルモンが分泌される。そうやって身を守るために闘うか、逃げだすか、いずれかの準備が整うのだ。


ほかの例としては食べ物がある。食べ物の見た目と匂いが飢餓感を煽る。性欲も同じで、抗いがたい繁殖欲求を起こさせる。そういった根源的な情動はすべて欲求と考えられている。その結果、人に欲求が満たされるような行動を起こさせ、それが満たされると、情動そのものも、情動によって生みだされた衝動もおさまる。

根源的な情動はどこで生まれるのだろう？　2003年、9人のドイツ人科学者が厳選した10人の大人に対して、実に恐ろしい実験をおこなった。

被験者は全員クモ恐怖症だった。それは、風呂場でクモを見つけてドキッとするような生ぬるい恐怖ではない。全員が恐怖で凍りついて、まったく動けなくなってしまうほど深刻なクモ恐怖症と医師から診断されていた。被験者はひとりずつ順番に、薄暗く、逃げ場のないトンネルのような脳スキャナに入れられて、（すでにおわかりかと思うが）クモの画像を何枚も見せられた。すると脳の奥深くのある領域がクリスマスツリーのように点滅し、脳内の恐怖の座が見つかった。それは扁桃体だった。

人間の感情をあらわす8つの顔

第1章で解説した通り、扁桃体は大脳辺縁系の一部で、〝爬虫類脳〟とも呼ばれる脳の古い構造の集合体だ。散在しながらも高度に組織化された領域で、高次の〝考える〟前脳と、呼吸や体温など生命維持活動を制御する低次の〝植物〟脳幹との間に位置している。

情動はすべてそこで生まれる。

それは生き残るために進化した強力で原始的な衝動で、それゆえ常に前頭葉によって抑制されている。だからビールを大量に飲んで抑制が利かなくなると、情動に突き動かされて好き勝手に行動してしまうのだ。

念のために言っておくが、〝原始的な〟というのは〝単純な〟という意味ではない。大脳辺縁系は巨大で複雑な処理工場と言ってもいい。大脳皮質（前頭葉）とともに情動を生みだして、なおかつ抑制もおこなう。その過程で体の内と外の両方から入ってくる膨大な情報をより分けて、さらに学習と記憶にも大きな役割を果たしている。

それをより複雑なものにしているのは、感情に大きな影響を及ぼす強力な化学物質であるホルモンだ。脳を混乱させるホルモンの四天王は、ノルエピネフリン、ドーパミン、セロトニン、GABAである（そのうち3つは、最初のほうの章ですでに解説した）。

この4つのホルモンの化学構造は似ているが、発生させる情動は大きく異なる。ノルエピネフリンは主に扁桃体で恐怖や怒りといった〝闘争・逃走反応〟の引き金となる情動を生みだす。喜びや高揚感を担当するのは報酬ホルモンのドーパミンだ。セロトニンは睡眠、消化、回復など多くの作用があるが、脳内では精神安定剤となる。セロトニンの値が正常だと幸福感が高まり、心が穏やかになって、不安をあまり感じなくなる。つまり、情動が安定する。

GABAの主な役割は神経細胞の活動を鎮め、リラックスさせて、ストレスを減らし、気持ちを落ち着かせ、さらに睡眠の質を上げる。ホルモンのバランスが崩れているかどうかを知るもっとも確実な方法（唯一の正確な方法）は血液を分析すること、つまり血液検査を受けることだ。といっても、通常の血液検査とは違って医師の診断が必要になる。

脳には幸福回路と不幸回路が別個に存在する

こういったホルモンは脳のどこで作用するのだろうか？　アイオワ大学の夫婦で研究をおこなっているアントニオ・ダマシオ教授とハンナ・ダマシオ教授は、世界でも特に珍しい記録を保有している。それは２５００人分の頭の画像だ。ふたりはこの脳コレクションによって、喜びや苦しみを感じる場所を突き止め、ある法則を発見した。

それは、脳には〝幸福〟と〝不幸〟それぞれに別々の回路があるという法則だ。つまり、脳の異なる部分がそれぞれ異なる情動や感情を生みだしている。それゆえに、苦痛や悲しみがないからといって、必ずしも幸せな気持ちになれるわけではない。

実際、その研究で誰もが薄々と感じていたことが明確になった。それは、いくつもの矛盾する情動が同時に湧いてくるという現象だ。映画を観ていて、怖くて身震いしながらもわくわくする。自分、あるいは人を愛しながらも嫌悪感を抱く。子犬に財布を齧（かじ）られて、腹が立つと同時に愛おしくも思える。さらに、人が相反する複数の感情を抱くだけでなく、〝脳のふたつの半球が異なる行動を取っている〟こともわかった。

それは意外でもなんでもない。右脳が体の左半分を制御し、左脳が右半分を制御していることはよく知られている。また現在では、左脳は期待、高揚、興奮、快楽といったポジティブな情動を司り、右脳は嫌悪、恐怖、不安、パニックといったネガティブな情動を司ると考えられている。だが、右と左の脳は対等な関係ではない。右半球のほうが優位なのだ。基本的に情動の制御は右半球が優勢で、自分の表情や他者への知覚を司る（情動制御の大きな部分を占めている）。とはいえ、ルールには例外がつきものだ。誰かのことを好きになるか嫌いになるかなど、社会的な情動の処理を受け持つのは左脳だ。

人の感情に関与しているのは、四天王ホルモンだけではない。ほかにも多くのホルモンが気分の良さに貢献している。たとえばエストロゲン、プロラクチン、テストステロンなどの、いわゆる性ホルモンがそれだ（とはいえ、性ホルモンはさらに多くのことに貢献している）。

また、愛情ホルモンのオキシトシンは感情的・身体的に親密な状態のとき、また性行為の際に分泌される。身体活動を活発にするアドレナリンもある。さらに、脳そのものの薬物療法も存在する。脳内で鎮静剤が作られるのだ。

1973年、ジョンズ・ホプキンズ大学の研究チームは驚くべき発見をした。人間の脳の神経細胞に鎮静剤の受容体があることを発見したのだ。

問題の鎮静剤とは、アヘン、ヘロイン、コデイン、モルヒネだ。これはいったいどういうことだろう？　なぜ、人の脳が強力な中毒性のある物質に対応するように作られているのか？

人は何百万年もの間、ヘロインを打ったりコカインを吸ったりして進化してきたわけではない。それなのに、どう解釈すればいいのか？　その答えはすぐにわかった。人の脳は中毒になるように設計されたわけではなく、喜びを感じるようにできているのだ。

脳はエンドルフィンというモルヒネに似た物質を自ら作りだす。それが人にとっての幸福物質である。とはいえ、それは人をハイにさせるためだけにあるのではない。

エンドルフィンは脳はもちろん、体全体の生存に関わる変化を促す。良い気分になれるその物質が脳内で生成されるがゆえに、人は苦痛やストレスに耐えられる。あるいは運動や性行為といった、生存率を高める行動を取るようになるのだ。エンドルフィンは多幸感をもたらし、喜びを生じさせ、痛みを軽減する。いわば天然の鎮痛剤で、大怪我やトラウマ、あるいは出産などの過酷な状況下で苦痛をやわらげてくれる。

だが、人を元気づけるその物質には、中毒性があって命まで脅かすドッペルゲンガーが存在する。それがモルヒネで、人の脳はそれに対して無防備だ。モルヒネの原料となるケシは、文明発祥の地である中東の畑で5000年以上前から栽培されてきた。

マイケル・J・ブラウンスタインは約30年前の秀逸な論文で、ケシ栽培の長い歴史の証拠として、ホメロスの『オデュッセイア』の一文を引用した。

〝今、彼女はワインに薬を投じた。彼らがそれを飲めば、あらゆる痛みも怒りもおさまり、すべての悲しみは忘れ去られる〟

――こういったことは、過去から現在に至るまで、無数の人が体験してきた。

エンドルフィンとともに、もうひとつの助っ人物質も脳を満たす。エンケファリンというその物質は、脳への痛みのシグナルを脊髄内でやわらげ、脳内では恐怖、不安、ストレスに対する反応などの情動行動を制御する。そんなふうにしてエンドルフィンとエンケファリンは人生を明るくしてくれる。そのふたつがなければ人生は灰色で、人はロボットのようになってしまう。そのふたつがあるから喜びが増して、苦痛が軽減されるのだ。言うなれば、究極のストレス除去作用で日々の暮らしを彩り、活力を与えてくれる。人が貪欲に快楽を追求するのはあたりまえと言ってもいい。生まれつきそのように作られているのだから。

物理の法則に従って、力が加われば、それを押し返す力が生まれる。エンドルフィンの場合、それは暗く陰気な従兄弟のような存在のダイノルフィン――いわば、不快を生じさせる麻薬だ。神経系に広く散在し、さまざまな衝動や情動を人に抱かせる。人生同様、脳にも人を動かす必要悪が存在する。不快感、嫌悪感、反感、そういったものはすべて、人が幸せになるために欠かせない。ダイノルフィンによって警戒心が生まれ、それによって人は脅威にさらされていることに気づける。

食べ物がないときには飢餓感。脱水状態のときには喉の渇き。仲間から離れたときには孤独感。有害物質を前にしたときには嫌悪感や反感を抱く。ダイノルフィンがなければ、大変なことになる。不要なものや持つべきではないものに遭遇すると、ダイノルフィンは人を嫌な気分にさせ、そういったものを避けて必要なものだけを手に入れるように仕向ける。

一見、悪者に見えるこの麻薬は、実は私たちの味方なのである。不快感を生みだすことで人を危険から遠ざけ、安全で幸せな状態に戻してくれる。

思考は情動を助け、情動は思考を助ける

ＳＦテレビドラマシリーズの『スター・トレック』で人気を博した登場人物にミスター・スポックがいる。人間とヴァルカン人の間に生まれたスポックは、ユーモアを解さず周囲の人間を見下していた。あくまでも理性的で冷静、無慈悲なまでに計算高く、エンタープライズ号のほかの乗組員（欠陥だらけの情動的な脳を持つ哀れな人間）とは一線を画していた。とはいえ、もしもスポックが自分で言うより半分でも賢ければ、情動を身につけていたはずだ。もし人間が情動を持たずに進化していたら、真の進化は遂げられなかったのだから。

情動は人間の複雑な行動の鍵を握っている。理屈抜きの情動は前頭葉で感情になる。感情は価値観、判断、信念などと複雑に絡みあい、それによって人は他者の行動をコントロールして活用する。感情とは、楽しさ、怒り、無関心、畏怖の念であり、憂鬱、欲望、絶望であり、パニック、情熱、プライドでもある。

ここに挙げたのは科学者が分類したごく一部の感情で、ほかにもさまざまなものがある。人は傲慢にも、頭脳明晰でわれこそがこの星のスポックだと言わんばかりに胸を張っているが、

その行動は複雑怪奇だ。論理的あるいは理性的に考えて行動することもあれば、感情によって突き動かされることもある。だが、だからこそ、人間は真にすばらしい種とも言える。その脳はある意味で非常に緻密な機械のようだ。そこでは、情動、感情、理性的思考が調和して、作用しあう。思考は情動を助け、情動は思考を助けている。異質な要素が合わさることで、意思決定、洞察、行動が生まれる。人の脳には感情を調節して制御する力があり、さらに決定、計画、実行する力もある。そこが他の種とは違っている。

だからといって、もちろん他の種から学ぶことが何もないわけではない。1954年、ふたりのカナダの科学者は、ラットを用いて実験をおこない、脳への軽い電気刺激による強化効果(報酬効果)を調べた。ラットの脳に触れるように電極を埋めこんで、ラットが小さなレバーを押すことで、自ら脳に電気を送れるようにした。ラットは放たれて自由に行動し、餌や水など、身体的に何不自由ない環境を与えられた。

その結果、32番のラットは12時間で7500回レバーを押し、平均すると1時間に625回の電気刺激を受けた。つまり1分間に約11回、5秒おきに1回押したことになる。だが、オリンピック選手並みのこの記録は、奇しくも別のラットに破られた。なんと、そのラットは1時間に1920回もレバーを押したのだ。平均すると2秒に1回となり、最後には過労死した。

それにしても、刺激されたのは脳のどの部分だったのか? その実験で発見されたのが、脳の快楽中枢だった。だが同時に意外な発見もあった。電気刺激を受けると不快になる脳の領域があり、ラットはその部分を刺激されないように、ありとあらゆることをしたのだ。そんなふうにして、小さなラットは〝気持ちの良さ〟の大原則を教えてくれた。

それは、〝良い経験を最大限に増やし、悪い経験はひたすら避ける〟ことだ。

さて、みなさんは疑問に思っているかもしれない。個々の幸福感や良い精神状態が、脳の健康や知力にどんな関係があるのか？　脳が健康で機能的なら、精神状態も良くなるのか？

悲愴感、無能感、苦悩感といった精神的に不安定な状態が、脳の3つの基本的な能力を阻害するのは実験で明らかになっている。その3つの能力とは、論理的に考える能力、他者と交流する能力、情動を制御する能力だ。精神状態を安定させるための手段は誰もが持っていて、それは実行に移すだけの価値がある。

なぜなら、それはただ単に気分が良いか悪いかということだけでなく、知力を高めるための秘密兵器でもあるからだ。

良好な精神状態とはどういう状態なのかについては、表10―2を参照してほしい。

10-2 良好な精神状態

- 幸福（良好な精神状態）とは、人生に満足し、満ち足りていることだ。
- 良好な精神状態には、ふたつの要素がある。順調であることと、気分が良いことだ。
- 順調であるとは、今の暮らしに満足していることだ。仕事、家庭、プライベートはうまくいっているか？ 人生の変化にうまく対処できているか？
- 気分が良いとは、今この瞬間がどのぐらい幸せかということだ。心地よく、健康で、目的を持っているか？
- 気分が良いとは、ポジティブな感覚（喜び、高揚、愛情、感謝など）と、ネガティブな感覚（罪悪感、怒り、わだかまりなど）のバランスが取れていることだ。

●情動は自然に湧きあがる生理反応で、生き延びるうえで欠かせない。飢え、喉の渇き、性欲、恐怖、怒り、嫌悪、悲しみ、高揚などがあり、それは強力で、原始的で、論理的な理由はない。

●感情は情動に基づく意識的な体験で、脳内の考える領域である前頭葉で生まれる。

●情動や感情は考え方や行動に大きな影響を与え、正常な認知機能（思考、推論、意思決定、計画、良好な人間関係）にとって不可欠だ。

●人の脳は快楽を求め、苦痛を避けようとする。精神状態を安定させるには、快楽と苦痛の両方が欠かせず、ふたつの矛盾する感情のバランスを取らなければならない。

日常的な決断はほぼ情動に支配されている

ほとんどの人が自分には決断力があると思っている。選択や決断をするときには、真実を見極め、じっくり考えて、合理的に判断する……いや、実はそうではない。大半の人は情動に頼り、直感（虫の知らせのようなもの）で判断している。そして、たいていの場合、あとから決断を正当化するために事実を利用するのだ。自分を納得させるために一連のプロセスや規則や慣習を利用することもある。

なんにせよ、日常的な決断の大半はほぼ情動に支配されていると言ってもいい。20世紀の心理学はおおむねこの点を見落としていた。１９７０年頃からそれまでの常識をくつがえす研究がはじまったが、本格的に動きだしたのは２０００年代に入ってからだ。２００４年から２０１１年にかけて、この分野ではそれまでに公表された研究の８倍もの研究がおこなわれた。

その結果、何がわかったのか？　情動に左右される意思決定の目的は、ネガティブな感情（罪悪感、恐怖、後悔）から、ポジティブな感情（誇り、喜び、満足）へと移行することだ。ストレス、不安、心配、恐怖からひたすら逃れようとする。誰と一緒に過ごすか、何をするか、何を食べるか、何を飲むか、尊敬やお金や地位をどれだけ得るか――そういった決断はすべて、〝良い気分でいたい〟という人類の進化を支えてきた奥深い欲望によって下される。

以上のようなことから、重要な発見があった。それは、気分が良いと意識も働きやすいことだ。高い幸福感こそ知力アップの秘訣で、もちろん、それは画期的な研究で立証されている。

２００８年、ケンブリッジ大学でおこなわれた大規模な調査で、50歳以上の１万１０００人を超える成人の精神的な充足度を測定した。また、被験者全員に認知機能テストを実施し、時間に対する見当識、記憶、言葉の流暢さ、計算能力、思考速度、注意力を調べた。

すると、明確な結果が出た。精神的な充足度が上位20％の人はみな認知能力が明らかに高かった。この研究者の言葉を借りれば、〝精神的な充足感は、すべての認知領域の能力と間違いなく関連していた〟となる。[注2] それは初めておこなわれた研究で、さらにふたつの点で大いに説得力があった。ひとつは被験者の数が多かったこと。もうひとつは長期的な調査で、その関連が生涯にわたって持続していたことだ。

この研究結果はその後の研究で裏づけられた。２０１８年、ＡＡＲＰリサーチは18歳以上のアメリカ人２２８７人を対象に、各人が自身の精神的な健康状態と脳の健康をどう評価しているかを調べた。すると50歳以上で幸福度が高い人ほど、〝記憶力と思考能力が優れている〟と答える傾向にあった。

欧米で実施されたほぼすべての研究は、幸福度と年齢がＵ字形の関係になっている。つまり、一般的に、若いときには気分が良く、中年（40〜50歳）になると気分はもっとも下がり、その後、歳を取ると再び気分が上向く。米国での研究の典型的な結果は、図10・２の通りだ。このＵ字曲線に関しては、いくつかの原因が考えられる。

中でも50歳以降が上り坂であることの主たる原因は、経済状況の好転、仕事のプレッシャーの減少、退職後の生活の良い側面、子供が独立して家族への責任が軽くなるなど、人生の満足度が上がることだ。そして気分が良くなれば良くなるほど、脳にも良いことがある。

歳を重ねるごとに幸福感が増す理由はもうひとつある。それは脳の働きだ。人は歳を取ると

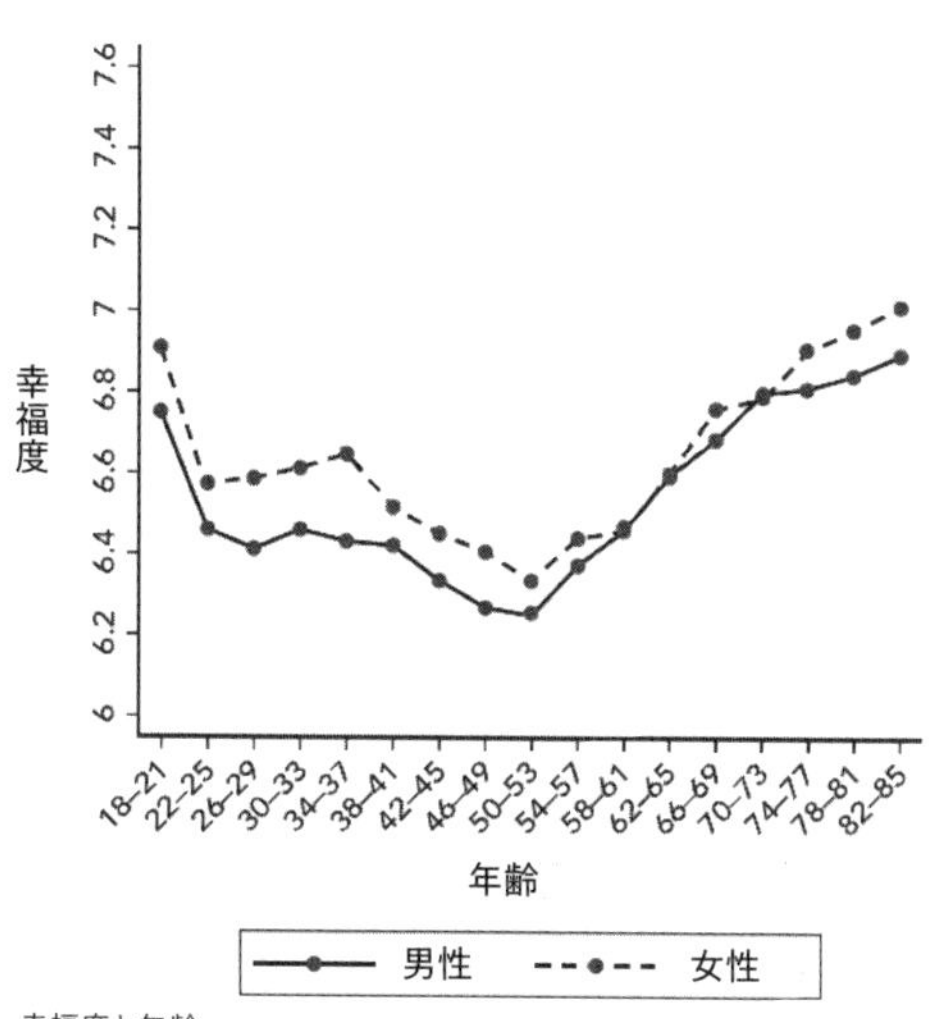

図 10・2　幸福度と年齢

ポジティブな情報に注意を払って、記憶し、ネガティブな出来事や経験を重視しなくなる傾向がある。この変化を生みだす脳のメカニズムの一部は、ある程度判明している。

米国のある研究で、中年以上の人に前向きで楽しい写真を見せると、脳の線条体と呼ばれる領域（報酬の感情を処理する部分）が継続的に活発になることがわかった。また、アンケートによる調査でも全体的に幸福度が高かった。

ところが、人は危険を覚悟でネガティブな情動の影響を軽視している。ネガティブな情動が意思決定に影響を及ぼすのには、れっきとした理由がある。

たとえば、人は怒りによって悪事を正し、恐怖によって危険な選択をしなくなる。また、後悔や罪悪感を予感するからこそ、欲望のままに行動せずに済む。

こういったことから、18世紀のスコットランドの哲学者デイヴィッド・ヒュームは、〝理性は情念の奴隷であり、また、そうあるべきである。理性は情念につき従うこと以外には、どんな役目も果たせない〟と言った。（注3）

ネガティブな感情は、人の思考にどんな影響を与えるのだろう？

まずは、不安について考えてみよう。それは不快なものに対する反応だ。

不安や恐怖は脳の活動を低減させる

2020年、ブラジルの神経科学の研究チームが独創的な実験の結果を発表した。それは、被験者をふたつのグループに分け、一方には不快な画像を見せ、もう一方にはそういったものを見せず、両者の脳内の電気信号を脳波計で測定するというものだった（画像に関して、被験者には〝不安をかきたて頭から離れなくなる画像〟とだけ伝えておいた）。

不快になっていることを確かめるために、すべての被験者の不安度を測定した。その後、全員に記憶力テストをおこない、作業記憶内に保存されたタスク関連項目の数を感知する電気信号を使って、被験者の反応を測定した。

不安で動揺しているグループは電気信号が非常に弱く、それは不安ではないグループに比べて記憶力が大幅に劣っていることを意味する。実際、不安度が高いほど作業記憶能力は低下する。作業記憶は人の〝高次の脳機能〟のひとつとして極めて重要だ。複雑な知的作業やさまざまな学習、さらに単に注意を払うためにも欠かせない。

不安のせいで低下するのは作業記憶だけではない。あまりにも不安だと、脳の機能が弱まって、自分がおこなっていることに注意が払えなくなる。その作業が重要であればあるほど影響も大きくなる。また、不安であればあるほど注意力も散漫になる。すっかり気が散ってしまうと、（客観性を失って）何が間違っているのかわからなくなり、判断力も意思決定力も失われる。また、何かをするときに情報を取りこんで更新していく能力も、不安によって低下する。

頭の中の情報の更新は、流動性知能に欠かせないものである。更新できなければ論理的に考えられず、問題も解決できないのだ。

恐怖にもやはり大きな影響力がある。恐怖によって警戒と動揺が生まれ、目の前の脅威に対処するために全エネルギーが注がれる。だが一方で他者への認知が高まり、つながりも深まる。

これは社会的学習と呼ばれ、人は周囲の人の反応（恐怖で凍りつく、腹を抱えて笑うなど）を見て、自分の反応を修正することを学ぶ。恐怖は物事の前後関係の把握やコントロールにも関与し、扁桃体と海馬が連携して、これまでの記憶と今起きていることを比較して処理がおこなわれる。

だが、コントロールが利かなくなって恐怖が長引くと大問題だ。ハンス・セリエは長時間のストレスに関する実験をおこない、一定期間は恐怖への適応力が持続するが、やがて体のストレスシステムが崩壊することを発見した。これは欧米の先進諸国では深刻な問題だ。そういった国では4人にひとりがなんらかの不安障害に苦しみ、約8％の人が心的外傷後ストレス障害を抱えている。

ウォルター・ミシェルは著書『マシュマロテスト――成功する子・しない子』の中で、冷静さを保つべき理由を説いた。怒り（大脳辺縁系によって引き起こされる〝熱い〟情動）は敵対行動を促すだけではない。作業記憶、判断、評価、推論、計算、意思決定、論理といった認知能力を低下させるのだ。これだけでも怒りをコントロールすべき理由として充分だ。冷静でいることの重要性に関する右記の理由に加え、神経科学の研究でも重要な結果が得られている。怒ると論理的思考を司る主要な脳の領域の血流が減ってしまう。米国での精神科の患者741人を対象にした研究では、信頼性の高い自己申告式の怒りの尺度をもとに、怒りのレベルが高いグループ（上位25％）と低いグループ（下位25％）に患者を分けた。そうして、両グループにSPECT脳血流検査をおこない、脳の17の領域を調べた。その結果、怒りの感情が強いと申告した人ほど、左大脳辺縁系、基底核、前頭葉、頭頂葉の血流が低下していた。

こういった脳の領域のいくつかは重要な皮質機能に大きく関与している。ちなみに、ほかには重大な血流異常は認められなかった。怒りは脅威に対する自然な反応だが、脅威が消えたら、すぐに怒りを鎮めたほうが良さそうだ。

心が健康であるとは、気分が良く（情動経験のバランスが取れているなど）、物事が順調に進み、生きがいがある状態を指す。

まずは、〝気分が良い〟ことについて考えてみよう。ポジティブな感情とネガティブな感情の両方を受け入れるのは心の健康に欠かせない。不安、恐怖、落ちこみ、惨めさといったものはどれも、人の正常な経験の一部だ。ネガティブな感情にもきちんとした役目がある（ポジティブな感情を抱くための変化を促す動機になる）ことを理解しておく必要がある。

だが、そういった効果を通り越して、ネガティブな感情が長引くと赤信号が灯る。ネガティブな気分や感情をいつまでも抱いていると、精神的な問題や病気を引きおこしかねない。そういった感情を自力で解消できない場合は、医師やセラピストに相談したほうがいい。

とはいえ、病院に行かなくても幸福感を持続させる方法はたくさんある。良い気分でいられて、それによって脳をきちんと機能させるにはどうすればいいのだろう？　科学的に証明された方法について考えてみよう。

ポジティブに考えることの効果についてはすでに第6章で解説した。それは健康だけでなく、知力を高めるためにも有効だ。病気、苦難、挫折、あるいは経済的に困窮しても、人生のポジティブな面に目を向けるのが大切なのだ。ポジティブに考えられるかどうかは、個々の性格によっていくらか異なる。研究でも内向的な人より外向的な人のほうが、自分の幸福度を高く評価するという結果が出ている。多くの科学者が、ポジティブに考えるためのトレーニング法を考案している。

●幸福度テストを受けて、自分のポジティブ度を知る。たとえば、バークレー・ウェルビーイング・インスティテュートが考案したテストは、インターネットで受けられ、ポジティブ度が数字で表示される。[注4] それをもとに改善に取り組む。

●肯定的な言葉を使う。研究者は、喜び、興奮、優位性（どのぐらい強力な言葉か）という3つの特性をもとに、言葉のリストをまとめあげた。肯定的な言葉を意識的に使うようにしよう。その種の言葉を書きだしたり、心の中でつぶやいたりすれば、脳がその言葉をうまく処理して実際に使えるようになる。意外にも、人に言われて一番嬉しい言葉と一番嬉しくない言葉は同じぐらい人を刺激する。従ってできるだけ肯定的な言葉を使うようにすれば大きな効果がある。そういったリストやアプリはインターネットで入手できる。

●幸せな時間や楽しい時間をより充実させるために、じっくりと喜びを追求して、じっくり味わうようにする。飢えや喉の渇き、性欲といった情動の多くは欲求で、人は欲求が満たされるように行動する。そうして欲求が満たされると、行動を起こさせたエネルギーが消え、同時に喜びも消えていく。こういった喜びの追求とその達成の間にある感情の揺り戻しは、〝ポジティブな感情のシーソー〟と呼ばれることもある。基本的には、昔から言われている通り、楽しいことは大急ぎで済まさずに、その瞬間を充分味わうようにしよう。

●不幸、死別、喪失、トラウマなどのネガティブな情動は、必要に応じて、あるいは状況に応じて、表に出すようにする。そういった状況ではダイノルフィンの分泌が促され、その結果、ネガティブな経験が引き起こす不快感から解放されるための行動を取る。ゆえに、ネガティブな感情が湧いても無視してはいけない。とはいえ、恐怖、不安、怒りといったネガティブで不要な情動はコントロールする必要がある。つまり、ネガティブな情動が何かの役に立つのかを自分自身に問いかけて、しっかり判断し、有益であれば、役に立つ範囲で利用する。しかし、必要以上の利用は厳禁だ。

●不安な体験や恐怖の体験をあえて思いだし、その影響を受けないように修正する。記憶を取りだして新たな視点で再構築することは、実は誰もが日々、無意識のうちにおこなっている。それはこれから起きることへの不安を低減するためのテクニックで、単独登山、クライミング、エクストリームスポーツ、探検などの危険な活動をしている人はもちろん、ポーカーの選手も常に使っている。また、不安解消法として、心理学者も用いるようになっている。

●良い体験をじっくり楽しむ。あるいはできるだけ長い間持続させる。何よりも幸せだった瞬間を思いだすのも良い効果がある。こういったことは幸福感を高める方法として有名で、〝記憶する自己〟を利用して、幸せな時間や楽しい時間を作ったり、蘇らせたりする。そういった体験や思い出によって、エンドルフィンの分泌が促され、その結果、強力な幸せホルモンであるドーパミンが分泌される。

●面接や人前でのスピーチなど、大きな試練の前にはイメージトレーニングをおこなう。これはオリンピックチームのコーチもよく使っているテクニックで、未来の出来事を順を追って思い描きながら実力を発揮している場面をイメージする。すると、自信が湧き、不安や失敗への恐れなどのネガティブな情動が抑えこまれ、パフォーマンスが向上すると考えられている。

以上はポジティブな感情を持続させるための方法のごく一部だ。この章の後半で取りあげる〝ヨガ、笑い、絵画、音楽でストレスに対処する〟という項目で、さらに詳しく解説する。

グリーン・ジム活動で人の脳は健康になる

もうひとつの気分が良くなる方法として活動的でいることについて解説しよう。

第2章で詳しく説明した通り、定期的な運動は、体だけでなく、脳や心にも良い影響がある。今は何も運動をしていないとしても、はじめるきっかけはいくらでもある。基本的に、なんであれ身体活動を増やせば脳のためになる。運動はＢＤＮＦ（脳由来神経栄養因子）のような脳の成長因子を放出させ、エンドルフィンとエンケファリンの分泌を促し、それが運動後の爽快感につながる。

身体活動に関して、まだ取りあげていないもののひとつに屋外で過ごすこと、つまり、自然の中での運動（グリーン・ジム）がある。

自然と関わらないのは、脳にとっての一大事だ。都会で暮らしている人は、特にこれを肝に銘じてほしい。

自然を楽しむことは人の脳の奥深くに埋めこまれた能力で、それによってストレスや不安が解消され、脳そのものも健康になる。自己肯定感を高め、緊張、怒り、気分の落ちこみといったネガティブな情動や感情を追い払ってくれる。グリーン・ジム活動には、ハイキング、登山、釣り、乗馬、オリエンテーリングなどがあり、さらにスポーツとは思えない活動（ガーデニング、植樹、草刈り、野生生物のための池作りなど）も含まれる。

また、一風変わった屋外活動として射撃がある。射撃には賛否両論あるが、銃を撃つという行為は脳にとっては報酬で、オキシトシンやドーパミンといった気持ちを高揚させるホルモンが大量に分泌される。娯楽としてスポーツとして、世界中で数えきれないほどの人たちが、合法的に銃を撃っているのも不思議ではない。

また、撃つのは必ずしも銃である必要はない。ダーツやアーチェリー、はたまたボウリングでも、的に当てるゲームやスポーツであれば、やはり原始的な爽快感を体験できる。それは、狩猟採集民として受け継がれてきた快感なのかもしれない。

また、多くの身体活動には社交の側面もあり、第6章で解説した通り、他者との交流は脳に非常に良い影響を及ぼす。その効果すべてをここで繰り返すことはしないが、特に関連のある優れた研究結果を紹介しておこう。

ハーバード・スタディ・オブ・アダルト・デベロップメント（ハーバード大学成人発達研究）は、幸福に関する世界第1位の長期研究で１９３８年から続いている。

開始時の被験者は７２４人で、全員が男性。社会的な階級や経済状況はばらばらだった。被験者はみな成人したばかりで、人生の目的は有名になることや、裕福になることだった。研究が終わる頃には、全員が90代になり、貧しい暮らしから抜けだして金持ちになった者もいれば、それとは逆の人生を歩んだ者もいた。

しかし人生の目的は若い頃とは違っていた。被験者は人生経験を積み、幸せで健康でいるには良い人間関係こそが何よりも大切だと実感していた。人は、幸せで元気に長生きするための手っ取り早い方法を求める傾向にある。だが、そういった方法は自然の法則に反している。長い時間をかけて安定した人間関係を築いてこそ、笑顔で過ごせるのだ。それは一生をかけて、努力を重ね、人との関係を何度も修復し、わだかまりを解き、家族や友人と頻繁に連絡を取りあい、身近な人を愛することで達成される。

さらに、最高の幸せを手に入れるために、人間関係以外にも取り組むべきことがある。この章の最初のほうで〝無為に生きる〟、つまり、目的もなく漫然と生きることの危うさについて解説した。歴史や哲学を紐解けば、そこには人間のとりわけ顕著な性質ともいえる目的を達成することによって得られる喜びが無数にある。言い換えれば、人には目的意識が欠かせないというわけだ。そこで、偉大な物理学者スティーヴン・ホーキングが残した名言を引用するとしよう。その言葉にここで紹介したことが集約されている。

〝ひとつ、星を見上げること。うつむいて足元ばかりを見ていてはいけない。ふたつ、仕事を諦めないこと。仕事は意味と目標を与えてくれる。仕事がない人生は空虚だ。みっつ、幸運にも愛を見つけられたなら、そこに愛があることを忘れず、決して投げださないこと〟(注5)

自分の幸福のために、ひとつ、あるいは複数のゴールを定め、それに向かって前進するのが人生にとって欠かせない目的になる。だが、いつも成功するとは限らない。幸せに生きるためには、過去の決断と折り合いをつけ、変えられないものを受け入れることも重要だ。

幸福度を上げて、知力を向上させるために必要な事柄を表10―3にまとめた。

10-3 幸福度を高め、知力を高める

●幸せになるために、ポジティブな感情とネガティブな感情のバランスを取る。

●幸福感は優れた思考能力、頭の回転の速さ、記憶力の良さにつながる。

●過度にネガティブな情動（怒り、恐怖、心配など）は、思考能力を衰えさせ、注意散漫になり、その結果、認知能力を低下させる。

●ポジティブに考えるために。
○肯定的な言葉を使う。
○幸せな出来事や嬉しい出来事をできるだけ長引かせて、楽しむ。
○ネガティブな感情が役に立つ場合は、その感情を許容して、受け入れるが、必要以上に長引かせないようにする。
○不安な出来事や恐ろしい出来事をあえて思いだし、再確認することで、その影響を減らす。
○良い出来事を楽しみ、それができるだけ長く続くようにする。またはもっとも幸せだったときのことを思いだして、幸福感を高める。

○人前でのスピーチや面接やテストなど、何かにチャレンジする前に、イメージトレーニングをおこない、自信を持つ。
○ストレスレベル（次の項目を参照）を管理する。人生のさまざまな段階でストレスレベルが変化することを忘れないようにする。一般に中年以降はストレスレベルが下がる。
●活動的に過ごし、定期的に運動する。なんであれ日々の身体活動のレベルを上げれば、幸福度が高まる。できるだけ屋外での活動や体験を増やす。大自然の中で運動する、あるいは、田舎や浜辺で過ごすだけでも効果がある。
●人との交流を大切にする。家族や友人との絆を深め、連絡を取りあう。常に人づきあいを重視して、同好会や地域活動などグループでの活動に参加する。
●プライベートの目標や仕事での目標を立てて、積極的に目的意識を持つようにする。友人や家族の世話をする、没頭できて技術を要する趣味を持つ、キャリアアップのために努力するといった目標だ。人生のさまざまな側面のバランスを取るようにする。

ヨガ、笑い、絵画、音楽でストレスに対処する

ストレスには良い効果もあり、ストレスがあるからこそ人は幸せになれる――と言ったら、多くの人が驚くかもしれない。だが、適度なストレスはその通りだ。ストレスと覚醒とパフォーマンスは釣鐘型の関係にある。発見したふたりの心理学者にちなんで〝ヤーキーズ・ドットソンの法則〟と呼ばれるこの法則を、図10・3に示した。

ストレス（外的な要求や脅威）が増大すると、脳の覚醒レベルが上がり、それによって、パフォーマンスも上がる。曲線の頂点が、最高のパフォーマンスが発揮できるストレスレベルで、ピークを通り越して、ストレスが増えつづけると、パフォーマンスは低下していく。言い換えれば、ピークを迎えるまでのストレスレベルは良いストレスで、ピーク以降は悪いストレスになる。

従って大切なのは、自分にとって〝最高の結果をもたらすポイント〟を見つけて、そこを超えたらストレス過多であると自覚することだ。そうして、負の下降曲線に入らないように自分の態度や状況を変えるようにする。つまりストレス過多で、対処できるレベルを超えていることを知る必要があるのだ。そのレベルを超えても死ぬことはないかもしれないが、過度なストレスに長期間さらされると、間違いなくパフォーマンスが下がり、脳にもダメージがある。

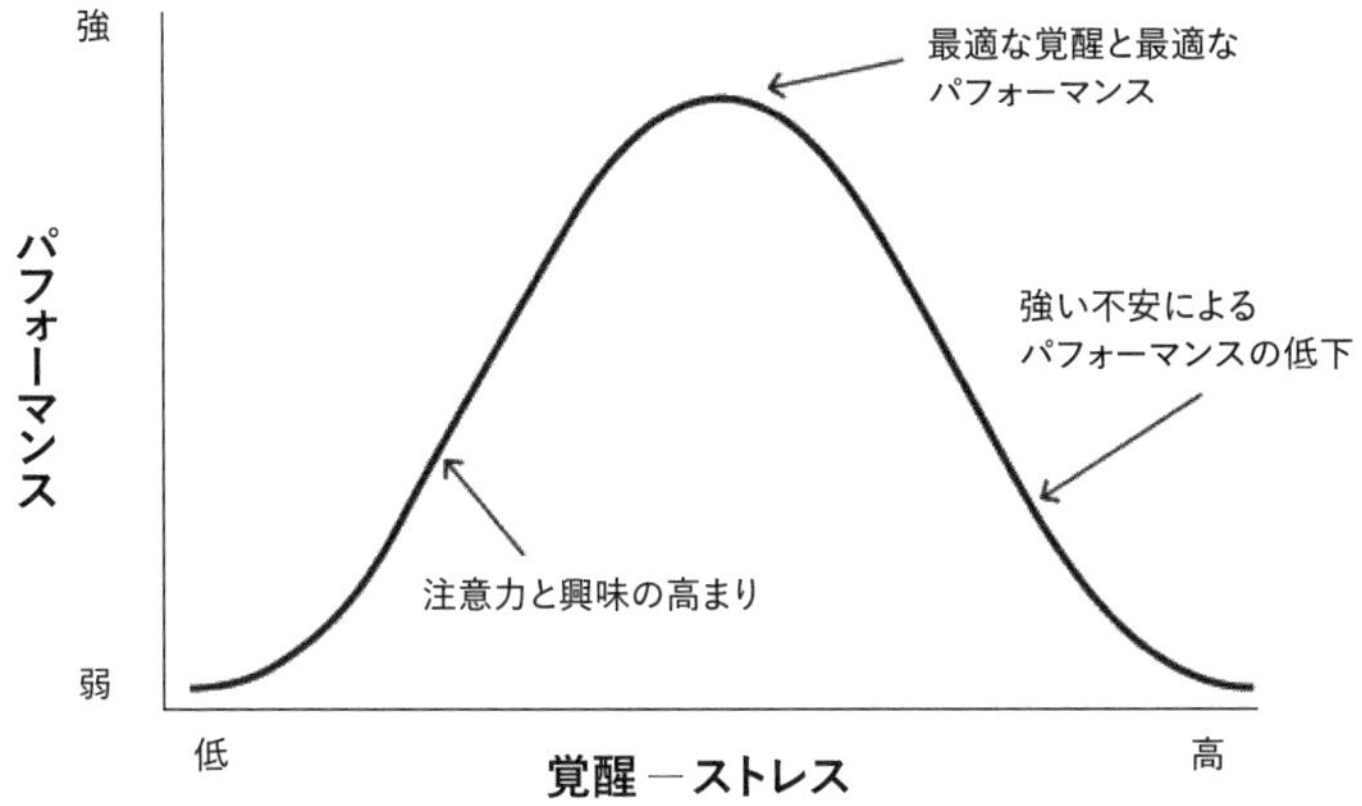

強
弱
パフォーマンス
最適な覚醒と最適なパフォーマンス
強い不安によるパフォーマンスの低下
注意力と興味の高まり
低
高
覚醒―ストレス

図10・3　パフォーマンス、覚醒ーストレス　ヤーキーズ・ドットソンの法則

ストレスの許容度は個人差が大きい。誰の助けも借りず、ひとりきりで命懸けの登山をしなければ満足できない人もいる。たった一度のギャンブルに、すべてを賭けるようなプレッシャーを追い求める人もいる。

一方、今日という日を生きるだけで、大きなストレスを感じる人もいる。とはいえ、大半の人は、そういった両極端の中間あたりに位置している。

いずれにしても、悪いストレスに対処する方法を知っておくのは大切だ。ストレスをきちんと管理しなければならないのだ。そのために人の体には、生来のバロメーターともいえる幸福感が備わっている。

ストレス管理の有効な方法（そして、無効な方法）について、科学的なエビデンスをもとに考えてみよう。

ヨガは心にも体にも効く

インドで初めてヨガを見たイギリス人は、〝ヨガとは、宗教家のふりをした浮浪者が熱心におこなっている怪しげな活動〟と表現した。(注6) 現在では、英国のヨガ愛好者は50万人にものぼり、インド哲学に基づいた伝統的な心身の訓練法として好意的に受け止められている。(注7) なんという変わりようだろう。

それは英国にかぎったことではない。米国でもヨガはいまやもっとも人気のある運動で、3600万人以上が熱心におこなっている。信じられないほどの人気ぶりだが、その数は2億人もの愛好者がいるヨガ発祥の地インドには遠く及ばない。

ヨガが従来の運動と違うのは、深い呼吸、さまざまな姿勢の保持、ストレッチ、瞑想を通して心身を一体化させる点だ。ヨガというユニークな運動に関して、いくつもの研究で、ある共通した結果が得られている。それはヨガが心にも体にも良いということだ。不安、ストレス、うつなど心の健康全般に良い影響があり、幸福感が高まる。

さらに、ヨガと脳の構造や機能との関係もわかっている。2019年に発表されたヨガに関する11の主要な神経科学研究の系統的レビューによると、〝海馬、扁桃体、前頭前野、帯状皮質、デフォルト・モード・ネットワーク（DMN）など、脳のネットワークの構造や機能に対

するヨガの効果が立証された〟とのことだ。[注8]

デフォルト・モード・ネットワーク――DMNという3文字の略語であらわされるその機能は、脳が力を発揮するためになくてはならないものである。〝自己の思考〟と〝心の迷い〟に対処する脳のネットワークだ。自己言及する（自分自身に注意を向ける）と、DMNは鎮まり、一方、心が迷走するとDMNは即座に作動する。マインドフルネス（意識的な集中）のために瞑想すると、あるいはヨガをおこないながら瞑想すると、気持ちが落ち着き、DMNが鎮まって、心の迷いが消える。

この章の最初のほうで、ぼうっとして過ごすと自己申告の幸福度が下がるという研究結果を取りあげた。それを考えれば、2019年のレビュー論文でヨガと瞑想が認知能力や注意力、記憶力を高めるという結論が得られているのも意外ではない。また、間接的ではあれ、ネガティブな情動とポジティブな情動がうまく調節されて、バランスが取れる。それは神経伝達物質を介しておこなわれる。

瞑想によって前頭葉が活性化すると、脳幹からGABAという神経伝達物質が放出されて、不安がおさまる。その結果、気持ちが落ち着く。瞑想はドーパミンを介して報酬系にも作用する。すると、気持ちが前向きになる。瞑想が脳の健康や認知能力、幸福感に大いに関係しているのも不思議なことではないのだ。

最後にもうひとつヨガについて解説しておこう。第3章で迷走神経の広範囲に及ぶ影響について解説した。ヨガで唱える〝オーム〟の効果は、ただの思い込みのように感じるかもしれないが、それは違う。その詠唱が脳に及ぼす影響は神経生理学的に解明されている。実際、ヨガの詠唱と、そのリズム、繰り返し、呼吸運動は単なる儀式ではなく、心理的な効果がある。

入念に考えられた詠唱方法は、科学的なレポートに〝命の息吹き〟と記されているほどで、(注9)迷走神経を刺激し、神経系の自動制御ネットワークを活性化する。その結果、幸福感と情動のバランスが取れる。さらに、脳にも良い影響がある。ヨガを通して瞑想と運動と詠唱をおこなえば、知らず知らずのうちに実行機能、作業記憶、集中力、創造力が向上する。それこそが瞑想の力で、ストレスを減らし、不安を解消し、脳を活性化してくれる。

ゆえに、ヨガに真剣に取り組むべきだ。

笑いは生き残るための鍵

同様に、〝笑う〟ことにも真剣に取り組んだほうがいい。笑いは、人が種として生き残るための鍵だった。人間の根幹的な要素と言ってもいい。何十万年にも及ぶ進化によって精選された〝笑い〟は、間違いなく人の遺伝子に組みこまれている。

笑いがなければ社会的な結束はこれほど強まらなかったはずだ。誰かが笑うと、つられて笑ってしまうという経験は誰にでもあるだろう。人は団結し、集団で生きて、同じ経験を分かちあう。その結果、より強くなる。また、笑いは敵意を取り除く究極の合図でもある。笑いあうことで対立を回避し、懐疑心が消える。さらに、笑いは人から人へと簡単に広がっていく。実際、世界中で〝笑いの伝染病〟が医学的に記録されているほど、笑いは伝染しやすいのだ。そして今、科学が笑いの謎を解き明かそうとしている。

第一に、人は冗談を聞いたときより、集団で楽しいことをしているときのほうが大笑いする。また、ひとりでいるときより、誰かと一緒にいるときのほうが30倍も笑う。

さらに、笑いは自然に起きるもので、無理矢理笑わされることはめったにない。それはまるで脳が本能的に何が面白いのかを知っていて、それに応じて私たちを反応させているかのようだ。その点では男性より女性のほうが反応が良い。女性は男性の2倍以上、笑いによく反応し、男性は女性の2倍以上、笑いを巻きおこすという研究結果がある。

ふたりのドイツ人科学者の研究によると、初デートでより多く笑った女性はそうではない女性より相手の男性に興味があると答えた。また、つきあいはじめると、女性の笑いがふたりの関係の順調度の大きな指針になる。笑いは人間の求婚や気持ちの良さに欠かせないものなのだ。

〝笑い〟のメカニズムとはどのようなものだろう？　それは複雑でありながら即座に生じる。

面白いという知覚は前頭葉で発生する。すると、補足運動野と呼ばれる領域が発火して、笑いにまつわる動きなどの記憶が呼び起こされる。次に活性化するのは大脳辺縁系の側坐核だ。そこで出来事の面白さやユーモアがもたらす報酬が評価される。すると、心拍数が上がり、笑いだし、脳内に幸せの神経伝達物質であるドーパミンやセロトニン、大量のエンドルフィンが放出される。

笑うことで人との絆が深まり、敵意が取り除かれ、相手を魅了し、脳の接続が増えて、良い気分になる。毎日、何度も笑うことでストレスが減って、幸福感が高まるのはあたりまえのことなのだ。だから笑いのもとになるユーモアに、いつも触れていたほうがいい。面白い漫画や本を手に入れる。笑わせてくれる人と一緒に過ごす。楽しい映画やコメディを観る。そして、人生の問題を笑い飛ばす。簡単なことばかりだが、どれも気分良く過ごすために大いに役立つ。

〝笑い〟というテーマに関して、さらに3つの気分を良くする方法を紹介しよう。

『アルファ　帰還(かえ)りし者たち』という映画を観たことがあるだろうか？　その映画は、今からおよそ4万5000年前、人類が狩猟採集民だった時代に実際に起きた出来事を、感動的な架空の物語として映画化したと言ってもいい。

その出来事とは、犬を家畜にしたことだ。異なる種との生物学的関係で、人間と犬ほど密接なものはない。いまやその結びつきは脳にマッピングされているほどだ。しかも人間と犬の両方に。人間と犬が親しくすることで、両者の脳の報酬系に大きな電気的活性が起こり、まずは大量のオキシトシンが、続いてエンドルフィンとセロトニンが分泌される。その結果、気持ちが落ち着いて、気分が上向き、多幸感を覚え、癒される。

この20年間で、犬を使ったセラピーが急増しているのも不思議はない。米国カリフォルニア州では２００２年から２０１２年の10年間で、１０００％も増えている。

また、犬だけでなく、ほかのペットとも人は親密な関係を築ける。それは感情支援動物（ＥＳＡ）という形で普及し、オオハシからニシキヘビまで、さまざまな動物がいる。米国ではＥＳＡが必要な人の権利が法で守られていて、そういった人と動物の権利を尊重しなければ訴えられることもある。だが、その権利を乱用する者も増え、旅行の際に機内にヘビやオウムを持ちこもうとするようなケースも見られる。いずれにしても真に重要なことは変わらない。ペット、特に犬を飼うとストレスが大幅に解消され、それは健康で幸せな人生を送るためのすばらしい方法と言える。

人間の親友

次にアートについて考えてみよう。

ロイ・リキテンスタインのポップアート『ＷＨＡＡＭ！』（2枚の巨大なキャンバスいっぱいに描かれた絵）が、１９６３年にレオ・カステリのギャラリーで初めて公開されると、ニューヨークのアートシーンに激震が走った。

『WHAAM!』の初期の習作

その絵画の登場によって、美術批評家の間で激しい議論が起こった。好意的な批評もあれば、否定的な批評もあった。

３年後、テート・ギャラリーの評議会はその絵に４６６５ポンド（現在の価値では約８万７５３８ポンド）を支払うべきか議論した。結局、支払うことで合意し、まぎれもなく印象的なその作品は多くの人を魅了することになった。１９６８年１月から２月にかけての１か月間だけで５万２０００人もの人が、その絵を観るためにテート・ギャラリーに足を運んだのだ。当時、その美術館に展示されていたどの作品よりも、多くの人を呼び寄せた。

絵画という視覚的な芸術作品に人は目を奪われ、鑑賞せずにはいられず夢中になる。そして、ときには畏怖の念を抱き、衝撃を受ける。古今東西、芸術家は人に鮮烈な情動体験をさせてきた。『W

HAAM!』のような迫力のある絵画に人は理屈抜きに圧倒され、インスピレーションを抱く。それは神経科学者が〝深く埋めこまれた認知〟と呼ぶほど、心の奥底を揺さぶる経験だ。

ユニバーシティ・カレッジ・ロンドンの神経美学のセミール・ゼキ教授は、長年、芸術の神経科学を研究してきた。芸術の意識的経験への影響について次のように説明している。

芸術は人を癒し、インスピレーションを与え、脳内の化学反応を変化させる（中略）思索、観察、美の追求はすべて、脳内の快楽中枢を刺激して、内側眼窩前頭皮質の血流を10％増加させる。これは意識の高揚、幸福感、情緒的健康の向上につながる。(注10)

美術、音楽は人の幸福度を上げる

もうひとつ説得力のある例を挙げよう。

英国では現在、医師は患者のストレスを予防し、また軽減して幸福感を上げるために、芸術を用いている。それは、〝芸術・健康・幸福に関する超党派議員連盟〟の委託で作成された報告書のエビデンスに基づいている。また、絵を描く、あるいは美術展や美術館を見学するといった地域のグループに誰もが参加しやすいように、さまざまな芸術関連の実践的なプログラムが全国的に展開されている。

いや、家から出なくても、絵を描く、いたずら書きをする、その日に感じたことを絵日記にする、絵画同好会を主宰するといったことができる。セラピーのために、芸術作品や芸術家を紹介しているウェブサイトを覗いてみるのもいいだろう。たとえば、The Healing Power of Arts and Artists などだ。(注11) 絵画という創造的な表現は、約6万4000年前に脳の奥深くに埋めこまれた人間の根源的な活動だ。私たちは絵を描くたびに、あるいは絵を眺めるだけでも、脳内の太古からある経路が活性化し、その効果はこれからも後世に受け継がれていく。

もちろん、芸術は絵画だけではない。世界中で数えきれないほどの人が楽しんでいるストレス解消法をひとつ挙げるとしたら、それは音楽だ。音楽が生理的、情動的、認知的なストレス反応に効果があることは数々の研究で立証されている。しかもこの影響は万国共通だ。

カントリー・ダンスを踊るふたり

音楽を聴くと、自然に体が動きだし、踊りたくなる。歌って仲間と一緒に楽しめば、気持ちが上向いて幸せな気分になる。こういったさまざまな効果の裏には、どんなメカニズムがあるのだろう？　音楽ほど脳のいくつもの領域を刺激して、調和させるものはほかにない。耳を傾け、記憶に留め、動いて、言葉を発し、考えて、感じる。音楽を聴いただけで、脳内のシステムが目を覚ます。

特に情動への効果はてきめんだ。音楽によって一瞬で気分が変わる。脳が音楽をどんなふうに聴いて、理解して、処理しているのかはまだ解明されていない。音楽そのものが記憶力や思考能力を高めてくれるのかどうかも、まだわからない。それでも音楽を利用してストレスレベルを下げ、幸福度を高める方法は無数にある。音楽を使って、ポジティブな記憶を呼び起こす。新しい音楽を聴いて、耳慣れないメロディーで脳を刺激する。仲間と一緒に音楽を作りあげれば、人との交流という面でも効果がある。音楽をかけて踊れば運動にもなる。

酒を飲んでストレス解消という世界的迷信

何世紀にもわたって、人は酒を飲んでストレスを発散してきた。シェイクスピアは『ジュリアス・シーザー』の第4幕第3場でブルータスに叫ばせている。

「妻のことはもう言うな。ワインをくれ。これに入れて、すべての不幸を飲み干そう……」と。

実のところ、人間は数百年前どころか、数十万年前からの酒好きだ。人類のご先祖さまが木から降りて、森の地面に落ちている発酵した果物を食べたのがそのはじまりだ。その頃から現在に至るまで、人間の酒好きは変わっていない。世界中のほぼすべての国で、毎年、膨大な量の酒が飲まれている。

なぜ、飲酒は世界中にあまねく行き渡っているのか？　その勢いが衰えないのはなぜなのか？　それは、大多数の人が適度な飲酒によって大きな報酬を得られるからだ。中には、自ら望んでへべれけになることを楽しむ人もいる。とはいえ、次の日には楽しくもなんともないことが待ち構えているが。

２、３杯ひっかける程度なら、元気が出て社交的になる。血中アルコール度が上がると、脳内でドーパミンが分泌され、興奮して、高揚して、楽しくなる。ノルアドレナリンのおかげで活気づいて、緊張がほぐれ、疲労感も消える。

さらに１、２杯ひっかけると、ますます血中アルコール濃度が上がり、冷静な判断を司る前頭前野の活動が抑えこまれ、衝動的で無謀な行動に出る。また、運動を司る小脳のエネルギー消費が著しく低下する。海馬では血中アルコールが記憶形成を邪魔しはじめる。さらにＧＡＢＡの値が下がり、のんべえは不活発になって反応が鈍り、頭が働かなくなって、呂律もまわらなくなる。

果たして、ブルータスが酒で悲しみをまぎらわせたのは正しい判断だったのか？

〝酒がストレス解消に役立つ〟という世界共通の迷信が、ただの迷信ではないことが科学的に証明されているのだろうか？

酒をたしなむのは１、２杯という人には朗報がある。１９９９年のある論文には、〝特定の人の特定の状況下〟での飲酒はストレスを軽減すると書かれている。(注12)さらなる朗報もある。動物実験では、1日に2杯程度の飲酒が脳の炎症を抑え、脳の排水システムを向上させるという結果が出ている。また、適度な飲酒が脳も含め、全身の健康に効果があるというエビデンスも増えつつある。

だが、やめどきを知るのは大切だ。それができないと、人づきあいやストレス発散のための飲酒が、頑固な悪癖になってしまう。(注13) そういった悪癖が脳にもたらす影響は深刻だ。というわけで、大酒飲みに警告を発する3つの研究結果を紹介しておこう。

●大量の飲酒は、男性では老年期初期の記憶の喪失スピードを加速させる。2014年の研究で、1日に2杯半以上の酒を飲む男性は、飲まない男性や断酒をした男性、酒をたしなむ程度の男性に比べて、認知低下が6年分早く進むという結果が出ている。(注14)

●医学雑誌『アーカイブス・オブ・ニューロロジー』に掲載された報告書で、大量の飲酒を長期間続けると脳が萎縮することがわかった。(注15) 週に14杯以上の飲酒を20年間続けると、酒を飲まない人に比べて脳が1・6%小さくなる(老化の指標のひとつ)。

●医学雑誌『ランセット』に掲載された最近の研究では、アルコールによる脳へのダメージによって、寿命が縮まることがわかった。(注16) 週に10杯以上酒を飲む人は、週に5杯以下の人に比べて、寿命が2年から3年短くなる。週に18杯以上飲むと寿命が4年から5年縮む。

そういうわけで、アドバイスはただひとつ、〝何事もほどほどに〟だ。とはいえ、〝ほどほど〟とはどのぐらいなのか？

それに関する見解は世界的にほぼ一致していて、女性なら1日1杯、男性なら2杯となっている。1杯とは、ワインなら中ぐらいのグラスに1杯、ビールなら約500㎖だ。その量で切りあげれば飲酒は脳に良い効果がある。だが、それ以上の飲酒を長期にわたって続けると、脳は衰えていく。また、本書の全編を通して言ってきたことだが、もう一度言っておこう。

1日だけ努力するのではなく、毎日こつこつと続けてこそ効果がある。

ストレスとその対処法に関するポイントを表10－4にまとめた。

10-4 ストレスに対処する

●ストレスを上手にコントロールするのは、幸せに生きるために不可欠で、それによって知力が向上し、脳が健康に保たれる。

●ストレスには、良いストレスと悪いストレスがあり、ある程度のストレスは脳の機能を高める。

●ヨガ、瞑想、太極拳などの気持ちを鎮める運動をはじめてみよう。幸福感が高まり、不安、ストレス、気分の落ちこみが解消され、脳の機能にもプラスの効果がある。

●どんなときでもユーモアを忘れず、笑うように心がける。

●ペットを飼うとストレスが軽減され、幸せな気持ちになれる。

●絵画を鑑賞する、あるいは、絵を描くと、ストレスレベルが下がり、脳に直接良い影響が及ぶ。

●音楽を聴く、あるいは、作曲をすると、気分が上向き、ストレスが解消される。

●適度の飲酒（健康に関するガイドラインの飲酒量）は、ストレスをやわらげ、脳にもメリットがある。

脳の中には神々が住んでいる

タナトスはギリシア神話の死の神で、その母ニュクスは夜の女神、父エレボスは暗黒の神だ。なんとも恐ろしい親子だが、フロイトは「人はみなその中にタナトスがいる」と言った。とはいえ、私たちの脳の中にはタナトスだけでなく、性愛の神エロスも、その母で愛と美と性の女神アフロディーテも、その父で戦いの神アレースもいる。

幸せを手に入れるには、こういった相反する力のバランスを取らなければならない。人生の明るい面と暗い面の釣り合いを取るのだ。

この章、いや、本書全体を通してひとつ強調すべきことがあるとしたら、それは幸せを追い求めて手に入れる過程で、人生をより楽しく、よりストレスがなく、より生産的なものにできるかどうかは、かなりの部分を自分の力でコントロールできるということだ。そうすれば、気分が良くなるばかりか、頭も冴えわたる。

おわりに

チャールズ・ユーグスターは私にとって偉大なヒーローだ。その名を知らない人のほうが多いかもしれないが、ユーグスターは90代後半でも脳を健康に保ち、思考力が衰えなかった。この本の内容を立証する人物と言ってもいい。

ユーグスターが定期的に運動をするようになったのは85歳のときだった。運動をはじめた動機について、「見栄っ張りだっただけだ。鏡に映った自分の姿が気に食わなかったんだよ」と語っている。それでも11年後には、フランスのリヨンで開かれた世界マスターズ陸上選手権で、ふたつの金メダルを獲得した。さらに２０１２年、スイスのチューリッヒでＴＥＤトークに登壇し、〝93歳でボディビルに励むのは、なぜ良いことなのか〟と題したすばらしいスピーチを披露した。説得力のある刺激的なスピーチで、誰もが話に聞き入り大笑いして感激した。そこには真の知力があらわれていた。

ユーグスターの体験談から、私たちは何を学べるだろう？　30代の頃の私は、65歳はよぼよぼの老人だと思っていた。50代になったときは、85歳になる頃にはもう何もできなくなっていると思いこんでいた。今、この本を読みながらも、そんなふうに思っている人がいるかもしれない。

だが、当時の私が誰かから、〝いくつか簡単なことをするだけで頭が冴えわたり、聡明になってその状態を維持できる〟と教えてもらっていたら、どうなっていただろう？　しかも、やるべきことは簡単なだけでなく、面倒臭いどころか、むしろ楽しいことだと知っていたら？流行に流されて時間を無駄にしたりせず、すべての効果が科学的に立証されているとしたら？

今はまさにそういう状況にあり、まぎれもなく幸運な時代だ。私が30歳の頃には、この種の研究結果はひとつも得られていなかった。だが、この数十年間で、神経科学、心理学、精神医学によって脳を活性化させる秘訣が明らかになった。中には、秘訣と呼ぶにはありきたりすぎるものもある。体に良いものを食べ、お酒はほどほどにして、充分に眠る、などだ。

科学者は細かいことを気にするもので、常識であろうと、根拠がなければ公表しない。そのおかげで、この本で紹介したことを実践すれば、脳に大きな差が出ると確信を持って言える。その差は数字であらわせるのだ。

一方で、秘訣と呼ぶにふさわしい斬新で予想だにしなかった研究結果もある。もちろん本書でも取りあげている。たとえば、腸の中の細菌が脳の機能に大きな影響を及ぼすこと。歯を磨くのはもちろんのこと、ガムを噛んで、リンゴを丸ごと芯まで食べると脳が元気になるなどだ。信じられないかもしれないが、すべて真実である。

さらに、質の高いオーガズムを頻繁に体験すると、脳の機能が歳とともに衰えるどころか向上しつづけるという予想外の研究結果も得られている。

最大の教訓は、〝生涯を通じて、科学に裏づけされた良い生活習慣を続ければ、最高の人生が手に入る〟ことだ。そこに特効薬はない。薬もなければ、手軽な10日間プランも、治療法も存在しない。

脳の健康は遺伝子によって決まると考える人もいるだろう。確かにそれは一理ある。だが、それは思っているほど大きな差ではない。スコットランドのディスコネクテッド・マインドというすばらしい研究を思いだしてほしい。流動性知能の約半分は子供の頃の知能指数と関連しているが、残りの半分、つまり知力の予測因子の大部分は自分でコントロールできるのだ。


脳のために良いことをするのは、株などの投資とよく似ている。投資をいつするかということと以上に、長く続けることが大切だ。ギャンブルなら一発逆転があるかもしれない。しかし、健康にそれは当てはまらない。脳機能を向上させるには1日だけ何かをするのではなく、長い間継続して、ひとつひとつ積みあげていくしかないのだ。それが複利のようにふくらんで、大きなメリットになる。

とはいえ、どんなことがあってもルールに従わなければならないわけではない。もちろん、味気ない人生を送らなければならないわけでもない。毎日、いや、ほぼ毎日続けるのは大切だが、だからといって1日だけルールを忘れたとしても、脳がすっかり駄目になることはない。一晩、浮かれて過ごしたぐらいではすべてが水の泡にはならないのだ。

毎日、あるいは状況によっては週に一度の放蕩は赤信号だ。毎晩、ワインやウォッカを1本飲み干しているとしたら、それはお勧めしない。だが、たまに祝杯を上げてはしゃぐぐらいなら、さほどのダメージにはならず、むしろ生活の質が上がることもある。

本書で提示した多くのルールの中で、特に大切なものがあるだろうか？

私は〝ある〟と考えている。というわけで、とりわけ重要な3つのルールを紹介して本書を締めくくることにしよう。

あくまでも私個人の見解として、もっとも重要なのは〝運動〟だ。それだけは聞きたくなかったという人もいるかもしれない。確かに現代の生活は圧倒的に座っている時間が長く、通勤、仕事、家庭などの事情で、週に150分の有酸素運動を続けていくのは至難の業だ。それでもなんとかしてその時間を捻出してほしい。そして何よりも、楽・し・み・な・が・ら運動することだ。それは必ずしも、ジムに通って必死に体を動かすことでもなければ、雨が降ろうが槍が降ろうが走りにいくことでもない。もっと気軽でいい。仲間と一緒に体を動かす、いや、犬の散歩でもかまわない。好きな活動をしよう。なんなら150分より少なくてもいいだろう。

いずれにしても、生涯を通じて活動レベルを上げれば、効果は絶大だ。

ふたつ目は第9章で触れた通り、〝概日リズムを守る〟ことだ。先ごろ、英国の全国紙の健康欄に『科学に基づく完璧な1日』という記事が掲載された。そこには、人の1日には何かをすべきではない時間があり、物事をふさわしい時間におこなうことの大切さが記されていた。人の体は何百万年もかけて脳に刻みつけられたリズムの集合体のようなものだ。そういったリズムに抗うのはお勧めしない。

毎日違う時間に寝る、昼でも夜でも好き放題に食べて飲む、時差ぼけ、深夜勤務、種々雑多な不規則な習慣など、乱れたパターンが長年積み重なると、脳は鈍る。

もう一度言っておくが、たまにはめをはずすのもいけないと言っているわけではない。たまになら、脳が回復不能なダメージを負うことはない。だが、いつも不規則だと脳の機能は確実に衰える。

3つ目は、人的財産や人とのつながりだ。第10章で取りあげたハーバード大学の成人の発達研究を覚えているだろうか？　金持ちから貧しい人まで、被験者が置かれている状況はさまざまだったが、成人したての頃に人生で一番大切なことを尋ねると、全員が「一生懸命働いて、名を上げて、金持ちになること」と答えた。だが、晩年には全員が心変わりしていた。「一番大切なのは、友人と家族」と答えたのだ。私にとってそれは衝撃的だった。

それは、ただ単に被験者がそう感じているだけではなかった。気遣ってくれる友人や頼れる家族など良質な人間関係を築いている人ほど、実際に健康で幸せであるという研究結果が得られたのだ。さらにほかの研究でも、そういう人ほどいつまでも脳機能が衰えなかった。

本書にさまざまなことを記したが、この先、さらにすばらしい発見が続くのは間違いない。未来は希望に満ちている。脳の機能を高める方法はすでにいくつもわかっているが、それでも、複雑ですばらしい臓器である脳（人の経験を豊かなものにしてくれる脳）は解明されはじめたばかりだ。巷で褒めそやされているＡＩについては気にしなくていい。スーパーコンピュータがジャグリングをして、犬を愛し、シェイクスピアの最高傑作の奥深さを判読しても、それは標準的な人間の脳に近づいただけだ。

これからの数十年間で、脳という高潔な臓器の持つ力をいかにして引きだすか、その秘訣を科学が解き明かしてくれるに違いない。

その日を楽しみに、脳を大切にして、最高の知力を保ち、頭脳明晰でいよう。

4 A robust finding in science is one that survives replication: in other words, repeated experiments always produce the same findings.
5 John F. Cryan and Timothy G. Dinan, 'Mind-altering microorganisms: the impact of the gut microbiota on brain and behaviour', *Nature Reviews Neuroscience*, Vol.13, No.10, 2012, p. 701.

第５章　脳が欲する栄養素

1 Suartcha Prueksaritanond et al., 'A puzzle of hemolytic anemia, iron and Vitamin B12 deficiencies in a 52-year-old male', *Case Reports in Hematology*, Vol. 2013, art. ID 708489.
2 Cited in Harri Hemilä, 'A brief history of vitamin C and its deficiency scurvy', open access paper, Department of Public Health, University of Helsinki, 2006, https://www.mv.helsinki.fi/home/hemila/history/.
3 Anne W. S. Rutjes et al., 'Vitamin and mineral supplementation for maintaining cognitive function in cognitively healthy people in mid and late life', *Cochrane Database of Systematic Reviews*, 17 Dec. 2018, p. 2, DOI:10.1002/14651858.CD011906.pub2.
4 Global Council on Brain Health, *The Real Deal on Brain Health Supplements: GCBH recommendations on vitamins, minerals, and other dietary supplements*, 2019, p. 4, https://doi.org/10.26419/pia.00094.001.

第６章　人間の社会性と脳

1 B. A. Primack et al., 'Social Media Use and Perceived Social Isolation Among Young Adults in the U.S', *American Journal of Preventive Medicine*, Jul.2017, 53(1):1-8. DOI:10.1016/j.amepre.2017.01.010.
2 John Milton, *Paradise Lost*, book II.
3 Jill Lepore, 'The history of loneliness', *New Yorker*, 6 April 2020.
4 Charles Dickens, *American Notes for General Circulation* (London: Chapman and Hall,1842), cited in S.Gallagher, 'The cruel and unusual phenomenology of solitary confinement', *Frontiers in Psychology*, Vol. 5, 2014.
5 I. E. M. Evans, A. Martyr, R. Collins, C. Brayne and L. Clare,'Social isolation and cognitive function in later life: a systematic review and meta-analysis', *Journal of Alzheimer's Disease*, Vol. 70, Suppl. 1, 2019, pp. S119–44.
6 Michael Babula, *Motivation, Altruism, Personality and Social Psychology: the coming age of altruism* (New York: Springer, 2013).

はじめに

1 The Global Council on Brain Health (GCBH) is an independent collaborative of scientists, health professionals, scholars and policy experts from around the world who are working in areas of brain health related to human cognition. It is based in Washington DC and founded by AARP, the leading organization for people aged over 50 in the USA.

第1章　脳を知る

1 '5 unsolved mysteries about the brain' (Seattle: Allen Institute for Brain Science, 14 March 2019), https://alleninstitute.org/news/5-unsolved-mysteries-about-the-brain/

第2章　運動と脳

1 Hilary Hylton, 'Runner's high: joggers live longer', *Time*, 12 Aug. 2008, http://content.time.com/time/health/article/0,8599,1832033,00.html.
2 T. M. Manini, 'Energy expenditure and aging', *Ageing Research Reviews*,Vol.9, No. 1, 2010, p. 9.
3 Susan McQuillan, 'Fidgeting has benefits', *Psychology Today*, 17 Sept. 2016.

第3章　食事と脳

1 Giulia Enders, *Gut*, trans. David Shaw (London: Scribe, 2015).

第4章　脳と腸内細菌

1 It's easy to calculate your BMI. Measure your height in metres and multiply that number by itself. Now weigh yourself in kilograms. Then divide the 322 NOTES second number by the first. So, for example, if you're 1.75m tall and weigh 70kg, your BMI is 70 divided by 3, which is just over 23 – within the 'healthy range' of 18–25.
2 K. A. Dill-McFarland et al., 'Close social relationships correlate with human gut microbiota composition', *Nature Scientific Reports*, Vol. 9, Article 703, 2019, https://doi.org/10.1038/s41598-018-37298-9.
3 Charles Darwin, *The Expression of the Emotions in Man and Animals* (London: John Murray, 1872).

16 *Science Daily*, 22 June 2017, https://www.sciencedaily.com/releases/2017/06/170622083020.htm.
17 James H. Clark, 'A critique of Women's Health Initiative Studies (2002–2006)', *Nuclear Receptor Signaling*, Vol. 4, 2006, e023, DOI:10.1621/nrs.04023.
18 National Academies of Sciences, Engineering and Medicine, *The Clinical Utility of Compounded Bioidentical Hormone Therapy: a review of safety, effectiveness, and use* (Washington DC, 2020).
19 'Hormone therapy: is it right for you?', Mayo Clinic, 9 June 2020, https://www.mayoclinic.org/diseases-conditions/menopause/in-depth/hormone-therapy/art-20046372.

第８章　脳を明晰にする活動

1 Leonardo da Vinci, *A Treatise on Painting* (New York: Dover, 2005), unabridged re-issue of John Francis Rigaud's translation as published by George Bell & Sons, London, 1877, pp. 4, 7.
2 K. Rehfeld et al., 'Dance training is superior to repetitive physical exercise in inducing brain plasticity in the elderly', *PLoS ONE*, Vol. 13, No. 7, 2018, e0196636, https://journals.plos.org/plosone/article?id=10.1371/journal.pone.0196636.
3 Ibid.
4 Global Council on Brain Health, *Engage Your Brain: GCBH recommendations on cognitively stimulating activities*, 2017, p. 4.
5 Stanford Center on Longevity, *A Consensus on the Brain Training Industry from the Scientific Community*, 20 Oct. 2014.
6 Cognitive Training Data, *Cognitive Training Data Response Letter*, 2014, https://www.cognitivetrainingdata.org/the-controversy-does-brain-trainingwork/response-letter/.
7 A. M. Owen et al., 'Putting brain training to the test', *Nature*, Vol. 465, No.7299, 10 June 2010, p. 778.
8 Global Council on Brain Health, *Engage Your Brain*, Washington DC: AARP

第９章　睡眠と脳

1 M. de Manaceine, 'Quelques observations experimentales sur l'influence de l'insomnie absolue', *Archives Italiennes de Biologie*, Vol. 21, 1894, pp. 322–5.

7 R. S. Weiss, *Loneliness: the experience of emotional and social isolation* (Cambridge, MA: MIT Press, 1972).

第7章　脳と性欲

1 'Understanding the id, ego, and superego in psychology', n.d., https://www.dummies.com/article/body-mind-spirit/emotional-health-psychology/psycology/general-psychology/understanding-the-id-ego-and-superego-in-psycology-199067/
2 K. Kapparis, 'Aristophanes, Hippocrates and sex-crazed women', *Ageless Arts: The Journal of the Southern Association for the History of Medicine and Science*, Vol. 1, 2015, pp. 155–70, http://www.sahms.net/uploads/3/4/7/5/34752561/kapparis_final.pdf.
3 Cited in Katherine Harvey, 'The salacious middle ages', 23 Jan. 2018, https://aeon.co/essays/getting-down-and-medieval-the-sex-lives-of-the-middle-ages.
4 Dr Ashton Brown, cited in Therese Oneill, Unmentionable: *The Victorian Lady's Guide to Sex, Marriage and Manners* (London: Little, Brown, 2016).
5 Philip Larkin, 'Annus Mirabilis' (1967).
6 C. Beekman, '1950s discourse on sexuality', 2013.
7 W. H. Masters and V. E. Johnson, *Homosexuality in Perspective* (Boston: Little, Brown, 1979), p. 11.
8 'See what science says about women's pleasure', https://www.omgyes.com/.
9 Helen Rumbelow, 'Yes, yes, yes! The app that will turn you on', *The Times*, 1 March 2016.
10 I Corinthians, chapter 7, verse 1.
11 P. Elwood, J. Galante, J. Pickering, S. Palmer, A. Bayer, Y. Ben-Shlomo et al., 'Healthy lifestyles reduce the incidence of chronic diseases and dementia: evidence from the Caerphilly Cohort Study', *PLoS ONE*, Vol. 8, No. 12, 2013, e81877.
12 'Benefits of love and sex', https://fisd.oxfordshire.gov.uk/kb5/oxfordshire/directory/advice.page?id=YhqER5vFjpA.
13 R. M. Anderson, 'Positive sexuality and its impact on overall well-being', *Bundesgesundheitsblatt*, Vol. 56, 2013, pp. 208–14, https://doi.org/10.1007/s00103-012-1607-z.
14 S. Brody, 'The relative health benefits of different sexual activities', *Journal of Sexual Medicine*, Vol. 7, No. 4, 2010, pp. 1336–61.
15 Hui Liu et al., 'Is sex good for your health?', *Journal of Health and Social Behavior*, Vol. 57, No. 3, 2016, pp. 276–96 (emphasis added).

14 Séverine Sabia et al., 'Alcohol consumption and cognitive decline in early old age', *Neurology*, Vol. 82, No. 4, 2014, pp. 332–9.
15 C. A. Paul et al., 'Association of alcohol consumption with brain volume in the Framingham study', *Archives of Neurology*, Vol. 65, No. 10, 1008, pp. 1363–7.
16 Angela M. Wood et al., 'Risk thresholds for alcohol consumption: combined analysis of individual-participant data for 599,912 current drinkers in 83 prospective studies', *Lancet*, Vol. 391, No. 10129, 2018, pp. 1513–23.

2 Cited in M. K. Scullin and D. L. Bliwise, 'Sleep, cognition, and normal aging:integrating a half century of multidisciplinary research', *Perspectives on Psychological Science*, Vol. 10, No. 1, 2015, pp. 97–137.
3 Hans Berger, *Psyche* (Jena: Gustav Fischer, 1940), p. 6.
4 Global Council on Brain Health, *The Brain–Sleep Connection: GCBH recommendations on sleep and brain health* (Washington DC: AARP, 2016).
5 'Women have younger brains than men', *Wall Street Journal*, 27 March 2019.

第10章　脳と幸福

1 Viktor Frankl, *Man's Search for Meaning* (New York: Washington Square Press, 1984).
2 David J. Llewellyn et al., 'Cognitive function and psychological well-being: findings from a population-based cohort', *Age and Ageing*, Vol. 37, No. 6, 2008,p. 687.
3 David Hume, *A Treatise of Human Nature*, Book II, Part III, Section III, 'Of the influencing motives of the will' (1739).
4 https://www.berkeleywellbeing.com/well-being-survey. html.
5 Stephen Hawking, speech at opening of the Paralympic Games in London, 2012.
6 M. A. Nattali, *The Hindoos*, Vol. 2 (London, 1846), ch. 10.
7 Carolyn Gregoire, 'What India can teach the rest of the world about living well', *Huffington Post*, 11 Nov. 2013.
8 N. P. Gothe, I. Khan, J. Hayes, E. Erlenbach and J. S. Damoiseaux, 'Yoga effects on brain health: a systematic review of the current literature', *Brain Plasticity*,Vol. 5, No. 1, 2019, pp. 105–22.
9 Kaushik Talukdar, 'Breath of life', *Telegraph online*, 4 July. 2020, https://www.telegraphindia.com/health/breath-of-life-lets-explore-the-science-ofpranayama/cid/1785301.
10 Semir Zeki, 'Artistic creativity and the brain', *Science*, Vol. 293, No. 5527, 2001,pp. 51–2.
11 http://www.healing-power-of-art.org/.
12 M. A. Sayette, 'Does drinking reduce stress?', *Alcohol Research & Health: The Journal of the National Institute on Alcohol Abuse and Alcoholism*, Vol. 23, No. 4, 1999, pp. 250–5.
13 A. Abbey et al., 'Subjective, social, and physical availability. II. their simultaneous effects on alcohol consumption', *International Journal of the Addictions*, Vol. 25, 1990, pp. 1011–23.

Neuroscience 23 (4), 575–82.
E. P. Moreno-Jiménez, M. Flor-García, J. Terreros-Roncal et al. (2019). 'Adult hippocampal neurogenesis is abundant in neurologically healthy subjects and drops sharply in patients with Alzheimer's disease', *Nature Medicine* 25 (4), 554–60.
D. Hakim, Jason Chami and Kevin A. Keay (2020). 'μ-opioid and dopamine-D2 receptor expression in the nucleus accumbens of male Sprague-Dawley rats whose sucrose consumption, but not preference, decreases after nerve injury', *Behavioural Brain Research* 381, art. no. 112416.
S. Kim et al. (2019). 'Transneuronal propagation of pathologic α -synuclein from the gut to the brain models Parkinson's disease', *Neuron* 103 (4), pp.627–41,e7.
Lou Beaulieu-Laroche et al. (2018). 'Enhanced dendritic compartmentalization in human cortical neurons', *Cell* 175 (3), p. 643.
S. Reardon (2019). 'Pig brains kept alive outside body for hours after death', *Nature* 568, pp. 283–4.
S. Reardon (2020). 'Can lab-grown brains become conscious?', *Nature* 586, pp. 658–61.

第２章　運動と脳

Michel Poulain and Giovanni Mario Pes et al. (2004). 'Identification of a geographic area characterized by extreme longevity in the Sardinia island: the AKEA study', *Experimental Gerontology* 39 (9), 1423–9.
Dan Buettner (2008). *The Blue Zones: lessons for living longer from the people who've lived the longest*. Washington DC: National Geographic.
Charles Lyell (1830–3). *The Principles of Geology*. London: John Murray.
Freeletics Research (2019). *UK research finds majority fear their unhealthy lifestyles will lead to an early grave*. Munich: Freeletics, 10 Jan., 2019.
James Fuller Fixx (1977). *The Complete Book of Running*. New York: Random House.
Kenneth H. Cooper (1985). *Running Without Fear: how to reduce the risk of heart attack and sudden death during aerobic exercise*. New York: Evans.
Eliza F. Chakravarty et al. (2008). 'Reduced disability and mortality among aging runners: a 21-year longitudinal study', *Archives of Internal Medicine* 168 (15),1638–46.
Frank W. Booth, Christian K. Roberts and Matthew J. Laye (2012). 'Lack of exercise is a major cause of chronic diseases', *Comprehensive Physiology* 2 (2),

はじめに

Séverine Sabia et al. (2018). 'Alcohol consumption and risk of dementia: 23 year follow-up of Whitehall II cohort study', *BMJ(British Medical Journal)*, 362, k2927.

第１章　脳を知る

Madhura Ingalhalikar et al. (2014). 'Sex differences in the structural connectome of the human brain', *Proceedings of the National Academy of Sciences of the United States of America*, 111 (2), 823–8.

Richard Nisbett et al. (2012). 'Intelligence: new findings and theoretical developments', *American Psychologist* 67 (2), 130–59.

Arthur R. Jensen (1969). 'How much can we boost IQ and scholastic achievement?', *Harvard Educational Review* 39 (1), 1–123.

C. G. Phillips (1973). Hughlings Jackson Lecture: 'Cortical localization and "sensori motor processes" at the "middle level" in primates', *Proceedings of the Royal Society of Medicine* 66 (10), 987–1002.

C. Daniel Salzman (2011). 'The neuroscience of decision making', *Kavli Foundation Newsletter*, Aug.

Paul E. Dux et al. (2009). 'Training improves multitasking performance by increasing the speed of information processing in human prefrontal cortex', *Neuron* 63 (1), 127–38.

Daniel W. Belsky et al. (2015). 'Quantification of biological aging in young adults', *Proceedings of the National Academy of Sciences of the United States of America* 112 (30), E4104–10.

Norman Doidge (2007). *The Brain that Changes Itself.* New York: Viking.

E. P. Vining et al. (1997). 'Why would you remove half a brain? The outcome of 58children after hemispherectomy – the Johns Hopkins experience: 1968 to 1996', *Pediatrics*, 100 (2 Pt 1), 163–71.

T. Ngandu (2015). 'A 2 year multidomain intervention of diet, exercise, cognitive training, and vascular risk monitoring versus control to prevent cognitive decline in at-risk elderly people (FINGER): a randomised controlled trial',*Lancet* 385 (9984), P2255–63.

Ian J. Deary et al. (2012). 'Genetic contributions to stability and change in intelligence from childhood to old age', *Nature* 482 (7384), 212–15.

J. G. Makin, D. A. Moses and E. F. Chang (2020). 'Machine translation of cortical activity to text with an encoder–decoder framework', *Nature*

European Journal of Sport Science 6 (1), 43–51.
J. A. Levine, L. M. Lanningham-Foster, S. K. McCrady et al. (2005). 'Interindividual variation in posture allocation: possible role in human obesity', *Science* 307 (5709), 584–6.
Guohua Zheng et al. (2019). 'Effect of aerobic exercise on inflammatory markers in healthy middle-aged and older adults: a systematic review and meta-analysis of randomized controlled trials', *Frontiers in Aging Neuroscience*, https://doi.org/10.3389/fnagi.2019.00098.
P. Siddarth, A. C. Burggren, H. A. Eyre, G. W. Small and D. A. Merrill (2018). 'Sedentary behavior associated with reduced medial temporal lobe thickness in middle-aged and older adults', *PLoS ONE* 13 (4), e0195549.
Gabriel A. Koepp, Graham K. Moore and James A. Levine (2016). 'Chair-based fidgeting and energy expenditure', *BMJ Open Sport & Exercise Medicine* 2 (1), e000152.

第３章　食事と脳

Rachel N. Carmody et al. (2016). 'Genetic evidence of human adaptation to a cooked diet', *Genome Biology and Evolution* 8 (4), 1091–1103.
Bruno Bonaz, Thomas Bazin and Sonia Pellissier (2018). 'The vagus nerve at the interface of the microbiota–gut–brain axis', *Frontiers in Neuroscience* 12, 49.
Natasha Bray (2019). 'The microbiota–gut–brain axis', *Nature Research Milestones* 18, S22, June.
William Beaumont (1825). 'A case of wounded stomach', *Philadelphia Medical Recorder*, Jan. (cited in William Beaumont, *Experiments and Observations on the Gastric Juice and the Physiology of Digestion*, New York: Dover, 1959).
Giulia Enders (2015). *Gut*, trans. David Shaw. London: Scribe.
W. O. Atwater (1887). 'The potential energy of food. The chemistry and economy of food. III'. *Century* 34, 397–405 (cited in James L. Hargrove, 'History of the calorie innutrition', *Journal of Nutrition* 136, 2006, 2957–61).
Leah M. Kalm and Richard D. Semba (2005). 'They starved so that others be better fed: remembering Ancel Keys and the Minnesota experiment', *Journal of Nutrition* 135 (6), 1347–52.
C. M. McCay and Mary F. Crowell (1934). 'Prolonging the life span', *Scientific Monthly* 39 (5), 405–14.
Jasper Most, Valeria Tosti, Leanne M. Redman and Luigi Fontana (2017). 'Calorie restriction in humans: an update', *Ageing Research Reviews* 39, 36–45.
Shin-Hae Lee and Kyung-Jin Min (2013). 'Caloric restriction and its mimetics',

1143–1211.
Marc T. Hamilton et al. (2008). 'Too little exercise and too much sitting: inactivity physiology and the need for new recommendations on sedentary behavior', *Current Cardiovascular Risk Reports* 2 (4), 292–8.
A. H. Shadyab (2017). 'Associations of accelerometer-measured and self-reported sedentary time with leukocyte telomere length in older women', *American Journal of Epidemiology* 185 (3), 172–84.
N. Genevieve et al. (2008). 'Television time and continuous metabolic risk in physically active adults', *Medicine & Science in Sports & Exercise* 40 (4), 639–45.
Ryan S. Falck et al. (2017). 'What is the association between sedentary behaviour and cognitive function? A systematic review', *British Journal of Sports Medicine* 51 (10), 800–11.
Yan Shijiao et al. (2020). 'Association between sedentary behavior and the risk of dementia: a systematic review and meta-analysis', *Translational Psychiatry* 10(1), 112.
Waneen Wyrick Spirduso (1975). 'Reaction and movement time as a function of age and physical activity level', *Journal of Gerontology* 30 (4), 435–40.
Arthur F. Kramer and Kirk I. Erickson (2007). 'Effects of physical activity on cognition, well-being, and brain: human interventions', *Alzheimer's & Dementia*: *The Journal of the Alzheimer's Association* 3 (2 Suppl), S45–51.
Kirk I. Erickson et al. (2011). 'Exercise training increases size of hippocampus and improves memory', *Proceedings of the National Academy of Sciences of the United States of America* 108 (7), 3017–22.
T. M. Manini (2010). 'Energy expenditure and aging', *Ageing Research Reviews* 9(1), 1–11.
Carl W. Cotman and Nicole C. Berchtold (2002). 'Exercise: a behavioral intervention to enhance brain health and plasticity', *Trends in Neurosciences* 25 (6), 295–301.
David A. Raichlen and Gene E. Alexander (2017). 'Adaptive capacity: an evolutionary-neuroscience model linking exercise, cognition, and brain health', *Trends in Neurosciences* 40 (7), 408–21.
Michael J. Wheeler et al. (2017). 'Sedentary behavior as a risk factor for cognitive decline? A focus on the influence of glycemic control in brain health', *Alzheimer's & Dementia: Translational Research & Clinical Interventions*,3 (3), 291–300.
Christopher Mark Spray et al. (2006). 'Understanding motivation in sport: an experimental test of achievement goal and self determination theories',

Scientific Reports 9 (1), 703.
Emily R. Davenport et al. (2014). 'Seasonal variation in human gut microbiome composition', *PLoS ONE* 9 (3), e90731.
Ettje F. Tigchelaar et al. (2015). 'Cohort profile: LifeLines DEEP, a prospective, general population cohort study in the northern Netherlands: study design and baseline characteristics', *BMJ Open* 5 (8), e006772.
M. T. Bailey, S. E. Dowd, J. D. Galley et al. (2011). 'Exposure to a social stressor alters the structure of the intestinal microbiota: implications for stressor-induced immunomodulation', *Brain, Behavior, and Immunity* 25 (3), 397–407.
Siri Carpenter (2012). 'That gut feeling', *Monitor on Psychology* (American Psychological Association) 43 (8), 50.
Birgit Wassermann, Henry Müller and Gabriele Berg (2019). 'An apple a day: which bacteria do we eat with organic and conventional apples?' *Frontiers in Microbiology*, 24 July, https://doi.org/10.3389/fmicb.2019.01629.
M. Schneeberger, A. Everard, A. Gómez-Valadés et al. (2015). 'Akkermansia muciniphila inversely correlates with the onset of inflammation, altered adipose tissue metabolism and metabolic disorders during obesity in mice', *Nature Scientific Reports* 5, 16643.
Robert Caesar et al. (2015). 'Crosstalk between gut microbiota and dietary lipids aggravates WAT inflammation through TLR signaling', *Cell Metabolism* 22 (4), 658–68.
M. Lyte, J. J. Varcoe and M. T. Bailey (1998). 'Anxiogenic effect of subclinical bacterial infection in mice in the absence of overt immune activation', *Physiology and Behaviour* 65 (1), 63–8.
Javier A. Bravo et al. (2011). 'Ingestion of Lactobacillus strain regulates emotional behavior and central GABA receptor expression in a mouse via the vagusnerve', *Proceedings of the National Academy of Sciences of the United States of America* 108 (38), 16050–5.
Kirsten Tillisch et al. (2017). 'Brain structure and response to emotional stimuli as related to gut microbial profiles in healthy women', *Psychosomatic Medicine* 79 (8), 905–13.
Lisa Manderino et al. (2017). 'Preliminary evidence for an association between the composition of the gut microbiome and cognitive function in neurologically healthy older adults', *Journal of the International Neuropsychological Society* 23 (8), 700–5.
A. J. Jeroen (2006). 'Serotonin and human cognitive performance', *Current Pharmaceutical Design* 12 (20), 2473–86.

BMB Reports 46 (4), 181–7.
Yonas E. Geda et al. (2013). 'Caloric intake, aging, and mild cognitive impairment: a population-based study', *Journal of Alzheimer's Disease* 34 (2), 501–7.
A. V. Witte et al. (2009). 'Caloric restriction improves memory in elderly humans', *Proceedings of the National Academy of Sciences of the United States of America* 106 (4), 1255–60.
Jason Brandt et al. (2019). 'Preliminary report on the feasibility and efficacy of the modified Atkins diet for treatment of mild cognitive impairment and early Alzheimer's disease', *Journal of Alzheimer's Disease* 68 (3), 969–81.
Rafael de Cabo and Mark P. Mattson (2019). 'Effects of intermittent fasting on health, aging, and disease', *New England Journal of Medicine* 381 (26), 2541–51.
Mark P. Mattson (2019). 'An evolutionary perspective on why food overconsumption impairs cognition', *Trends in Cognitive Science* 23 (3), 200–12.

第４章　脳と腸内細菌

T. Z. T. Jensen, J. Niemann, K. H. Iversen et al. (2019). 'A 5700-year-old human genome and oral microbiome from chewed birch pitch', *Nature Communications* 10, art. no. 5520.
R. Sender, S. Fuchs and R. Milo (2016). 'Revised estimates for the number of human and bacteria cells in the body', *PLoS Biology* 14 (8), e1002533.
A. Almeida, A. L. Mitchell, M. Boland et al. (2019). 'A new genomic blueprint of the human gut microbiota', *Nature* 568 (7753), 499–504.
D. Zeevi, T. Korem, A. Godneva et al. (2019). 'Structural variation in the gut microbiome associates with host health', *Nature* 568 (7750), 43–8.
G. Falony, M. Joossens, S. Vieira-Silva et al. (2016). 'Population-level analysis of gut microbiome variation', *Science* 352 (6285), 560–4.
Courtney C. Murdock et al. (2017). 'Immunity, host physiology, and behaviour in infected vectors', *Current Opinion in Insect Science* 20, 28–33.
L. Maier et al. (2018). 'Extensive impact of non-antibiotic drugs on human gut bacteria', *Nature* 555 (7698), 623–8.
C. Bressa et al. (2017). 'Differences in gut microbiota profile between women with active lifestyle and sedentary women', *PLoS ONE* 12 (2), e0171352.
K. A. Dill-McFarland, Z. Tang, J. H. Kemis et al. (2019). 'Close social relationships correlate with human gut microbiota composition', *Nature*

Cohort', *American Journal of Clinical Nutrition* 94 (6), 1584–91.
Ramon Velazquez et al. (2019). 'Maternal choline supplementation ameliorates Alzheimer's disease pathology by reducing brain homocysteine levels across multiple generations', *Molecular Psychiatry* 25 (10), 2620–9.
Tomasz Huc et al. (2018). 'Chronic, low-dose TMAO treatment reduces diastolic dysfunction and heart fibrosis in hypertensive rats', *American Journal of Physiology – Heart and Circulatory Physiology* 315 (6), H1805–20.
Anika K. Smith, Alex R. Wade, Kirsty E. H. Penkman et al. (2017). 'Dietary modulation of cortical excitation and inhibition', *Journal of Psychopharmacology* 31 (5), 632–7.
J. F. Pearson, J. M. Pullar, R. Wilson et al. (2017). 'Vitamin C status correlates with markers of metabolic and cognitive health in 50-year-olds: findings of the CHALICE cohort study', *Nutrients* 9 (8), 831.
Nikolaj Travica et al. (2017). 'Vitamin C status and cognitive function: a systematic review', *Nutrients* 9 (9), 960.
Ibrar Anjum et al. (2018). 'The role of Vitamin D in brain health: a mini literature review', *Cureus* 10 (7), e2960.
David J. Llewellyn et al. (2009). 'Serum 25-hydroxyvitamin D concentration and cognitive impairment', *Journal of Geriatric Psychiatry and Neurology* 22 (3), 188–95.
D. M. Lee et al. (EMAS study group) (2009). 'Association between 25-hydroxyvitamin D levels and cognitive performance in middle-aged and older European men', *Journal of Neurology, Neurosurgery, and Psychiatry* 80 (7), 722–9.
E. Romagnolietal. (2008). 'Short and long-term variations in serum calciotropic hormones after a single very large dose of ergocalciferol (vitamin D2) or cholecalciferol(vitaminD3)in the elderly', *Journalof Clinical Endocrinology and Metabolism* 93 (8), 3015–20.
M. C. Morris et al. (2002). 'Dietary intake of antioxidant nutrients and the risk of incident Alzheimer disease in a biracial community study', *Journal of the American Medical Association* 287 (24), 3230–7.
F. Mangialasche et al. (2013). 'Serum levels of vitamin E forms and risk of cognitive impairment in a Finnish cohort of older adults', *Experimental Gerontology* 48 (12), 1428–35.
Sahar Tamadon-Nejad et al. (2018). 'Vitamin K deficiency induced by warfarin is associated with cognitive and behavioral perturbations, and alterations in brain sphingolipids in rats', *Frontiers in Aging Neuroscience* 10, 213.
Ludovico Alisi et al. (2019). 'The relationships between Vitamin K and

A. Emeran (2014). 'Gut microbes and the brain: paradigm shift in neuroscience', *Journal of Neuroscience* 34 (46), 15490–6.
N. M. Vogt et al. (2017). 'Gut microbiome alterations in Alzheimer's disease', *Scientific Reports* 7 (1), 13537.
M. Minter, C. Zhang, V. Leone et al. (2016). 'Antibiotic-induced perturbations in gut microbial diversity influences neuro-inflammation and amyloidosis in a murine model of Alzheimer's disease', *Nature Scientific Reports* 6: 1, 30028.
Stephen S. Dominy et al. (2019). 'Porphyromonas gingivalis in Alzheimer's disease brains: evidence for disease causation and treatment with small-molecule inhibitors', *Science Advances* 5 (1), eaau3333.
Lucy Moss, Andrew Scholey and Keith A. Wesnes (2002). 'Chewing gum selectively improves aspects of memory in healthy volunteers', *Appetite* 38 (3), 235–6.
C. S. Lin, H. H. Lin, S. W. Fann et al. (2020). 'Association between tooth loss and gray matter volume in cognitive impairment', *Brain Imaging and Behavior* 14, 396–407.
John F. Cryan and Timothy G. Dinan (2012). 'Mind-altering microorganisms: the impact of the gut microbiota on brain and behaviour', *Nature Reviews Neuroscience* 13 (10), 701–12.
Elaine Y. Hsiao, Sara W. McBride, Janet Chow, Sarkis K. Mazmanian and Paul H. Patterson (2012). 'Modeling an autism risk factor in mice leads to permanent immune dysregulation', *Proceedings of the National Academy of Sciences of the United States of America* 109 (31), 12776–81.
Filip Scheperjans MD, PhD et al. (2014). 'Gut microbiota are related to Parkinson's disease and clinical phenotype', *Movement Disorders* 30 (3), 350–8.

第5章　脳が欲する栄養素

Ming-Yi Chiang, Dinah Misner and Gerd Kempermann et al. (1998). 'An essential role for retinoid receptors RARβ and RXRγ in long-term potentiation and depression', *Neuron* 21 (6), 1353–61.
E. Bonnet et al. (2008). 'Retinoic acid restores adult hippocampal neurogenesis and reverses spatial memory deficit in vitamin A deprived rats', *PLoS ONE* 3 (10), e3487.
Coreyann Poly et al. (2011). 'The relation of dietary choline to cognitive performance and white-matter hyperintensity in the Framingham Offspring

Study', *Journal of the American Geriatrics Society* 65 (8), 1857–62.
Anne W. S. Rutjes et al. (2018). 'Vitamin and mineral supplementation for preventing cognitive deterioration in cognitively healthy people in mid and late life', *Cochrane Database of Systematic Reviews*, 12, art. no.: CD011906.
Dagfinn Aune et al (2017). Fruit and vegetable intake and the risk of cardiovascular disease, total cancer and all-cause mortality – a systematic review and dose-response meta-analysis of prospective studies. *International Journal of Epidemiology*, 46 (3), 1029–56.

第6章　人間の社会性と脳

Igor' Borisovich et al. (2014). 'Main findings of psychophysiological studies in the Mars 500 experiment', *Herald of the Russian Academy of Sciences* 84 (2), 106–14.
Esther Herrmann et al. (2007). 'Humans have evolved specialized skills of social cognition: the cultural intelligence hypothesis', *Science* 317 (5843), 1360–6.
John T. Cacioppo, Stephanie Cacioppo and Dorret I. Boomsma (2014). 'Evolutionary mechanisms for loneliness', *Cognition and Emotion* 28 (1), 3–21.
Office for National Statistics (2018). *Loneliness – what characteristics and circumstances are associated with feeling lonely? Analysis of characteristics and circumstances associated with loneliness in England using the Community Life Survey*, 2016 to 2017. London: Office for National Statistics.
Louise C. Hawkley, Kristen Wroblewski, Till Kaiser, Maike Luhmann and L. Philip Schumm (2019). 'Are US older adults getting lonelier? Age, period, and cohort differences', *Psychology and Aging*, 34 (8), 1144–57.
Kali H. Trzesniewski and M. Brent Donnellan (2010). 'Rethinking "Generation Me": a study of cohort effects from 1976–2006', *Perspectives on Psychological Science* 5: 1, 58–75.
D. Matthew, T. Clark, Natalie J. Loxton and Stephanie J. Tobin (2014). 'Declining loneliness over time: evidence from American colleges and high schools', *Personality and Social Psychology Bulletin* 41: 1, 78–89.
B. A. Primack et al. (2019). 'Positive and negative experiences on social media and perceived social isolation', *American Journal of Health Promotion* 33 (6), 859–68.
E. Caitlin, M. S. Coyle and Elizabeth Dugan (2012). 'Social isolation, loneliness and health among older adults', *Journal of Aging and Health* 24 (8), 1346–63.

cognition: a review of current evidence', *Frontiers in Neurology* 10, 239.
Inna Slutsky et al. (2010). 'Enhancement of learning and memory by elevating brain magnesium', *Neuron* 65 (2), 165–77.
Enhui Pan et al. (2011). 'Vesicular zinc promotes presynaptic and inhibits postsynaptic long-term potentiation of mossy fiber-CA3 synapse', *Neuron* 71 (6), 1116-26.
Nicole T. Watt et al. (2010). 'The role of zinc in Alzheimer's disease', *International Journal of Alzheimer's Disease* 2011, 971021.
Aline Thomas et al. (2020). 'Blood polyunsaturated omega-3 fatty acids, brain atrophy, cognitive decline, and dementia risk', *Alzheimer's & Dementia*, Oct., https://doi.org/10.1002/alz.12195.
A. N. Panche, A. D. Diwan and S. R. Chandra (2016). 'Flavonoids: an overview', *Journal of Nutritional Science* 5, e47.
M. T. Wittbrodt and M. Millard-Stafford (2018). 'Dehydration impairs cognitive performance: a meta-analysis', *Medicine & Science in Sports & Exercise* 50, 2360–8.
Ann C. Grandjean and Nicole R. Grandjean (2007). 'Dehydration and cognitive performance', *Journal of the American College of Nutrition* 26 (Suppl. 5), 549S–54S.
Na Zhang, Song M. Du, Jian F. Zhang and Guan S. Ma (2019). 'Effects of dehydration and rehydration on cognitive performance and mood among male college students in Cangzhou, China: a self-controlled trial', *International Journal of Environmental Research and Public Health* 16 (11), 1891.
Rosa Mistica Coles Ignacio, K-B. Joo and K-J. Lee (2012). 'Clinical effect and mechanism of alkaline reduced water', *Journal of Food and Drug Analysis* 20 (1), 394–7.
Sanetaka Shirahata, Takeki Hamasaki and Kiichiro Teruya (2012). 'Advanced research on the health benefit of reduced water', *Trends in Food Science & Technology* 23 (2), 124–31.
A. C. van den Brink, E. M. Brouwer-Brolsma, A. A. M. Berendsen and O. van de Rest (2019). 'The Mediterranean, Dietary Approaches to Stop Hypertension(DASH), and Mediterranean-DASH Intervention for Neurodegenerative Delay (MIND) diets are associated with less cognitive decline and a lower risk of Alzheimer's disease – a review', *Advances in Nutrition* 10 (6), 1040–65.
C. T. McEvoy, H. Guyer, K. M. Langa and K. Yaffe (2017). 'Neuroprotective diets are associated with better cognitive function: the Health and Retirement

development: a randomized clinical trial', *JAMA Pediatrics* 169 (3), 211–9.
M. Lehmann, T. Weigel, A. Elkahloun et al. (2017). 'Chronic social defeat reduces myelination in the mouse medial prefrontal cortex', *Nature Scientific Reports* 7, 46548.
Erin York and Linda Waite (2009). 'Social disconnectedness, perceived isolation, and health among older adults', *Journal of Health and Social Behavior* 50 (1), 31–48.
N. J. Donovan et al. (2017). 'Loneliness, depression and cognitive function in older US adults', *International Journal of Geriatric Psychiatry* 32 (5), 564–73.
E. Lara et al. (2019). 'Does loneliness contribute to mild cognitive impairment and dementia? A systematic review and meta-analysis of longitudinal studies', *Ageing Research Reviews* 52, 7–16.
B. R. Levy et al. (2002). 'Longevity increased by positive self-perceptions of aging', *Journal of Personality and Social Psychology* 83 (2), 261–70.
J. T. Kraiss et al. (2020). 'The relationship between emotion regulation and well-being in patients with mental disorders: a meta-analysis', *Comprehensive Psychiatry* 102, art. no. 152189.
E. J. Boothby, G. Cooney, G. M. Sandstrom and M. S. Clark (2018). 'The liking gap in conversations: do people like us more than we think?', *Psychological Science* 29 (11), 1742–56.
Michael Babula (2013). *Motivation, Altruism, Personality and Social Psychology: the coming age of altruism*. New York: Springer.
V. Klucharev et al. (2009). 'Reinforcement learning signal predicts social conformity', *Neuron* 61 (1), 140–51.
L. Rochat et al. (2019). 'The psychology of "swiping": a cluster analysis of the mobile dating app Tinder', *Journal of Behavioral Addictions* 8 (4), 804–13.
Chicago University (2019). 'UChicago professor developing pill for loneliness', *Chicago Maroon News*, 16 Feb.
R. S. Weiss (1973). *Loneliness: the experience of emotional and social isolation*. Cambridge, MA: MIT Press.

第７章　脳と性欲

Konstantinos Kapparis (2015). 'Hippocrates, Aristophanes and sex-crazed women', *Ageless Arts: the Journal of the Southern Association for the History of Medicine and Science* 1, 47–57.
Alfred Kinsey et al. (1948). *Sexual Behavior in the Human Male*. Philadelphia: W. B. Saunders.

Gretchen L. Hermes et al. (2009). 'Social isolation dysregulates endocrine and behavioral stress while increasing malignant burden of spontaneous mammary tumors', *Proceedings of the National Academy of Sciences of the United States of America* 106 (52), 22393–8.

M. Pantell, D. Rehkopf, D. Jutte, S. L. Syme, J. Balmes and N. Adler (2013). 'Social isolation: a predictor of mortality comparable to traditional clinical risk factors', *American Journal of Public Health* 103, 2056–62, doi: 10.2105/AJPH.2013.301261.

J. Holt-Lunstad, T. B. Smith, M. Baker, T. Harris and D. Stephenson (2015). 'Loneliness and social isolation as risk factors for mortality: a meta-analytic review', *Perspectives on Psychological Science* 10 (2), 227–37.

F. R. Day, K. K. Ong and J. R. B. Perry (2018). 'Elucidating the genetic basis of social interaction and isolation', *Nature Communications* 9, art. no. 2457.

Claire Yang et al. (2013). 'Social isolation and adult mortality: the role of chronic inflammation and sex differences', *Journal of Health and Social Behavior* 54 (2), 183–203.

M. Zelikowsky, M. Hui, T. Karigo et al. (2018). 'The neuropeptide Tac2 controls a distributed brain state induced by chronic social isolation stress', *Cell* 173 (5), 1265–79.

G. A. Matthews, E. H. Nieh, C. M. Vander Weele et al. (2016). 'Dorsal raphe dopamine neurons represent the experience of social isolation', *Cell* 164 (4), 617–31.

D. Sargin, D. K. Oliver and E. K. Lambe (2016). 'Chronic social isolation reduces 5-HT neuronal activity via upregulated SK3 calcium-activated potassium channels', *eLife*, e21416, doi:10.7554/eLife.21416.

S. Düzel, J. Drewelies, D. Gerstorf et al. (2019). 'Structural brain correlates of loneliness among older adults', *Nature Scientific Reports* 9, 13569.

R. Kanai, B. Bahrami, B. Duchaine, A. Janik, M. J. Banissy and G. Rees (2012). 'Brain structure links loneliness to social perception', *Current Biology* 22 (20), 1975–9.

I. E. M. Evans, A. Martyr, R. Collins, C. Brayne and L. Clare (2019). 'Social isolation and cognitive function in later life: a systematic review and meta-analysis', *Journal of Alzheimer's Disease* 70 (S1), S119–44.

V. Heng, M. J. Zigmond and R. J. Smeyne (2018). 'Neurological effects of moving from an enriched environment to social isolation in adult mice', *Society for Neuroscience Meeting*, San Diego, 2018.

J. Bick, T. Zhu, C. Stamoulis, N. A. Fox, C. Zeanah and C. A. Nelson (2015). 'Effect of early institutionalization and foster care on long-term white matter

of Geriatric Psychiatry 23 (3), 227–33.
Jennifer R. Rider et al. (2016). 'Ejaculation frequency and risk of prostate cancer: updated results with an additional decade of follow-up', *European Urology* 70 (6), 974–82.
G. G. Giles et al. (2003). 'Sexual factors and prostate cancer', *BJU International* 92 (3), 211–6.
W. Penfield and T. Rasmussen (1950). *The Cerebral Cortex of Man*. New York: Macmillan.
F. L. McNaughton (1977). 'Wilder Penfield: his legacy to neurology. Impact on medical neurology', *Canadian Medical Association Journal* 116 (12), 1370.
Paula M. Di Noto et al. (2013). 'The hermunculus: what is known about the representation of the female body in the brain?', *Cerebral Cortex* 23 (5), 1005–13.
Beverly Whipple and Barry R. Komisaruk (1997). 'Sexuality and women with complete spinal cord injury', *Spinal Cord*, 35 (3), 136–8.
Benedetta Leuner, Erica R. Glasper and Elizabeth Gould (2010). 'Sexual experience promotes adult neurogenesis in the hippocampus despite an initial elevation in stress hormones', *PLoS ONE* 5 (7), e11597.
Mark D. Spritzer et al. (2016). 'Sexual interactions with unfamiliar females reduce hippocampal neurogenesis among adult male rats', *Neuroscience* 318, 24 March, 143–56.
Mark S. Allen (2018). 'Sexual activity and cognitive decline in older adults', *Archives of Sexual Behavior*, 47, 1711–9.
Hayley Wright, Rebecca A. Jenks and Nele Demeyere (2019). 'Frequent sexual activity predicts specific cognitive abilities in older adults', *Journals of Gerontology*: Series B 74 (1), 47–51.
Larah Maunder, Dorothée Schoemaker and Jens C. Pruessner (2017). 'Frequency of penile-vaginal intercourse is associated with verbal recognition performance in adult women', *Archives of Sexual Behavior* 46 (2), 441–53.
Olivier Beauchet (2006). 'Testosterone and cognitive function: current clinical evidence of a relationship', *European Journal of Endocrinology* 155 (6), 773–81.
Jacqueline Compton, Therese van Amelsvoort and Declan Murphy (2001). 'HRT and its effect on normal ageing of the brain and dementia', British *Journal of Clinical Pharmacology* 52 (6), 647–53.

Alfred Kinsey et al. (1953). *Sexual Behavior in the Human Female*. Philadelphia: W. B. Saunders.
W. H. Masters and V. E. Johnson (1966). *Human Sexual Response*. Toronto and New York: Bantam.
Debby Herbenick et al. (2018). 'Women's experiences with genital touching, sexual pleasure, and orgasm: results from a US probability sample of women ages 18 to 94', *Journal of Sex & Marital Therapy* 44 (2), 201–12.
Nigel Field MD et al. (2013). 'Associations between health and sexual lifestyles in Britain: findings from the third National Survey of Sexual Attitudes and Lifestyles (Natsal-3)', *Lancet* 382 (9907), 1830–44.
Susan E. Trompeter, Ricki Bettencourt and Elizabeth Barrett-Connor (2012). 'Sexual activity and satisfaction in healthy community-dwelling older women', *American Journal of Medicine* 125 (1), 37–43, E1.
Public Health England (2018). *What do women say*? London: Public Health England.
Josie Tetley et al. (2018). 'Let's talk about sex – what do older men and women say about their sexual relations and sexual activities? A qualitative analysis of ELSA Wave 6 data', *Ageing and Society* 38 (3), 497–521.
Markus Parzeller, Roman Bux, Christoph Raschka et al. (2006). 'Sudden cardiovascular death associated with sexual activity: a forensic autopsy study (1972–2004)', *Forensic Science, Medicine, and Pathology* 2 (2), 109–14.
P. Elwood, J. Galante, J. Pickering, S. Palmer, A. Bayer, Y. Ben-Shlomo et al. (2013). 'Healthy lifestyles reduce the incidence of chronic diseases and dementia: evidence from the Caerphilly cohort study', *PLoS ONE* 8 (12), e81877.
G. Persson (1981). 'Five-year mortality in a 70-year-old urban population in relation to psychiatric diagnosis, personality, sexuality and early parental death', *Acta Psychiatrica Scandinavica* 64, 244.
Julie Frappier et al. (2013). 'Energy expenditure during sexual activity in young healthy couples', *PLoS ONE* 8 (10), e79342.
Helle Gerbild et al. (2018). 'Physical activity to improve erectile function: a systematic review of intervention studies', *Sexual Medicine* 6 (2), 75–89.
Tomás Cabeza de Baca et al. (2017). 'Sexual intimacy in couples is associated with longer telomere length', *Psychoneuroendocrinology* 81, July, 46–51.
B. Whipple and B. R. Komisaruk (1985). 'Elevation of pain threshold by vaginal stimulation in women', *Pain* 21 (4), 357–67.
Vicki Wang et al. (2015). 'Sexual health and function in later life: a population-based study of 606 older adults with a partner', *American Journal*

Therapies in Medicine 26, 117–22.
S. Edwards (2016). 'Strength in movement', *Harvard Gazette*, 5 Jan.
A. Z. Burzynska, Y. Jiao et al. (2017). 'White matter integrity declined over 6-months, but dance intervention improved integrity of the fornix of older adults', *Frontiers in Aging Neuroscience*, 9, 59.
Joe Verghese et al. (2003). 'Leisure activities and the risk of dementia in the elderly', *New England Journal of Medicine* 348 (25), 2508–16.
Rehfeld, K. et al. (2018). 'Dance training is superior to repetitive physical exercise in inducing brain plasticity in the elderly', *PLoS ONE* 13 (7), e0196636, https://journals.plos.org/plosone/article?id=10.1371/journal.pone.0196636.
Global Council on Brain Health (2017). *Engage Your Brain: GCBH recommendations on cognitively stimulating activities*. Washington DC: AARP.
Y. Stern (2012). 'Cognitive reserve in ageing and Alzheimer's disease', *Lancet Neurology* 11 (11), 1006–12.
G. M. Whipple (1910). 'The effect of practice upon the range of visual attention and of visual apprehension', *Journal of Educational Psychology* 1 (5), 249–62.
Helen Brooker, Keith A. Wesnes, Clive Ballard et al. (2019). 'The relationship between the frequency of number-puzzle use and baseline cognitive function in a large online sample of adults aged 50 and over', *International Journal of Geriatric Psychiatry* 34 (7), 932–40.
P. Fissler et al. (2017). 'Jigsaw puzzles as cognitive enrichment (PACE)-the effect of solving jigsaw puzzles on global visuospatial cognition in adults 50 years of age and older: study protocol for a randomized controlled trial', *Trials* 18 (1), 415.
Arthur R. Jensen (1969). 'How much can we boost IQ and scholastic achievement?', *Harvard Educational Review* 39 (1), 1–123.
Susanne M. Jaeggi, Martin Buschkuehl, John Jonides and Walter J. Perrig (2008). 'Improving fluid intelligence with training on working memory', *Proceedings of the National Academy of Sciences of the United States of America* 105 (19), 6829–33.
Monica Melby-Lervåg, Thomas S. Redick and Charles Hulme (2016). 'Working memory training does not improve performance on measures of intelligence or other measures of "far transfer": evidence from a meta-analytic review', *Perspectives on Psychological Science* 11 (4), 512–34.
D. Brilliant T., R. Nouchi and R. Kawashima (2019). 'Does video gaming have impacts on the brain: Evidence from a systematic review', *Brain Sciences* 9 (10), 251.

第８章　脳を明晰にする活動

Frederick J. Zimmerman, A. Christakis and Andrew N. Meltzoff (2007). 'Associations between media viewing and language development in children under age 2 years', *Journal of Pediatrics* 151 (4), 364–8.

Jaylyn Waddell and Tracey J. Shors (2008). 'Neurogenesis, learning and associative strength', *European Journal of Neuroscience* 27 (11), 3020–8.

E. A. Maguire, K. Woollett and H. J. Spiers (2006). 'London taxi drivers and bus drivers: a structural MRI and neuropsychological analysis', *Hippocampus* 16 (12), 1091–1101.

Gerd Kempermann et al. (2018). 'Human adult neurogenesis: evidence and remaining questions', *Cell Stem Cell* 23 (1), 25–30.

K. I. Erickson, R. S. Prakash, M. W. Voss et al. (2009). 'Aerobic fitness is associated with hippocampal volume in elderly humans', *Hippocampus* 19 (10), 1030–9.

Alison Abbott (2019). 'First hint that body's "biological age" can be reversed', *Nature* 573 (173).

P. M. Wayne, J. N. Walsh, R. E. Taylor-Piliae et al. (2014). 'Effect of tai chi on cognitive performance in older adults: systematic review and meta-analysis', *Journal of the American Geriatrics Society* 62 (1), 25–39.

Johan Mårtensson et al. (2012). 'Growth of language-related brain areas after foreign language learning', *NeuroImage* 63 (1), 240.

P. K. Kuhl et al. (2016). 'Neuroimaging of the bilingual brain: structural brain correlates of listening and speaking in a second language', *Brain and Language* 162, 1–9.

O. A. Olulade et al. (2016). 'Neuroanatomical evidence in support of the bilingual advantage theory', *Cerebral Cortex* 26 (7), 3196–3204.

S. Alladi, T. H. Bak, V. Duggirala et al. (2013). 'Bilingualism delays age at onset of dementia, independent of education and immigration status', *Neurology* 81(22), 1938–44.

D. Perani, M. Farsad, T. Ballarini, F. Lubian et al. (2017). 'The impact of bilingualism on brain reserve and metabolic connectivity in Alzheimer's dementia', *Proceedings of the National Academy of Sciences of the United States of America* 114 (7), 1690–5.

T. H. Bak, J. J. Nissan, M. M. Allerhand and I. J. Deary (2014). 'Does bilingualism influence cognitive aging?', *Annals of Neurology* 75, 959–63.

K. D. Lakes et al. (2016). 'Dancer perceptions of the cognitive, social, emotional, and physical benefits of modern styles of partnered dancing', *Complementary*

Translational Science 119: 155–90.
A. Green, M. Cohen-Zion, A. Haim and Y. Dagan (2017). 'Evening light exposure to computer screens disrupts human sleep, biological rhythms, and attention abilities', *Chronobiology International* 34 (7), 855–65.
J. Barcroft (1932). 'La fixité du milieu intérieur est la condition de la vie libre (Claude Bernard)', *Biological Reviews* 7, 24–8.
I. O. Ebrahim, C. M. Shapiro, A. J. Williams and P. B. Fenwick (2013), 'Alcohol and sleep I: effects on normal sleep', *Alcoholism: Clinical and Experimental Research* 37 (4), 539–49.
U. M. H. Klumpers et al. (2015). 'Neurophysiological effects of sleep deprivation in healthy adults, a pilot study', *PLoS ONE* 10 (1), e0116906.
S. L. Worley (2018). 'The extraordinary importance of sleep: the detrimental effects of inadequate sleep on health and public safety drive an explosion of sleep research', *Pharmacy and Therapeutics* 43 (12), 758–63.
Y. Nir, T. Andrillon, A. Marmelshtein et al. (2017). 'Selective neuronal lapses precede human cognitive lapses following sleep deprivation', *Nature Medicine* 23 (12), 1474–80.
S. D. Womack, J. N. Hook, S. H. Reyna and M. Ramos (2013). 'Sleep loss and risk-taking behavior: a review of the literature', *Behavioral Sleep Medicine* 11 (5), 343–59.
Joseph R. Winer, Bryce A. Mander, Randolph F. Helfrich et al. (2019). 'Sleep as a potential biomarker of tau and β-amyloid burden in the human brain', *Journal of Neuroscience* 39 (32) 6315–24.
Global Council on Brain Health (2016). The Brain-Sleep Connection: GCBH recommendations on sleep and brain health. Washington DC: AARP.
L. Li, C. Wu, Y. Gan et al. (2016). 'Insomnia and the risk of depression: a meta-analysis of prospective cohort studies', *BMC Psychiatry* 16 (1), 375.
Shalini Paruthi et al. (2016). 'Consensus statement of the American Academy of Sleep Medicine on the recommended amount of sleep for healthy children: methodology and discussion', *Journal of Clinical Sleep Medicine* 12 (11), 1549–61.
N. F. Watson, M. S. Badr, G. Belenky et al. (2015). 'Recommended amount of sleep for a healthy adult: a joint consensus statement of the American Academy of Sleep Medicine and Sleep Research Society', *Sleep* 38 (6), 843–4.
Manu S. Goyal et al. (2019). 'Persistent metabolic youth in the aging female brain', *Proceedings of the National Academy of Sciences of the United States of America* 116 (8), 3251–5.
Monica P. Mallampalli and Christine L. Carter (2014). 'Exploring sex and

Kyle E. Mathewson et al. (2012). 'Different slopes for different folks: alpha and delta EEG power predict subsequent video game learning rate and improvements in cognitive control tasks', *Psychophysiology* 49 (12), 1558–70.
Aviv M. Weinstein (2017). 'An update overview on brain imaging studies of internet gaming disorder', *Frontiers in Psychiatry* 8, art. no. 185.
D. J. Simons et al. (2016). 'Do "brain-training" programs work?', *Psychological Science in the Public Interest* 17 (3), 103–86.
Monica Melby-Lervåg and Charles Hulme (2013). 'Is working memory training effective? A meta-analytic review', *Developmental Psychology* 49 (2), doi: 10.1037/a0028228.
Adrian M. Owen et al. (2010). 'Putting brain training to the test', *Nature* 49 (12), 1558–70.

第９章　睡眠と脳

Matthew Walker (2017). *Why We Sleep*. London: Penguin.
R. Legendre and H. Piéron (1908). 'Distribution des altérations cellulaires du système nerveux dans l'insomnie expérimentale', *Comptes Rendus Hebdomadaires des Séances et Mémoires de la Société de Biologie* 64, 1102–4.
M. de Manaceine (1894). 'Quelques observations expérimentales sur l'influence de l'insomnie absolue', *Archives Italiennes de Biologie* 21, 322–5.
Gandhi Yetish et al. (2015). 'Natural sleep and its seasonal variations in three preindustrial societies', *Current Biology* 25 (21), 2862–8.
M. K. Scullin and D. L. Bliwise, 'Sleep, cognition, and normal aging: integrating a half century of multidisciplinary research', *Perspectives on Psychological Science* 10 (1), 97–137.
Hans Berger (1940). *Psyche* (Jena: Gustav Fischer).
E. Aserinsky and N. Kleitman (1953). 'Regularly occurring periods of eye motility, and concomitant phenomena, during sleep', *Science* 118 (3062), 273–4.
Rogers Commission (1986). *Report of the Presidential Commission on the Space Shuttle Challenger Accident*. Washington DC: US Government Publications.
M. Siffre (1988). 'Rythmes biologiques, sommeil et vigilance en confinement prolongé', in *Proceedings of the Colloquium on Space and Sea*, SEE N 88-26016 19-51, 53–68. Marseille: European Space Agency.
N. Goel, M. Basner, H. Rao and D. F. Dinges (2013). 'Circadian rhythms, sleep deprivation, and human performance', *Progress in Molecular Biology and*

opioid receptors', *Proceedings of the National Academy of Sciences of the United States of America* 90 (12), 5391–3.
J. Olds and P. Milner (1954). 'Positive reinforcement produced by electrical stimulation of septal area and other regions of rat brain', *Journal of Comparative and Physiological Psychology* 47 (6), 419–27.
David J. Llewellyn et al. (2008). 'Cognitive function and psychological well-being: findings from a population-based cohort', *Age and Ageing* 37 (6), 685–9.
Laura Mehegan and Chuck Rainville (2018). *AARP Brain Health and Mental Well-Being Survey*. Washington DC: AARP Research.
Arthur A. Stone, Joseph E. Schwartz, Joan E. Broderick and Angus Deaton (2010). 'A snapshot of the age distribution of psychological well-being in the United States', *Proceedings of the National Academy of Sciences of the United States of America* 107 (22), 9985–90.
A. S. Heller, C. M. van Reekum, S. M. Schaefer et al. (2013). 'Sustained striatal activity predicts eudaimonic well-being and cortisol output', *Psychological Science* 24 (11), 2191–200.
L. B. Pacheco, J. S. Figueira, M. G. Pereira, L. Oliveira and I. A. David (2020). 'Controlling unpleasant thoughts: adjustments of cognitive control based on previous-trial load in a working memory task', *Frontiers in Human Neuroscience* 13, 469.
Walter Mischel (2015). *The Marshmallow Test: why self-control is the engine of success*. Boston: Little, Brown.
Rachel M. Zachar et al. (2016). 'A SPECT study of cerebral blood perfusion differences in high and low self-reported anger', American Psychological Association 124th Convention.
Ana Loureiro and Susana Veloso (2017). 'Green exercise, health and well-being', in Ghozlane Fleury-Bahi, Enric Pol and Oscar Navarro, eds. *Handbook of Environmental Psychology and Quality of Life Research*, 149–69. New York: Springer.
D. Mosher (2017). 'Professor Kevin K. Fleming PhD interview: what can happen to your brain and body when you shoot a gun', *Business Insider*, Oct. Berlin: Axel Springer.
L. Mineo (2017). 'Good genes are nice, but joy is better: the Harvard Adult Development Study', *Harvard Gazette*, 11 April.
R. M. Yerkes and J. D. Dodson (1908). 'The relation of strength of stimulus to rapidity of habit-formation', *Journal of Comparative Neurology and Psychology* 18 (5). 459–82.

gender differences in sleep health: a Society for Women's Health Research report', *Journal of Women's Health* 23 (7), 553–62.
Bryce A. Mander, Joseph R. Winer and Matthew P. Walker (2017). 'Sleep and human aging', *Neuron Review* 94, 19–36.
Pierre Philip et al. (2004). 'Age, performance and sleep deprivation', *Journal of Sleep Research* 13 (2), 105–10.

第10章 脳と幸福

J. Helliwell, R. Layard and J. Sachs et al.(eds.) (2020). *World Happiness Report 2020*. New York: Sustainable Development Solutions Network.
Daniel Kahneman and Angus Deaton (2010). 'High income improves evaluation of life but not emotional well-being', *Proceedings of the National Academy of Sciences of the United States of America* 107 (38), 16489–93.
Ashley V. Whillans et al. (2017). 'Buying time promotes happiness', *Proceedings of the National Academy of Sciences of the United States of America* 114 (32), 8523–7.
M. Luhmann, W. Hofmann, M. Eid and R. E. Lucas (2012). 'Subjective well-being and adaptation to life events: a meta-analysis', *Journal of Personality and Social Psychology* 102 (3), 592–615.
Matthew A. Killingsworth and Daniel T. Gilbert (2010). 'A wandering mind is an unhappy mind', *Science* 330 (6006), 932.
D. A. Schkade and D. Kahneman (1998). 'Does living in California make people happy? A focusing illusion in judgments of life satisfaction', *Psychological Science* 9 (5), 340–6.
H. Selye (1936). 'A syndrome produced by diverse nocuous agents', *Nature* 138, 32.
S. Dilger et al. (2003). 'Brain activation to phobia-related pictures in spider phobic humans: an event-related functional magnetic resonance imaging study', *Neuroscience Letters* 348 (1), 29–32.
Antoine Bechara, Hanna Damasio and Antonio R. Damasio (2000). 'Emotion, decision making and the orbitofrontal cortex', *Cerebral Cortex* 10 (3), 295–307.
C. B. Pert and S. H. Snyder (1973). 'Opiate receptor: demonstration in nervous tissue', *Science* 179, 1011–4.
M. A. Crocq (2007). 'Historical and cultural aspects of man's relationship with addictive drugs', *Dialogues in Clinical Neuroscience* 9 (4), 355–61.
Michael J. Brownstein (1993). 'A brief history of opiates, opioid peptides, and

T. Cartwright, H. Mason, A. Porter et al. (2020). 'Yoga practice in the UK: a cross-sectional survey of motivation, health benefits and behaviours', *BMJ Open* 10, e031848.
D. Krishnakumar, M. R. Hamblin and S. Lakshmanan (2015). 'Meditation and yoga can modulate brain mechanisms that affect behavior and anxiety – a modern scientific perspective', *Ancient Science* 2 (1), 13–9.
B. G. Kalyani et al. (2011). 'Neurohemodynamic correlates of "OM" chanting: a pilot functional magnetic resonance imaging study', *International Journal of Yoga* 4 (1), 3–6.
Robert Provine (2000). 'The science of laughter', *Psychology Today*, Nov.
B. Wild, F. A. Rodden, W. Grodd and W. Ruch (2003). 'Neural correlates of laughter and humour', *Brain* 126, 2121–38.
D. M. Buss (1989). 'Sex differences in human mate preferences: evolutionary hypotheses tested in 37 cultures', *Behavioral and Brain Sciences* 12, 1–49.
Global Council on Brain Health (2020). *Music on Our Minds: the rich potential of music to promote brain health and mental well-being.* Washington DC: AARP. Available at www. Global Council On Brain Health.org.
All-Party Parliamentary Group on Arts, Health and Wellbeing (2017). Creative Health: the arts for health and wellbeing, inquiry report.

第1章　脳を知る

p. 25, figure 1.1, 'The human brain in situ': adapted from Dr Ananya Mandal, *Human Brain Structure*, news-medical.net.
p. 27, figure 1.2, 'The limbic system': adapted from waitbutwhy.com.

第2章　運動と脳

p. 53, *The Discobolus* : a Roman bronze reproduction of Myron's Discobolus (second century ad), Glyptothek, Munich.
p. 61, 'An active lifestyle': photographed by Mr Phelan for Harrie Irving Hancock, *Physical Training for Business Men* (1917), courtesy of the Library of Congress, Washington DC.
p. 66, figure 2.1, 'Energy expenditure at various ages': redrawn from T. M. Manini, 'Energy expenditure and aging', *Ageing Research Reviews* 9 (1), 2010, p. 9.
p. 74, 'Tennis champions, 1920': 'Wimbledon mixed doubles champions Suzanne Lenglen and Gerald Patterson', *Le Miroir des Sports*, 1920.

第3章　食事と脳

p. 95, 'Godzilla, the beast with two brains': Godzilla concept art by Yuji Sakai, based on the original 1954 Godzilla suit crafted by Teizo Toshimitsu and his staff, photograph © Japan Godzilla Festival, 2018.
p. 101, 'Surgeon William Beaumont and his patient Alexis St Martin': by Dean Cornwell, 1938; courtesy of the Library of Congress Prints and Photographs Division, Washington DC .
p. 102-103, 'Wilbur Olin Atwater and his respiration calorimeter chamber': courtesy of Special Collections, US Department of Agriculture National Agricultural Library, Wilbur Olin Atwater Papers.
p. 112, 'Fasting': *Café table with absinthe* by Vincent van Gogh (1887), courtesy of the Van Gogh Museum, Amsterdam Vincent van Gogh Foundation.

第4章　脳と腸内細菌

p. 127, 'A woman lying down breast-feeding her baby': by Francesco Bartolozzi (1727–1815), courtesy of The Wellcome Collection.

p. 307, figure 7.2, 'Sexual activation in the brain': adapted from *Daily Mail*, 7 Nov. 2010.

第８章　脳を明晰にする活動

p. 337, 'The clever cabbie': *Knowledge is Power* by Glen Marquis.
p. 339, figure 8.1, 'Hippocampus volume at different ages': adapted from L. Nyberg, L-G. Nilsson and P. Letmark, '*Det åldrande minnet: nycklar till att bevara hjärnans resurser*', Natur & Kultur (Stockholm), 2016 (in Swedish).
p. 349, 'Keep dancing': *The Dance of Life* by Edvard Munch (1899–1900), courtesy of The National Museum of Art, Architecture and Design, Norway.
p. 355, *Violin Concert*: by Edvard Munch (1903), courtesy of the Museum of Prints and Drawings, Berlin State Museums.

第９章　睡眠と脳

p. 381, 'Hans Berger and his early EEG recordings': from Oksana Zayachkivska, *Adolf Beck, Co-Founder of the EEG* (Utrecht, Digitalis/Biblioscope, 2013).
p. 392, figure 9.1, 'Circadian rhythm': adapted from Michael Reid, 'Strategies for crossing time zones'.
p. 414, 'Sleeping soundly': *Mattress* by Gian Lorenzo Bernini, c.1620.

第10章　脳と幸福

p. 432, figure 10.1, 'Kahneman's experiment on memory': adapted from Donald A. Redelmeier and Daniel Kahneman, 'Patients' memories of painful medical treatments: real-time and retrospective evaluations of two minimally invasive procedures', *Pain* 66 (1), 1996, pp. 3–8.
p. 436, 'Eight physiognomies of human passions': etching by Taylor (1788), after Charles Le Brun (1619–90), courtesy of The Wellcome Collection.
p. 449, figure 10.2, 'Well-being and age': adapted from 'A snapshot of the age distribution of psychological well-being in the United States', a 2010 study by Arthur Stone PhD, University of Southern California (USC).
p. 463, figure 10.3, 'Performance, stress and arousal: the Yerkes–Dodson law': adapted from David M. Diamond et al., 'The temporal dynamics model of emotional memory processing: a synthesis on the neurobiological basis of stress-induced amnesia, flashbulb and traumatic memories, and the Yerkes-Dodson Law' *Neural Plasticity*, 2007, article ID 060803.

p. 136, 'A casual kiss': *Billiards – A Kiss* by Nathaniel Currier and James Merritt Ives (1874), lithographers. From Currier & Ives: A Catalogue Raisonné, compiled by Gale Research, Detroit, MI, c.1983.
p. 145, 'Eating the whole apple': *Eating the Profits* by J. G. Brown (1878).
p. 156, 'A visit to the dentist': Unfair Advantage by F.H. (1892), courtesy of The Wellcome Collection.

第５章　脳が欲する栄養素

p. 179, 'Getting your vitamins': American Donut Association poster, 1941, from the Nutrition Division of the US government's War Food Administration.
p. 188, 'Fruit on a table': *Still Life with Fruit and Decanter* by Roger Fenton (1860).
p. 202, *The Bean Eater*: by Annibale Carracci (1585).
p. 220, 'A well-furnished table': *A Man, Glass in Hand, Sits at a Table with Food and Drink*, wood engraving, late sixteenth century, courtesy of The Wellcome Collection.

第６章　人間の社会性と脳

p. 233, *Loneliness*: by Hans Thoma (1880).
p. 245, 'Solitary confinement': colour woodcut by Elke Rehder from Stefan Zweig, *The Royal Game* (1943), photograph © Sverrir Mirdsson.
p. 265, *Slade School of Art Women's Life Class*: by Bertha Newcombe, photograph of magazine reproduction in *The Sketch* (1895).
p. 266, *Hip, Hip Hurrah! Artists' Party at Skagen* : by Peder Severin Krøyer (1888), courtesy of the Gothenburg Museum of Art.

第７章　脳と性欲

p. 277, 'Greek vase – the art of seduction': ancient Greek terracotta vase, signed by Hieron as potter and attributed to Makron as painter (c.490 bc), courtesy of The Metropolitan Museum of Art, New York.
p. 290, 'The lovers': *Les amants* by Pablo Picasso (1904).
p. 301, Femunculus and homunculus: © Improving Research Limited, UK 2021.
p. 306, figure 7.1, 'Sensory locations in the female brain': adapted from Barry R. Komisaruk et al., *Journal of Sexual Medicine* 8 (10), 2011, pp. 2822–30.

p. 469, ‘Man’s best friend’: *Portrait of a Man with a Dog* by Bartolomeo Passarotti (1585), photograph © The Italian Art Society (IAS).
p. 470, An early study for *WHAAM!* by Roy Lichtenstein: © Estate of Roy Lichtenstein/DACS/Artimage 2021.
p. 472, ‘Two country dancers’: *La danse à la campagne* by Pierre-Auguste Renoir (c.1890), courtesy of the Library of Congress Prints and Photographs Division, Washington DC.

謝辞

誰からはじめればいいのかわからないほど、お礼を言いたい人が大勢いる。

まずはヘンリー・ヴァインズに感謝したい。その洞察力、忍耐力、編集技術なくしては、本書は誕生しなかった。出版に向けた原稿の準備では、編集者のジリアン・ソマースケールズの見識と配慮がかけがえのない助けとなった。イマジナイトＬＬＣの美術担当ジャン・ステインは、昼夜を問わない無数のメールでヘンリーを困惑させながら、図版に関する貴重なアドバイスをしてくれた。グローバル・カウンシル・オン・ブレイン・ヘルスのメンバーからも多くのアイディアを授けてもらった。とりわけエグゼクティブ・ディレクターのサラ・ロックと議長のマリリン・アルバートは、その評議会の顧問として献身的に支えてくれた。

プレシジョン・フード・ワークスのディレクターで、私にとって栄養学の〝頼れる専門家〟であるクリス・タリーは本書に出てくる通り、時間を割いてインタビューに応じて、貴重で勇気づけられる言葉を与えてくれた。心からの謝意を表したい。

いくつかの大学に特に敬意を表したい。ひとつは私がこの仕事をはじめた頃にお世話になったラフバラー大学。バリー・ボーギン名誉教授は私の新刊を快く査読してくださった。本書の執筆にあたり、私の数々の突拍子もない質問に辛抱強く答えてくれたエクセター大学医学部のクライブ・バラード学部長にも感謝の念に堪えない。また、私が多くの間違いを犯さずに済んだのは、南カリフォルニア大学のデューク・ハン博士のおかげだ。貴重な時間を割いて本書の原稿に目を通してくださった。

出版前からの読者にも触れないわけにはいかない。数多くの読者のお名前をすべて挙げることはできないが、本書が完成したのはみなさんのおかげだ。多くの提案や意見はすべてありがたく読ませていただいた。

家族にもお礼を言わないわけにはいかない。本書の執筆中、私は長い間家にこもり、眉間に皺を寄せていたが、家族はそんな私を広い心で受け止めて支えてくれた。

最後に、今は亡きロットワイラー犬のクレオとアンバー。心やさしき友であるその2頭は、執筆活動の長い日々を無償の愛で癒してくれた。

著者略歴

著者ジェームズ・グッドウィンは、最初から本を書くことや大学教授になることを目指していたわけではなかった。

生物学で最初の学位を取ると大学を離れ、イギリス陸軍に入隊した。サンドハースト王立陸軍士官学校を卒業後、歩兵将校として英国、米国、ドイツ、近東で情報保全の任務に就き、紛争後のフォークランド諸島でも活躍した。とりわけ射撃が得意で、国際的な軍の競技会で陸軍代表に選ばれたこともある。全国大会では金、銀、銅のメダルを獲得した。若い将校時代にバートランド・スチュワート・エッセイコンテストでの入賞経験がある。

陸軍を退役するにあたり、〝最初の大学でのほどほどの学業成績を埋めあわせる〟ために、再び大学に入るという一大決心をした。ラフバラー大学で人間生物学の修士号を、続いて、エクセター大学医学部のジョン・トゥック教授の研究室で医学の博士号を取得する。現在、両大学で教鞭を執っている。

また、慈善団体『Help the Aged』の初代研究責任者、『Age UK』の最高科学責任者に就任し、ロンドンの『Centre for Better Ageing』に出向して、委託研究全般に関わり、具体的な利益につなげる方法を研究した。社会に影響を与える研究が認められ、『Academy of Social Sciences』のフェローに任命された。WHO知識移転に関する顧問団の議長、また、認知症研究に関する閣僚顧問団のメンバーとして、ワシントンＤＣの『Global Council on Brain Health』の栄誉ある顧問を務めている。

現在は、ロンドンの『Brain Health Network』（www.brain.health）で、科学・研究インパクト担当ディレクターとして働いている。執筆や講演活動であちこちを飛びまわる傍ら、デボン州で暮らし、愛犬とともにダートムーア国立公園で散歩を楽しんでいる。その国立公園は、イングランドで手つかずの自然が残る唯一の場所で、著者が自然界から得ているインスピレーションの源でもある。また、世界各地にいる家族や友人、同僚を訪ねるのを楽しみにしている。

最後に、著者は人生でのさまざまな出会いに感謝し、これまでに得た知識を分かちあうことに大きな意義を感じている。

著者　ジェームズ・グッドウィン

エクセター大学医学部名誉教授、ラフバラー大学生理学客員教授。ブレイン・ヘルス・ネットワーク（www.brain.health）のディレクター。脳の健康に関する世界評議会の特別顧問。射撃の得意な英国陸軍の軍人として活躍したのち、医学博士号取得という異色の経歴を持つ。

訳者　森嶋マリ

翻訳家。主な訳書に『古書の来歴』（ジェラルディン・ブルックス）、『アルゴリズムの時代』（ハンナ・フライ）、『メルケル』（カティ・マートン　共訳）、『NATURE FIX 自然が最高の脳をつくる』（フローレンス・ウィリアムズ　共訳）、『YOUNGER 遺伝子をリセットして10歳若返る』（サラ・ゴットフリード）など。

編集/DTP　福岡洋一
装丁　観野良太

SUPERCHARGE YOUR BRAIN
by James Goodwin

First published as Supercharge Your Brain in 2021
by Bantam Press, an imprint of Transworld Publishers.
Transworld Publishers is part of the Penguin Random House group of companies.
Japanese translation published by arrangement with Transworld Publishers,
a division of The Random House Group Ltd. through The English Agency (Japan) Ltd.

世界の最新メソッドを医学博士が一冊にまとめた
最強脳のつくり方大全

2024年3月10日　第1刷発行

著　者　ジェームズ・グッドウィン
訳　者　森嶋マリ
発行者　大沼貴之
発行所　株式会社 文藝春秋
〒102-8008 東京都千代田区紀尾井町3-23
TEL 03(3265)1211(代)
印刷所　図書印刷株式会社
製本所　図書印刷株式会社

ISBN 978-4-16-391818-1
Printed in Japan